BERICHT ÜBER DIE WISSENSCHAF
ANLÄSSLICH DES 69. BACH-FESTES DER N
LEIPZIG, 29. UND 30. M

CH00705267

For Ralph Kohn
with kindest regards

Peter Williams

LEIPZIGER BEITRÄGE ZUR BACH-FORSCHUNG · 1

Herausgegeben vom Bach-Archiv Leipzig

BERICHT ÜBER DIE

WISSENSCHAFTLICHE KONFERENZ

ANLÄSSLICH DES 69. BACH-FESTES

DER NEUEN BACHGESELLSCHAFT

LEIPZIG, 29. UND 30. MÄRZ 1994

Passionsmusiken im Umfeld
Johann Sebastian Bachs

———

Bach unter den Diktaturen
1933-1945 und 1945-1989

1995

Georg Olms Verlag

Hildesheim · Zürich · New York

Herausgegeben von Hans-Joachim Schulze,
Ulrich Leisinger und Peter Wollny

Gedruckt mit Unterstützung der Kulturstiftung des Freistaates Sachsen

Das Werk ist urheberrechtlich geschützt.
Jede Verwertung außerhalb der engen Grenzen des Urheberrechtsgesetzes
ist ohne Zustimmung des Verlages unzulässig und strafbar. Dies gilt
insbesondere für Vervielfältigungen, Übersetzungen, Mikroverfilmungen
und die Einspeicherung und Verarbeitung in elektronischen Systemen.

Die Deutsche Bibliothek - CIP-Einheitsaufnahme

Passionsmusiken im Umfeld Johann Sebastian Bachs.
Bach unter den Diktaturen 1933 - 1945 und 1945 - 1989 /
Bericht über die Wissenschaftliche Konferenz anläßlich des 69. Bach-Festes
der Neuen Bachgesellschaft, Leipzig, 29. und 30. März 1994. -
Hildesheim ; Zürich ; New York : Olms, 1995
Leipziger Beiträge zur Bachforschung ; 1)
ISBN 3-487-09974-8
NE: Bach-Fest ‹New Bach Society, 69, 1994, Leipzig›; New Bach Society;
Bach unter den Diktaturen 1933 - 1945 und 1945 - 1989; GT

© Copyright by Georg Olms AG, Hildesheim 1995
Alle Rechte vorbehalten
Printed in Germany
Gedruckt auf säurefreiem Papier
Lektorat: Barbara Steinwachs
Umschlaggestaltung: Ulrike Weißgerber, Leipzig
Herstellung: Lokay Druck, 64354 Reinheim
ISSN 0947-8655
ISBN 3-487-09974-8

INHALT

ABKÜRZUNGEN

1. Allgemeine, bibliographische und musikwissenschaftliche Abkürzungen

AfMw   *Archiv für Musikwissenschaft*

AMZ   *Allgemeine Musikalische Zeitung*

BC   *Bach Compendium. Analytisch-bibliographisches Repertorium der Werke Johann Sebastian Bachs von Hans-Joachim Schulze und Christoph Wolff*, Leipzig 1986ff.

Bd., Bde.   Band, Bände

BJ   *Bach-Jahrbuch*

BuxWV   Georg Karstädt, *Thematisch-systematisches Verzeichnis der musikalischen Werke von Dietrich Buxtehude. Buxtehude-Werke-Verzeichnis (BuxWV)*, 2., erweiterte und verbesserte Auflage, Wiesbaden 1985

BWV   Wolfgang Schmieder, *Thematisch-systematisches Verzeichnis der musikalischen Werke von Johann Sebastian Bach. Bach-Werke-Verzeichnis*, Leipzig 1950

BzBf   *Beiträge zur Bach-Forschung*

Diss.   Dissertation

Dok I, II, III   *Bach-Dokumente, herausgegeben vom Bach-Archiv Leipzig. Supplement zu Johann Sebastian Bach. Neue Ausgabe sämtlicher Werke.*
Band I: *Schriftstücke von der Hand Johann Sebastian Bachs. Vorgelegt und erläutert von Werner Neumann und Hans-Joachim Schulze*, Leipzig, Kassel etc. 1963
Band II: *Fremdschriftliche und gedruckte Dokumente zur Lebensgeschichte Johann Sebastian Bachs 1685–1750. Vorgelegt und erläutert von Werner Neumann und Hans-Joachim Schulze*, Leipzig, Kassel etc. 1969
Band III: *Dokumente zum Nachwirken Johann Sebastian Bachs 1750–1800. Vorgelegt und erläutert von Hans-Joachim Schulze*. Leipzig, Kassel etc. 1972.

fol.   folio

f., ff.   folgende

GfM   Gesellschaft für Musikforschung

HWV   Bernd Baselt, *Thematisch-systematisches Verzeichnis der Werke Georg Friedrich Händels*, Kassel etc. und Leipzig 1978–1986 (Händel-Handbuch, Bd. 1–3)

Jg.   Jahrgang

mschr.	maschinenschriftlich
MGG	*Die Musik in Geschichte und Gegenwart. Allgemeine Enzyklopädie der Musik*, Kassel etc. 1949–1979
MuG	*Musik und Gesellschaft*
MuK	*Musik und Kirche*
NBA	*Neue Bach-Ausgabe. Johann Sebastian Bach. Neue Ausgabe sämtlicher Werke. Herausgegeben vom Johann-Sebastian-Bach-Institut Göttingen und vom Bach-Archiv Leipzig*, Leipzig, Kassel etc. 1954ff.
NBG	Neue Bachgesellschaft
NFG	Nationale Forschungs- und Gedenkstätten Johann Sebastian Bach der DDR
Nr.	Nummer
r	recto
s.	siehe
S.	Seite
SBB	Staatsbibliothek zu Berlin – Preußischer Kulturbesitz (Haus 1 früher Deutsche Staatsbibliothek, vormals Preußische Staatsbibliothek bzw. Königliche Bibliothek; Haus 2 früher Staatsbibliothek Preußischer Kulturbesitz)
TVWV	Werner Menke, *Thematisches Verzeichnis der Vokalwerke von Georg Philipp Telemann*, 2 Bde., Frankfurt am Main 1981–1983
v	verso
vgl.	vergleiche
ZfM	*Zeitschrift für Musikwissenschaft*
zit.	zitiert

2. Abkürzungen politischer Begriffe der Zeit 1933–1945 und 1945–1989

DDR	Deutsche Demokratische Republik
HJ	Hitlerjugend
KPdSU	Kommunistische Partei der Sowjetunion
MfS	Ministerium für Staatssicherheit
NS	Nationalsozialistisch (-e / -er)
NSDAP	Nationalsozialistische Deutsche Arbeiterpartei
SA	Sturmabteilung
SED	Sozialistische Einheitspartei Deutschlands
SS	Schutzstaffel
UdSSR	Union der Sozialistischen Sowjetrepubliken
VDK	Verband Deutscher Komponisten und Musikwissenschaftler
VEB	Volkseigener Betrieb
ZK	Zentralkomitee

VORWORT

Von Hans-Joachim Schulze (Leipzig)

Die *Leipziger Beiträge zur Bach-Forschung* stehen in der Nachfolge der 1982 bis 1991 in Leipzig erschienenen und mit Heft 9/10 abgeschlossenen *Beiträge zur Bach-Forschung*.

Im Unterschied zu diesen versteht die neue Reihe sich a priori nicht als Konkurrenzunternehmen zu dem traditionsreichen Bach-Jahrbuch, zielt vielmehr auf eine Ergänzung und Erweiterung der Themenpalette: Insbesondere will sie durch die Veröffentlichung von Konferenzberichten, Quellenverzeichnissen, Aufsatzsammlungen zu speziellen Themenkomplexen sowie umfangreicheren Einzelstudien die Erforschung von Leben, Werk und Wirkungsgeschichte von Johann Sebastian Bach und anderen Gliedern dieser Musikerfamilie fördern.

Nicht zufällig beginnt die neue Reihe mit dem Bericht über die Wissenschaftliche Konferenz des Bach-Festes Leipzig 1994. Die im Herbst 1989 – ausgehend von Leipzig – erreichten politischen Veränderungen erforderten und ermöglichten (zumindest in den sogenannten Neuen Bundesländern) auch einen grundlegenden Neubeginn hinsichtlich der Gestaltung der Bach-Feste der Neuen Bachgesellschaft. Wiederum ging Leipzig hier voran: In geradezu beispielloser Konsequenz wurde unter dem Leitgedanken »Passion und Auferstehung im Schaffen Johann Sebastian Bachs« Bachs Kantaten- und Passionswerk seinem angestammten liturgischen Ort wieder zugeordnet und damit von ideologisch motivierter Verbiegung ebenso ferngehalten wie von der Beliebigkeit neuzeitlichen Veranstaltungsbetriebs. Aus dieser Konstellation erklärt sich zwanglos der interne Zusammenhang der beiden scheinbar disparaten Themen der Wissenschaftlichen Konferenz.

Das Thema »Bach unter den Diktaturen ...« hat bereits bei seiner Ankündigung viel Zustimmung gefunden, aber auch manche Vorverurteilung erfahren. Nach Abschluß der Konferenz gab es Beifall, hin und wieder auch Kritik. Auf negative Reaktionen mußte man allerdings gefaßt sein, ist doch – nach einem Wort des Schriftstellers Jorge Semprún (1994 Träger des Friedenspreises des deutschen Buchhandels) – »das demokratisch wiedervereinigte Deutschland das einzige Land Europas, das beide totalitären Erfahrungen dieses Jahrhunderts verarbeiten kann und muß«. Die Chancen für die anstehende Vergangenheitsbewältigung wird man derzeit mit einiger Skepsis beurteilen: Den Kinderschuhen dürfte jene erst zu entwachsen beginnen, wenn ein so umfassender Generationswechsel eingetreten ist, daß Interessen Lebender nicht mehr tangiert werden. Und so gleichen die Jahre nach 1945 denen nach 1989 in dem Punkt, daß Aktivisten und Mitläufer, Steigbügelhalter und Opportunisten sich ermutigt fühlen und in der Maske des Biedermanns unverfroren den Fuß in die Tür setzen. Dem nach 1945 weitverbreiteten »kleinen PG*, der nur das Beste gewollt hatte und von seinem Führer schmählich irregeleitet worden war«, entspricht nach 1989 der »kleine IM**, der niemandem geschadet hat«.

Zu den nicht wenigen Gemeinsamkeiten der beiden Diktaturen zählt der Versuch, die gesamte Bevölkerung zu indoktrinieren und umzuerziehen, um sie gefügig zu machen und so das Regime zu stabilisieren. Rolle und Erscheinungsbild der Kunst sind hierbei notwendigerweise ambivalent; die Palette reicht von Exportartikel und Aushängeschild bis zu Beschäftigungstherapie und Refugium. Entsprechend unterschiedlich zeigt sich die Motivation für die Auseinandersetzung mit überkommenen Kunstleistungen; hier geht die Skala vom sorgsamen Schützen des Bedrohten über dessen unreflektierte Einpassung in das aktuelle System bis hin zur vorsätzlichen Verzerrung.

Angesichts dieser Situation und insbesondere der ebenso verbreiteten wie unbegreiflichen Verweigerung gegenüber der Möglichkeit, aus geschichtlichen Erfahrungen zu lernen, war das Thema »Bach unter den Diktaturen ...« als Anstoß gemeint, um anhand unterschiedlicher Aspekte der Bach-Forschung und -Praxis eine Befragung und Bewertung der jüngeren und jüngsten Vergangenheit in Gang zu setzen. In der Mehrzahl der Beiträge fügen neuerschlossene Dokumente, persönliche Erinnerungen sowie die Beiziehung einschlägiger Untersuchungsergebnisse sich zu einem bedrückenden Szenarium zusammen, dem gegenüber die für den gleichen Zeitabschnitt zu belegende Vielzahl respektabler künstlerischer und wissenschaftlicher Leistungen einen merkwürdigen Kontrast abgibt. Hier müssen weitergehende Untersuchungen einsetzen, insbesondere zu Fragen der systemkonformen und -nichtkonformen künstlerischen und wissenschaftlichen Arbeit.

---

* Parteigenosse (Mitglied der NSDAP).
** »Informeller Mitarbeiter« (des Ministeriums für Staatssicherheit der DDR).

1

PASSIONSMUSIKEN IM UMFELD

JOHANN SEBASTIAN BACHS

ORATORISCHE PASSION UND PASSIONS-ORATORIUM AUS THEOLOGISCHER SICHT

Von Meinrad Walter (Freiburg i. Br.)

Die Frage nach dem theologischen Unterschied von oratorischer Passion und Passions-Oratorium hat sich für mich im Verlauf der Bearbeitung dieses Themas eher verkompliziert als vereinfacht. Der Erklärung dieses Sachverhalts dienen zunächst vier einleitende Bemerkungen (I). Es schließen sich an: ein Katalog mit fünf Unterscheidungskriterien (II) und eine Überlegung zur gegenseitigen Beeinflussung dieser beiden Passionstypen am Beispiel der Bachschen Johannes-Passion BWV 245 und des von Bach eingerichteten Passions-Pasticcios Keiser-Händel (III), sowie eine Schlußbemerkung (IV).

I. EINLEITENDE BEMERKUNGEN

1. Drei Epochen der Passionsmusik

Die lange, weitverzweigte und unabgeschlossene Geschichte der Passionsmusik[1] kann theologisch verstanden werden als die Geschichte der künstlerisch-musikalischen Vergegenwärtigung der biblisch bezeugten Passion Jesu Christi. Die Werke spiegeln den Stand des Komponierens ihrer Zeit ebenso wie die Personalstile ihrer Komponisten; sie zeigen aber zugleich den jeweiligen Stand des Theologisierens, wiederum sowohl epochal als auch individuell. Dabei erscheint die Benennung der Einzeltypen dieser vokal-instrumentalen Riesengattung, der wohl nur noch die Messe vergleichbar ist, ebenso wichtig wie problematisch und in den Übergangsphasen umstritten. Wir finden hier nämlich weniger den randscharfen Einschnitt, sondern vielmehr fließende Übergänge, denen mit terminologischen Fixierungen nur schwer zu begegnen ist.

---

1 Vgl. zur Orientierung etwa den Art. *Passion*, in: MGG, Bd. 10, Sp. 886–933; Diethard Hellmann, *Die »Oratorische Passion« – Das »Passions-Oratorium«*, in: Musik und Bildung 19 (1987), S. 11–17; Günther Massenkeil, *Das Oratorium*, Köln 1970.

Versucht man dennoch, die Geschichte der Passionsmusik unter dem Doppelaspekt der Textgestaltung und der ihr zugrundeliegenden Theologie zu überblicken, so legt sich die Gliederung in drei (recht große und grobe) Epochen[2] nahe:

a. Eine erste Epoche ist gekennzeichnet durch die (alleinige) Dominanz des Biblischen; den textlichen Vorwurf bildet die biblische Passionsgeschichte nach einem der vier Evangelien (oder einer *Summa passionis*) – zuerst lateinisch, dann auch in Landessprachen; auch die Textgestalt der 'Sieben Letzten Worte' gehört zunächst einmal hierher.

b. Eine zweite Epoche behält den biblischen Text zwar bei, bereichert ihn aber zunehmend mit auslegenden Texten, die zunächst an den Rändern eindringen (*Exordium* und *Conclusio*), dann aber immer mehr Gewicht für sich beanspruchen, um schließlich zum gleichberechtigten Pendant des Biblischen zu werden.[3] Ich meine, es spricht vieles dafür, daß diese Integration in Bachs Passionen am deutlichsten gelungen ist: als Balance von Bericht und Deutung, von nach vorn drängender Dramatik und nach innen weisender Betrachtung, die die Dramatik anhält und 'unterbricht'. In diese zweite Gruppe gehört dann auch Buxtehudes lateinischer Kantatenzyklus »Membra Jesu Nostri« (BuxWV 75), der Bibelworte und geistliche Dichtung integriert. Den Gipfelpunkt markiert, wie gesagt, Johann Sebastian Bach; Nachzügler ist eine 1985 wiederentdeckte und vermutungsweise Carl Philipp Emanuel Bach zugeschriebene Markus-Passion.[4]

c. In der dritten Epoche dominiert schließlich die nicht-biblische Sprache (wenngleich sie immer noch die Bibel auslegt, um Passion Jesu Christi zu bleiben). Den Übergangspunkt markiert der Passionstext Christian Friedrich Hunolds »Der Blutige und Sterbende Jesus« (1704 komponiert

---

2 Dies ist sicherlich nicht der einzig mögliche Aspekt einer Epochengliederung; ich vermute jedoch, daß er sich mit musikalischen Kriterien durchaus sinnvoll verbinden läßt. Leider kann man das in diesem Rahmen nicht geleistet werden.

3 Walter Lott (*Zur Geschichte der Passionskomposition von 1650–1800*, AfMw 3, 1921, S. 285–320, hier S. 290) nennt die um die Mitte des 17. Jahrhunderts entstandene Passion von Thomas Strutius, von der nur der Text erhalten ist, »die früheste ausgesprochen oratorische Passion«.

4 Als Autor der durch einen Zerbster Textdruck schon 1750 belegten Passionsmusik kommt allerdings eher Johann Georg Röllig in Frage. Vgl. Hans-Joachim Schulze, *Carl Philipp Emanuel Bachs Hamburger Passionsmusiken und ihr gattungsgeschichtlicher Kontext*, in: Carl Philipp Emanuel Bach und die europäische Musikkultur des mittleren 18. Jahrhunderts. Bericht über das Internationale Symposium der Joachim Jungius-Gesellschaft der Wissenschaften Hamburg 29. September – 2. Oktober 1988, hrsg. von Hans Joachim Marx, Göttingen 1990, S. 333–343, hier S. 343.

von Reinhard Keiser), in dem sich zum ersten Mal eine gereimte Neufassung des Evangeliums findet. Die Bindung an die Bibel wird schließlich immer lockerer und selektiver, bis es (nach verhältnismäßig wenigen Werken im 19. Jahrhundert) in unserem Jahrhundert als einer vierten Epoche zusätzlich zu retrospektiven Lösungen kommt, die – ohne eigenen normsetzenden Anspruch – an frühere Normen anknüpfen: etwa Frank Martins Passions-Oratorium »Golgotha« (1945–1948), aber auch die eher an der oratorischen Passion orientierten lateinischen Werke wie Krzysztof Pendereckis Lukas-Passion (1966) oder Arvo Pärts Johannes-Passion (1982). Inzwischen ist sogar der Bereich der religiösen Pop-Musik vertreten mit Adrian Snell »The Passion« (1980).

Das nunmehr zu diskutierende Problem ist der Übergang von der zweiten zur dritten Epoche sowie deren zeitweilige Koexistenz in der ersten Hälfte des 18. Jahrhunderts.

2. Der Übergang von der oratorischen Passion zum Passions-Oratorium

Wie so oft ist nicht eine veränderte Terminologie[5] (oratorische Passion – Passions-Oratorium) einfach da, die dann sachlich zu begründen wäre, sondern eine 'sachliche' Veränderung verlangt (mehr im nachhinein als schon zur Zeit ihrer Entstehung) nach einer terminologischen Benennung und Differenzierung.

Ich versuche deshalb, von diesem Sachverhalt auszugehen, der theologisch mit Elke Axmacher als »Wandel des Passionsverständnisses im frühen 18. Jahrhundert«[6] zu benennen ist. Diese theologische Akzentverschiebung hat sich auf die Textgrundlagen der Passionsvertonungen niedergeschlagen, und zwar im Sinne einer Entwicklung. Wollte man sie mit einer Ellipse vergleichen, dann stünden in ihren Brennpunkten die beiden 'Idealtypen' der oratorischen Passion und des Passions-Oratoriums. Mehr geistesgeschichtlich wird man sagen dürfen, daß sich dieser Wandel innerhalb der großen Entwicklung von Säkularisierung und Aufklärung abspielt.[7]

---

5 Vgl. dazu Erich Reimer, Art. *Oratorium*, in: Handwörterbuch der musikalischen Terminologie, hrsg. von Hans Heinrich Eggebrecht, 2. Auslieferung, Wiesbaden 1972.

6 Elke Axmacher, *»Aus Liebe will mein Heyland sterben«. Untersuchungen zum Wandel des Passionsverständnisses im frühen 18. Jahrhundert*, Neuhausen-Stuttgart 1984 (Beiträge zur theologischen Bachforschung. 2.).

7 Vgl. etwa Ulrich Ruh, *Säkularisierung als Interpretationskategorie. Zur Bedeutung des christlichen Erbes in der modernen Geistesgeschichte*, Freiburg i. Br. 1980 (Freiburger Theologische Studien. 119.), S. 301ff.

Der Weg geht bekanntlich von der oratorischen Passion hin zum Passions-Oratorium, was aber nicht ausschließt, daß wir es in Einzelfällen auch mit einer Art des 'Zurückbauens' zu tun haben: Bachs Johannes-Passion (oratorische Passion) mit ihren aus der Brockes-Passion (Passions-Oratorium) entlehnten Textteilen. Was ich hier versuchen will, ist folgendes: Es soll ein Katalog von Unterscheidungskriterien theologischer Art aufgestellt werden – in der Hoffnung, daß diese theologischen Kriterien dann die musikwissenschaftlich geforderte 'Einordnung' der Einzelwerke erleichtern helfen. Zuvor jedoch noch eine Bemerkung zur Begrifflichkeit und eine grobe Definition.

3. Die problematische Begrifflichkeit

Die Unterscheidung von oratorischer Passion und Passions-Oratorium hat sich bekanntlich seit der Studie von Walter Lott[8] durchgesetzt, wenngleich dessen Wertung der geschichtlichen Entwicklung als »Verfall« und »Niedergang«[9] zunehmend in Frage gestellt wird. Die Begrifflichkeit hat allerdings bereits einen Anhalt in den Quellen aus dem 18. Jahrhundert, wo sie jedoch noch nicht auf diese beiden Termini gebracht wird.[10] Daß die Verwendung der beiden Begriffe problematisch war und ist, mögen zwei Beispiele verdeutlichen:

a. Georg Poelchau bezeichnete unter dem Datum 1834 die Matthäus-Passion von Johann Valentin Meder (vermutlich 1701 entstanden) als »Passionsoratorium«; nach der heute üblichen Terminologie handelt es sich aber eindeutig um eine oratorische Passion.[11]

---

8 Lott, *Zur Geschichte der Passionskomposition* (s. Fußnote 3).
9 Ebenda, S. 313.
10 Vgl. neben Johann Mattheson, *Der vollkommene Capellmeister* (Hamburg 1739, Reprint Kassel 1984), S. 220, und Johann Adolph Scheibe, *Critischer Musikus* (Leipzig 1745, Reprint Hildesheim und Wiesbaden 1970), S. 186ff., insbesondere S. 192, vor allem aber den Brief Carl Philipp Emanuel Bachs an Georg Michael Telemann aus dem Jahr 1767 mit der Frage: »(6) Wird alle Jahre eine Paßion aufgeführt, und wann? ist solche nach historischer u. alter Art mit den Evangelisten u. andern Personen vorgestellt [= oratorische Passion; M. W.] oder wird sie nach Art eines Oratorii mit Betrachtungen, wie z[um] E[xempel] die Ramlerische [»Der Tod Jesu« = Passions-Oratorium; M. W.], eingericht?« (zit. nach *Carl Philipp Emanuel Bachiana. Briefe, die bei Ernst Suchalla nicht veröffentlicht wurden*, hrsg. und kommentiert von Rudolph Angermüller, in: Jahrbuch des Staatlichen Instituts für Musikforschung Preußischer Kulturbesitz 1985/86, S. 9–168, hier S. 21f.
11 Vgl. die Ausgabe in der Reihe *Das Chorwerk* (Heft 133), Wolfenbüttel 1985, hrsg. von Basil Smallman, S. VII und S. IV.

b. Die üblicherweise als Passions-Oratorium angesprochene Brockes-Passion[12] wird von Elke Axmacher noch der oratorischen Passion[13] zugerechnet, was von ihren poetologischen und theologischen Kriterien her auch möglich erscheint. Es scheint also auf die Kriterien anzukommen – und dabei besonders auch auf die theologischen.

4. Eine grobe Definition

Die oratorische Passion ist einfacher zu fassen als das Passions-Oratorium, denn sie läßt sich sinnvoll definieren durch etwas, was in ihr da ist, beim Passions-Oratorium jedoch fehlt. Die oratorische Passion ist nämlich – formal – gekennzeichnet durch das Vorhandensein des biblischen Textgerüsts nach dem Wortlaut eines Evangelisten oder einer Passionsharmonie.[14]

Das Passions-Oratorium dagegen, bei dem dieser wörtlich-biblische Ablauf fehlt, kann in drei Phasen angetroffen werden, von denen die mittlere wohl die für das Leipziger Bach-Fest 1994 wichtigste und zudem die theologisch interessanteste ist:

a. die erste Phase verzichtet auf den 'chronologischen' Ablauf der biblischen Geschehnisse, weil sie ihn voraussetzt, um ein anderes Gliederungsprinzip zu wählen: 'Die Sieben Worte Jesu am Kreuz' (in denen ja auch der Gesamtsinn der Passion steckt) oder 'Die Sieben Gliedmaßen' (Buxtehudes »Membra Jesu Nostri«); hier ist in der Regel das Wort Passions-Oratorium eher irreführend;

b. die zweite Phase ist die Übergangszeit von der oratorischen Passion zum Passions-Oratorium, in der, wie gesagt, ein theologischer Wandel im Verständnis der Passion auszumachen ist;

---

12 Vgl. Henning Frederichs, *Das Verhältnis von Text und Musik in den Brockespassionen Keisers, Händels, Telemanns und Mathesons*, München und Salzburg 1975 (Musikwissenschaftliche Schriften. 9.).

13 Axmacher, »*Aus Liebe will mein Heyland sterben*« (s. Fußnote 6), S. 121ff.

14 Vgl. Lott, *Zur Geschichte der Passionskomposition* (s. Fußnote 3), S. 300: »Passionskantate und Passionsoratorium unterscheiden sich von der oratorischen Passion durch die Textbehandlung. Schloß die oratorische Passion sich eng an die Bibel an, deren Worte sie getreu übernahm, aber durch lyrische Einschiebsel verbreiterte, so verwenden die beiden anderen Formen eine reimweise Nachbildung der evangelischen Erzählungen, der sie hier und dort unverfälschtes Bibelwort untermischen.«

c. die dritte Phase gleicht der ersten, weil auch hier kaum beabsichtigt ist, die aufeinanderfolgenden *Actus* der Passion als Gliederungsprinzip zu wählen.

II. DER KATALOG DER KRITERIEN

Nun also der Versuch eines Kriterienkataloges zur theologischen Unterscheidung von oratorischer Passion und Passions-Oratorium. Meine These lautet: Die oratorische Passion strebt (in ihrer homiletischen Grundtendenz) ein Gleichgewicht an zwischen zwei 'Richtungen', nämlich
- der Richtung nach vorn, wie sie der biblische Bericht vorgibt und wie sie sich in der Einteilung nach *Actus*[15] manifestiert; mit einer gewissen Vorsicht möchte ich das (auch in einem theologischen Sinne) 'Dramatik' nennen;
- und der Richtung nach innen, wie sie die betrachtenden Partien entfalten, die gewissermaßen antwortend aus der Perspektive des Hörer-Ichs sprechen.[16] Dieses Gleichgewicht ist im Typus der oratorischen Passion angezielt und wird – so versuche ich zu sagen – in Bachs Werken auch tatsächlich unübertroffen realisiert.

Im Passions-Oratorium kippt dieses Gleichgewicht auf die eine oder die andere Seite (nach vorn im Sinne einer übersteigerten Dramatik – nach innen im Sinne der 'geschichtslosen' Betrachtung).

Was ist der Grund dafür? Ich sehe ihn zunächst formal im Aufgeben der dreifachen 'Schichtung' von Bibelwort, geistlicher Dichtung und Choralstrophen. Diese Mehrschichtigkeit ist tatsächlich die hermeneutische Chance der Kantate und der oratorischen Passion, wie Renate Steiger feststellt.[17] Gerade durch die konsequent durchgehaltene Unterscheidung von Bibel und Bibelauslegung kann die oratorische Passion in ihrem Zeitverlauf das Unterschiedene zu einer Einheit zusammenbringen. Das Passions-Oratorium dagegen verwischt und vermischt die beiden Ebenen zugunsten einer Stileinheit[18] und weicht dadurch in gewisser Weise der Frage der

---

15 Vgl. Martin Petzoldt, *Passionspredigt und Passionsmusik der Bachzeit*, in: Johann Sebastian Bach. Matthäus-Passion BWV 244. Vorträge der Sommerakademie J. S. Bach 1985, hrsg. von Ulrich Prinz, Kassel etc. 1990, S. 8–23.
16 Dies ist etwa bei Scheibe (*Critischer Musikus*, s. Fußnote 10, S. 192) nur noch angedeutet, wenn er davon spricht, daß die »andächtigen Betrachtungen« von »gewissen erdichteten Personen« gesungen werden.
17 Renate Steiger, Art. *Kantate*, in: Theologische Realenzyklopädie XVII, Berlin und New York 1988, S. 592ff.
18 Vgl. Axmacher, *»Aus Liebe will mein Heyland sterben«* (s. Fußnote 6), S. 109ff.

'Gleichzeitigkeit' der Passion mit dem Hörer aus, so als gäbe es dieses Problem nicht. Die Aufgabe, von der Distanz in die Nähe, von der Ungleichzeitigkeit in die Gleichzeitigkeit mit der Passion zu kommen, wird eher umgangen: durch das selbstverständliche Bleiben in einer Distanz (von Elke Axmacher hervorgehoben), aber ebenso auch durch ein quasi-selbstverständliches Eintreten in die Nähe.[19]

Die nun folgenden Kriterien sind nicht alle auf der historischen 'Ebene' angesiedelt. Sie versuchen vielmehr, vom erfahrenen Werk auszugehen und beziehen deshalb etwa auch die dem Hörer vom Werk nahegelegte Haltung mit ein, die bei der oratorischen Passion eine durchaus andere ist als beim Passions-Oratorium.

1. Der Text: Bibelwort oder paraphrasierende Nachdichtung

Dies scheint mir nach wie vor das Hauptkriterium zu sein: Während die oratorische Passion am Wortlaut der Bibel festhält, paraphrasiert und poetisiert das Passions-Oratorium auch den biblischen Bericht, und zwar (notgedrungen) theologisch selektiv. Dadurch wird dann auch die von Martin Petzoldt in den Blick genommene Actus-Gliederung zunehmend verwischt. In Hasses »I Pellegrini« etwa ist sie gerade noch erkennbar.

Der Verzicht auf den wörtlichen Bibeltext hat zur Konsequenz, daß nun 'Bericht' und 'Betrachtung' vermischt werden. Es mag sein, daß die Passion dadurch an den damaligen Hörer näher heranrückte, heute rückt sie dadurch eher von uns weg, weil uns der Bibelbericht normativer erscheint als die damaligen Paraphrasen.

Eine gewisse Rückwendung zur Bibel (und Abwendung vom Opernvorbild) kann in der Beibehaltung oder Wiedereinführung des Evangelisten (*Testo*) gesehen werden, wie wir sie etwa im Passions-Oratorium von Barthold Heinrich Brockes finden. Die der Passion innewohnende Spannung von Zeugnis (Johannes 21,24) und Drama konnte so einfach nicht nach der Seite des Dramas hin aufgelöst werden.

2. Die Stillage: niederer oder hoher Stil

Dies ist die poetologische Erklärung des ersten Punktes. Elke Axmacher hat das deutlich herausgearbeitet: Die Einführung des hohen Stils verlangt nach einer Einheitlichkeit im Sinne der Einheit des Ortes, der Zeit und der

---

19 So ist wohl die 'Wallfahrt nach Jerusalem' in Hasses »I Pellegrini« zu deuten.

Handlung.[20] Die Uneinheitlichkeit der oratorischen Passion ist jedoch gerade ihr theologisches Plus – etwa in bezug auf die Zeit: Wir sind mit Christus ungleichzeitig und gleichzeitig zugleich, das heißt, wir sollen gleichzeitig werden, und dieses Geschehen führt die oratorische Passion mit dem Ineinander von biblischen (nach vorn) und betrachtenden Texten (nach innen) symbolisch aus. Es geht also um das Gleichzeitig-Werden, etwa mittels der assoziativen Anknüpfung der Arien und Choräle an das Bibelwort, nicht aber um ein Gleichzeitig-Sein.

Der Preis für die Einführung des hohen Stils ist der Verzicht auf die literarische Nähe zu den Passionspredigten. Passionslibretto und Passionspredigt geraten nun in das Verhältnis einer Konkurrenz, das auf anderer Ebene zum Konkurrenzverhältnis von Gottesdienst und Konzert wird.[21]

Mit dem Stellenwert der Anknüpfung an die Predigten sinkt im übrigen auch das Gewicht der Choräle, das bei Bach ja noch überdurchschnittlich hoch ist.

3. Die Personen der Passion: Hörer-Ich oder »erdichtete Person«

Hier sehe ich den deutlichsten theologischen Unterschied. Er besteht darin, daß im Mittelpunkt der oratorischen Passion (deutlicher als beim Passions-Oratorium) der Zuhörer steht: als 'Ich' (des Glaubens) und zugleich als 'Wir' (der Gemeinde).

Ich erinnere an die beiden Richtungen: nach vorn – nach innen. Die geistliche Zuspitzung ist immer die *Applicatio* (Aneignung). Sie wendet das vergangene Einzelmoment der Passion auf den gegenwärtigen Hörer an, indem sie ihn daran erinnert, daß er bereits im Geschehen drin ist, gleichzeitig ist (von Jesus her – und im Geist), weil die Passion als *Mysterium*

---

20 Zu den Schwierigkeiten mit dieser poetologischen Vorgabe vgl. Scheibe, *Critischer Musikus*, S. 193 (s. Fußnote 10): »Daß aber bey dieser Verfassung die Einheit der Zeit und des Ortes wegfällt, ist freylich nicht zu leugnen«.

21 Vgl. die gegenseitig polemischen Äußerungen, zit. bei Walter Blankenburg, *Der Anteil des Passionsoratoriums an der Frühgeschichte des Kirchenkonzerts in den deutschen lutherischen Gebieten*, in: Beiträge zur Geschichte des Oratoriums seit Händel, hrsg. von Rainer Cadenbach und Helmut Loos, Bonn 1986 (Festschrift Günther Massenkeil zum 60. Geburtstag), S. 83–94, hier S. 87: »... wegen vieler Umbstände die Zuhörer und Zuschauer mehr geärgert, als erbauet werden« (gegen das Passions-Oratorium) – und bei Axmacher, »Aus Liebe will mein Heyland sterben« (s. Fußnote 6), S. 111 (für das Passions-Oratorium): »... und bin ich versichert, daß manchem Ruchlosen durch eine dergleichen lebendige Vorstellung ehe das harte Hertz schmeltzen würde, als wenn er 50. unkräfftige und hergeleyerte Predigten anhörete.«

salutis ihre Heilsbedeutung (*propter me* – *pro me*) hier und jetzt gegenwärtig und zukünftig entfaltet.

Gleichsam das Vorzeichen vor der Klammer aller Arien und Choräle ist dieses »Ich«, wie es etwa in Bachs Johannes-Passion deutlich wird: »Ich folge dir gleichfalls«, »Von den Stricken meiner Sünden | Mich zu entbinden«. Auch wenn eine der biblischen Personen als Exempel herangezogen wird, etwa Petrus, dann ist er doch Exempel für mich: »Ach, mein Sinn, | Wo willt du endlich hin«. Die Zeichnung der biblischen Personen geht gerade so weit, daß der Hörer die Identifikation mit ihnen noch vollziehen kann; das gilt selbst für die Judas-Arie der Bachschen Matthäus-Passion (»Gebt mir meinen Jesum wieder!«), wo sogar der Verräter zum Spiegel des Glaubenden wird (Petri Verleugnung – des Judas Verrat).

Im Passions-Oratorium nun verändert sich das dergestalt, daß das Interesse an den biblischen Personen sich verselbständigt und zusätzlich verstärkt allegorische Personen eingeführt werden. Bleiben wir bei Petrus (nun in der Brockes-Passion):[22] Die Worte »Nehmt Mich mit / verzagte Schaaren / Hier ist Petrus ohne Schwerdt / . . .« haben die Grenze vom Spiegel[23] zum Schauspiel überschritten, denn hier spricht nur noch Petrus – und der Hörer ist aus der Rolle des Sich-Identifizierenden, aus der Rolle des Gespiegelten, herausgefallen in die Rolle des Zuschauers, der zwar auch beteiligt ist, aber in einem anderen Sinne: momentan interessiert (aber stärker an Petrus als an sich selbst), zwar gefühlsmäßig involviert, jedoch weniger geistlich verstehend. Die Ich-Formulierungen haben nun eine veränderte Bedeutung. Sie meinen das (mir fremde) Ich des Petrus – und nicht mehr 'mein Ich', das sich (im Blick auf das Exempel des Petrus) selbst verstehen will.

Das Schauspiel verlangt ein Publikum, der Spiegel verlangt Hörer, die mit-beten, so kann man zugespitzt sagen. Das Schauspiel fesselt die Aufmerksamkeit und richtet sie auf das Ziel aus (wie es ausgehen wird); der Spiegel setzt von Anfang an voraus, daß der Hörer den Ausgang kennt – und nur deshalb kann der Ausgang in jedem Punkt schon antizipiert werden.

Auch die Einführung allegorischer Personen kann zumindest teilweise als eine Ablösung der Mittelpunkt-Stellung des Hörers gedeutet werden;

---

22 Ich zitiere nach *Oratorium. Festspiel*, hrsg. von Willi Flemming, Leipzig 1933 (Deutsche Literatur. Sammlung literarischer Kunst- und Kulturdenkmäler in Entwicklungsreihen), S. 99.
23 Vgl. Walter Lotts Hinweis auf ein Passionsexordium mit den Worten »Bespiegelt euch in Jesu« (*Zur Geschichte der Passionskomposition*, s. Fußnote 3, S. 298).

sicherlich kann sich der Hörer oft auch mit den Personen des Passions-Oratoriums identifizieren, aber das ist schwieriger als bei der oratorischen Passion. Zu fragen ist auch, ob das Auftreten der Andacht beispielsweise nicht letztlich ein Indiz für ihr Verschwinden ist. Andacht ist dann nicht mehr die Grundstimmung des Werkes, sondern sie wird zu einer »gewisse(n) erdichtete(n) Person«[24] im Sinne Johann Adolph Scheibes.

4. Wer handelt eigentlich in der Passion?

Hier sind zwei Relationen zu bedenken, in denen sich das Schwergewicht verschiebt. Die erste Relation ist die von Elke Axmacher besonders deutlich herausgearbeitete, nämlich die 'innertrinitarische' zwischen Gott-Vater und Jesus. Hier verlagert sich der Schwerpunkt auf Jesus, der entweder von Gott isoliert wird (so daß das Wort Gott in Picanders Passions-Oratorium »Erbauliche Gedancken« von 1725 gar nicht vorkommt) oder der einfachhin (und sehr häufig) als Gott benannt wird, wie etwa in Hasses »I Pellegrini«.

Was im Wandel des Passionsverständnisses unverständlich wurde, ist die Spannung zwischen Gott und Jesus. Ein Beispiel wiederum aus Hasses »I Pellegrini« (Text von Stefano Benedetto Pallavicino): hier wird Jesu Kampf in Gethsemane verschwiegen oder zumindest stark geglättet.

> Ravvivato a quella voce
> rispondea: dov'è la croce?
> Più non bramo, che morir.[25]

Vernachlässigt ist hier der Aspekt der *Fides qua creditur*, denn das Ergebnis (»Komm, süßes Kreuz«) ist nicht Ergebnis eines Glaubensgeschehens, sondern es wird von vornherein statuiert.

Die zweite Relation ist die zwischen dem Betrachter und dem, was er betrachtet, bedenkt, erwägt. Hier kennt die oratorische Passion ein Wechselspiel von Aktivität und Passivität: ich will bedenken (aktiv) - was

---

24 Vgl. Fußnote 16.
25 Ich zitiere nach Michael Koch, *Die Oratorien Johann Adolf Hasses. Überlieferung und Struktur*, Bd. 2, Pfaffenweiler 1989, S. 198. – In der Übersetzung des italienisch-deutschen Textbuches (*I PELLEGRINI | AL SEPOLCRO | DI N. S. | ORATORIO | DA CANTARSI NELLA | REGIA ELETTORAL CAP= | PELLA DI DRESDA | LA SERA | DEL VENERDI SANTO | NELL'ANNO MDCCLIV. | DRESDA, | Dalla Stamperia Regia per la Vedova Stössel*; Exemplar: Sächsische Landesbibliothek Dresden, *MT 4° 166 Rara*) lautet die Stelle: »So gleich ermann' ihn dieses Wort, | Wo ist das Creutz? sprach er, nur fort; | Ich wünsche nichts, als nur zu sterben.«

sich mir zeigt (passiv). Dieses Zeigen ist letztlich ein geistlich-gnadenhaftes Geschehen. Als Beispiel mag das bekannte Passionslied des Sigmund von Birken (1663) dienen:

> Jesu, deine Passion
> will ich jetzt bedenken;   – aktiv
> wollest mir vom Himmelsthron – passiv
> Geist und Andacht schenken.
> In dem Bilde jetzt erschein ...

Die Sprachgeste, wenn ich es so nennen darf, ist die Bitte an Jesus; vergleiche auch Bachs Johannes-Passion:

> Ich folge dir gleichfalls   – aktiver Vorsatz
> Befördre den Lauf   – passive Bitte (Gebet)

Oder Paul Gerhardts Passionslied »O Haupt voll Blut und Wunden«:

> Erscheine mir zum Schilde,
> zum Trost in meinem Tod
> und laß mich sehn dein Bilde ...

In der deutschen Textfassung von Hasses »I Pellegrini« heißt es dagegen (als Aufforderung des Wegweisers):

> So stellet einmahl hier
> Euch euren Jesum für.

Ich will das nicht überinterpretieren, aber eine Akzentverschiebung sehe ich hier durchaus. Der Hörer ist vom offen Aufnehmenden, der sich die Passion zeigen läßt, zum aktiv Sich-Vorstellenden geworden. Die göttliche Aktivität, die ich geistlich genannt habe: »Zeig uns durch deine Passion ...« ist nun stärker in den Hörer selbst hineinverlagert: 'stelle dir vor'. Diese Tendenz findet sich im übrigen bereits bei Hunold:

> »Allein so hat man gemeinet / dieses Leiden / welches wir ohne diß nicht lebhaft gnung in unsere Hertzen bilden können / bey dieser heiligen Zeit nachdrücklicher vorzustellen / wenn man es durchaus in Versen und sonder Evangelisten / gleichwie die Italiänische so genannte Oratorien, abfaste / so daß alles auff einander aus sich selber [d. h. ohne Vermittlung des traditionellen Erzählers] fliesset.«[26]

Liest man nun beide Akzentverschiebungen (von Gott auf Jesus; vom Geist auf das Hörer-Ich) zusammen, so drängt sich der Eindruck einer weniger 'trinitarischen' Theologie auf:

---

26 Zit. nach Reimer, Art. *Oratorium*, (s. Fußnote 5), S. 3.

Gott als Handelnder in der Passion wird abgeblendet (er ist der Schöpfer, denn mit diesem Prädikat hatte die Aufklärung die wenigsten Schwierigkeiten). Und ebenso wird der Geist als der, der das Passionsgeschehen überhaupt zum Hörer hin-bewegt, ihm zur Betrachtung »Geist und Andacht« (Sigmund von Birken) schenkt, abgeblendet – zugunsten der eigenen Aktivität des Hörers.

Weithin ungelöst bleiben dadurch zwei Fragen: die nach der Versöhnung (mit Gott), die sich im Bekenntnis zur Erlösung durch Christi Passion stellt – und die nach der geistlichen Gleichzeitigkeit des Hörers mit dem Geschehen, das er hört (und betrachtet). Daß in Hasses Werk diese Gleichzeitigkeit nun als Gleich-Örtlichkeit gefaßt wird, ist besonders interessant. Zugespitzt: nicht Jesus erscheint uns, sondern wir erscheinen als Pilger in Jerusalem.

Exkurs: Das Verhinderungs-Motiv und seine dreifache Deutung

Wir haben gesehen, daß die oratorische Passion die beiden Richtungen 'nach vorn' und 'nach innen' deutlich unterscheidet – aber deshalb unterscheidet, um sie so miteinander verbinden zu können (»Simon Petrus aber folgte Jesu nach ...« – »Ich folge dir gleichfalls«). Das Passions-Oratorium vermischt die Ebenen stärker.

Nun gibt es ein bestimmtes Motiv, bei dem bereits die oratorische Passion betrachtend-handelnd in den Bericht einzugreifen versucht. In Bachs Matthäus-Passion:

> So ist mein Jesus nun gefangen.
> Laßt ihn, haltet, bindet nicht!

– oder in der Kantate BWV 159 »Sehet, wir gehn hinauf gen Jerusalem«:

> Ach, gehe nicht!
> Dein Kreuz ist dir schon zugericht'.

In Hasses »I Pellegrini«:

> Ach! halt, Barbaren, haltet ein!

Oder in Telemanns Passions-Oratorium »Das selige Erwägen des bittern Leidens und Sterbens Jesu Christi« (TVWV 5:2):

> O weh! Das Volk will sich empören,
> ihr Henker haltet ein!

Das klingt zunächst überall sehr ähnlich, dennoch möchte ich drei Deutungsstufen unterscheiden. Für die erste wähle ich beispielhaft Johann Sebastian Bachs Kantate 159.

a. Die Verhinderung des Leidens ist ein innerseelischer Vorgang: Aus Mitleid will die Seele Jesus vor seinem Schicksal bewahren; im Verlauf dieses Erwägens wird ihr aber die Einsicht in die Heilsbedeutsamkeit des Todes Jesu geschenkt. So erringt sie die Zustimmung:

> Doch bliebest du zurücke stehen,
> So müßt ich selbst nicht nach Jerusalem[27],
> Ach! leider in die Hölle gehen.

Die Widersacher Jesu, die an ihrem Handeln gehindert werden sollen, kommen hier nur andeutungsweise vor: »man« sucht Geiseln und bindet Ruten. Das Geschehen vollzieht sich in der Seele und meint deren geistliche Einsicht, mit der sie vom Nicht-Verstehen zum Verstehen gelangt.

b. Auf einer zweiten Stufe wird es dramatischer: Die Seele stellt sich nicht nur das Geschehen vor, sondern sie steigert sich gleichsam in es hinein; wichtig ist, daß sie jetzt nicht mehr Jesus von seiner Passion abbringen will, sondern direkt versucht, seine Widersacher an ihrem Tun zu hindern.[28] Die erste Deutung ist zwar noch da, aber sie ist überformt durch die Dramatik der zweiten. Auf diese Stufe gehört auch in Bachs Matthäus-Passion: »Sind Blitze, sind Donner in Wolken verschwunden?«

---

27 Gemeint ist nun das himmlische Jerusalem. Vgl. Lothar und Renate Steiger, »*Sehet! Wir gehn hinauf gen Jerusalem*«. *Johann Sebastian Bachs Kantaten auf den Sonntag Estomihi*, Göttingen 1992 (Veröffentlichungen zur Liturgik, Hymnologie und theologischen Kirchenmusikforschung. 24.), S. 126f. und 145.

28 Inwiefern hier christlich motivierter Antijudaismus im Spiel ist und welche Konsequenzen das für das Bach-Bild und die Bach-Aufführungspraxis hat, ist eine gegenwärtig diskutierte Frage. Vgl. Meinrad Walter, *Die Bibel, Bach, die Juden – und wir. Zum Verständnis der Johannes-Passion Bachs* (BWV 245), in: Württembergische Blätter für Kirchenmusik 1993, S. 210–212. Insbesondere in den Passionsoratorien schlägt das christlich-jüdische Nebeneinander dann bisweilen ins direkte Gegeneinander um, etwa in Telemanns Seligem Erwägen (zu Matthäus 27,25): »So rufet ihr, vermaledeite Sünder, | sein Blut komm über uns | und über unsre Kinder. | Ihr habt's zum Fluch auf euch genommen, | mir aber wirds zum Segen kommen.« Oder: »Ihr Gottesmörder, wollt ihr euch noch nicht um Jesu Tod bekümmern?« – Ich zitiere nach dem Booklet der bei AMATI erschienenen CD-Aufnahme (SRR 8905/2, 1989; Leitung: Wolfgang Schäfer).

c. Die dritte Stufe schließlich verselbständigt die Strafwünsche an Jesu Widersacher und rückt sie damit in den Mittelpunkt, wo zuvor der Dialog Jesu – Seele war (zuvor waren die Widersacher eher Statisten). Hierfür ist nun Brockes typisch: »Erweg / ergrimmte Nattern-Bruht«.[29]

5. Das theologische Konzept: Erlösung und Versöhnung

Elke Axmacher hat diesen theologisch-dogmatischen Aspekt insbesondere für die Brockes-Passion sehr differenziert herausgearbeitet. Die von Anselm von Canterbury und Luther herkommende Lehre (*docere*), die besagt, daß die Passion nicht nur das menschliche Leiden Jesu ist, sondern zugleich das ihm vom Vater auferlegte Strafleiden für die Sünden der Menschen, – diese Lehre wird im Wandel des Passionsverständnisses modifiziert und eingeschränkt. Was übrig bleibt, ist der menschliche (einseitig jesuanische) Aspekt: »Aus Liebe will mein Heyland sterben«. Dies heißt dann nur noch: aus menschlich-vorbildlicher Liebe. Zuvor war es zugleich die göttliche Liebe, in der Gott seinen Sohn dahingibt, das heißt, die Erlösung war begleitet von der Versöhnung. Der Wandel des Passionsverständnisses zielt letztlich auf die theologisch unhaltbare Position einer »Erlösung ohne Versöhnung«, wie es Elke Axmacher am Beispiel der Brockes-Passion zeigen konnte.[30]

III. GEGENSEITIGE BEEINFLUSSUNGEN

Die zeitweilige Gleichzeitigkeit von oratorischer Passion und Passions-Oratorium hat zur Folge, daß sich die beiden Typen gegenseitig beeinflussen; es gibt eine gewisse Durchlässigkeit, und zwar in beiden Richtungen: zu beobachten ist nicht nur die Bearbeitung der oratorischen Passion zum Passions-Oratorium hin, sondern auch die Verwendung von Teilen eines Passions-Oratoriums in einer oratorischen Passion. Ich wähle zwei für die Bach-Forschung wichtige Beispiele.

---

29 Brockes (s. Fußnote 22), S. 102.
30 Vgl. Axmacher, »*Aus Liebe will mein Heyland sterben*« (s. Fußnote 6), S. 142ff.

1. Bachs Johannes-Passion und ihre Brockes-Texte

An der Übernahme einzelner Texte aus der Brockes-Passion in Bachs Johannes-Passion[31] kann gezeigt werden, wie Teile aus einem Passions-Oratorium in einer oratorischen Passion – mittels Bearbeitung – durchaus noch verwendbar sind.

a. Das Brockes-Exordium (»Mich / vom Stricke meiner Sünden | Zu entbinden ...«) erscheint bekanntlich bei Bach als die erste Arie. Warum? Es paßt an diese Stelle durch den für die oratorische Passion charakteristischen Stichwort-Anschluß (»... nahmen Jesum und bunden ihn« – »Von den Stricken meiner Sünden | Mich zu entbinden«). Daß im Text »wird mein GOtt gebunden« ersetzt wird durch »wird mein Heil gebunden«, verrät eine höhere 'soteriologische' Sensibilität des Textredaktors, den wir ja leider nicht namentlich kennen.

b. Nach diesem formalen Beispiel ein mehr inhaltliches: In der Arie »Mein teurer Heiland« ist zunächst durch das Zitat des Letzten Wortes Jesu »Und selbst gesagt: Es ist vollbracht« (Johannes 19,30) eine größere Bibelnähe erreicht, wie sie für die oratorische Passion erforderlich, zumindest charakteristisch ist. Zusätzlichen Bedeutungsreichtum bringt aber die simultan unterflochtene Choralstrophe »Jesu, der du warest tot«, denn sie gibt den Grund der Gleichzeitigkeit der fragenden Arie mit Jesu an; es ist das Leben ohne Ende, die Ewigkeit des Gottessohnes, wie sie auch im Exordium der Johannes-Passion ganz johanneisch zur Sprache gekommen war. Außerdem – und das halte ich für entscheidend – ist die auf die Erlösung zentrierte Arie nun durch den Aspekt der Versöhnung ergänzt. Daß die entscheidenden Worte Erlösung und Versöhnung in der Musik dann exakt simultan erklingen (NBA II/4, Nr. 32, T. 26f: »aller Welt Erlösung da?« – »als zu dir, der mich versühnt«), läßt zumindest die Frage aufkommen, ob vielleicht Bach es war, der das so genau eingerichtet hat. Daß das Versöhnungs-Bekenntnis des Chorals die Antwort auf die Erlösungs-Frage der Arie ist, ist der oratorischen Passion höchst angemessen. Strukturelle Qualität und theologische Vergegenwärtigung des Textgehaltes bilden wie so oft in Bachs wortgebundener Musik eine Einheit – und dürfen deshalb auch nicht gegeneinander ausgespielt werden.

---

31 Vgl. NBA II/4, Kritischer Bericht (Arthur Mendel), S. 166f.

2. Das Passions-Pasticcio Keiser-Händel

Der entgegengesetzte Fall ist nun die Annäherung einer oratorischen Passion an das Passions-Oratorium durch die Einfügung einiger Arien Händels (aus dessen Brockes-Passion HWV 48) in die Markus-Passion von Reinhard Keiser[32] durch Bach.[33]

Hierdurch ergibt sich ein Passions-Pasticcio. Theologisch interessant daran ist, daß vor allem durch die Ersetzung von Sätzen (weniger durch die Erweiterungen) sich ein neues oder doch zumindest neu akzentuiertes theologisches Profil ergibt. Im einzelnen bedeutet das etwa:

a. Der Gebetskampf Jesu im Garten Gethsemane (der, wie bereits erwähnt, in Hasses »I Pellegrini« fehlt), führt in Keisers Markus-Passion in die choralhafte *Applicatio*, die noch ganz in der Predigttradition steht:

> Was mein Gott will, das g'scheh allzeit,
> sein Will', der ist der beste.[34]

Wer spricht diesen Text? Jesus und der Glaubende; denn: die Liedstrophe faßt zusammen, was mit Jesus geschehen ist (und zwar in der klar gezeichneten Relation Jesus-Gott, die ich für die oratorische Passion als bedeutsam herausgestellt hatte); zugleich ist das aber exemplarisch für den Hörer: in die Worte »wer Gott vertraut, fest auf ihn baut, den will er nicht verlassen« soll er innerlich einstimmen, diese Haltung sich selbst zu eigen machen (*Applicatio*). – Wenn nun Händels Arioso der Tochter Zion (Nr. 9)

> Sünder / schaut mit Furcht und Zagen
> eurer Sünden Scheusahl an /
> da derselben Straff und Plagen
> GOttes Sohn kaum tragen kan!

an diese Stelle gesetzt wird, verschiebt sich die Relation von Gott-Jesus zu Jesus-Ich. Diese Relation ist auch für die oratorische Passion überaus wichtig, aber: im Passions-Oratorium ist sie an dieser Stelle ein Ausweichen

---

32 Zu bedenken ist auch die Vertonung des Hunold-Oratoriums durch Keiser. Ich vermute, daß den Komponisten die jeweilige theologische Gewichtung von oratorischer Passion und Passions-Oratorium ebenso bekannt war wie den Librettisten, so daß sie die eine Passion in beiden Sprachen artikulieren konnten.

33 Vgl. dazu Kirsten Beißwenger, *Johann Sebastian Bachs Notenbibliothek*, Kassel usw. 1992 (Catalogus musicus. 13.), S. 170ff.

34 Ich zitiere nach Reinhard Keiser, *Passion nach dem Evangelisten Markus für Streichorchester, Sopran, Alt, Tenor, Baß und vierstimmigen gemischten Chor*, hrsg. von Felix Schröder, Stuttgart-Hohenheim [1967]. – Im übrigen läßt auch Brockes diesen Gedanken anklingen: »... Doch müsse / Vater / nicht mein Wille / Dein Wille nur allein geschehn.«

vor der Thematik, die hier theologisch an der Reihe wäre. Hier darf also gesagt werden, daß der Keisersche Text (Choralstrophe) die Stelle noch ganz im Sinne der lutherisch-orthodoxen Passionspredigten traktiert, Brockes diesen theologischen Gehalt noch anklingen läßt, dann aber auf ein anderes Thema ausweicht – und bei Hasse die gesamte Thematik schließlich wegfällt.

b. Die Einführung der Tenor-Arie (bei Händel Nr. 23) »Erwäg / ergrimmte Nattern-Bruht«[35] (nach Markus 14,62: »Sie aber verdammten ihn alle, daß er des Todes schuldig wäre«) bringt das bereits skizzierte fiktive Handeln der »Gläubigen Seele« auf der biblischen Ebene ('nach vorn'), ohne daß dadurch ein Gewinn für das meditierende 'nach innen'-Gehen erkennbar wird. Die Choralstrophe »Ich, ich und meine Sünden«, die hier in der oratorischen Passion passen würde, ist dem Passions-Oratorium eher fremd geworden.

3. Nebenkriterien

Drei Aspekte wären nun noch zu ergänzen. Zunächst die Frage nach dem Anteil des Passions-Oratoriums[36] am Entstehen des Kirchenkonzertes, wobei die Entwicklung der zunehmenden Verselbständigung des Geistlichen im Sinne der Abhebung von der Liturgie zu erläutern wäre; zweitens die damit zusammenhängende, aber auch den engeren Bereich der Theologie überschreitende Frage nach dem Einfluß der Oper auf das Passions-Oratorium. Mir scheint, daß es in der Oper die Systemstelle des »Ich« zwar gibt, jedoch nicht in dem hier skizzierten Sinne der oratorischen Passion. Aber auch die Oper darf von der Theologie nicht unterschätzt werden mit Begriffen wie: Dramatik, Distanz, zwar emotional erschütterter, aber in Wirklichkeit unbeteiligter Zuhörer. Daß die Katharsis der Oper mit der geistlichen Betrachtung vieles gemeinsam hat, aber eben nicht alles, bedürfte einer eigenen Überlegung; vielleicht ist, drittens, das Unterscheidungskriterium auch die 'Sprache des Glaubens und des Gebetes', die wir in der oratorischen Passion fast durchweg finden, die dann im Passions-Oratorium zurücktritt – und in der Oper so gar nicht vorkommen kann.[37]

---

35 Vgl. Beißwenger, *Bachs Notenbibliothek* (s. Fußnote 33), S. 183ff.

36 Vgl. Blankenburg, *Der Anteil des Passionsoratoriums* (s. Fußnote 21).

37 Vgl. Meinrad Walter, *Musik – Sprache des Glaubens. Zum geistlichen Vokalwerk Johann Sebastian Bachs*, mit einem Vorwort von Helmuth Rilling, Frankfurt/M. 1994.

IV. SCHLUSSBEMERKUNG

Die Gemeinsamkeit von oratorischer Passion und Passions-Oratorium besteht darin, daß sie die einmal – und das heißt mit den Worten des Hebräerbriefs: ein-für-allemal – geschehene Passion musikalisch-künstlerisch vergegenwärtigen und so an sie erinnern. Jede Vergegenwärtigung ist Auslegung und Übersetzung – selbst wenn sie versuchte, auf jedes eigene Wort zu verzichten, spiegelt sie gemeinsam mit der Passion auch ihre jeweilige Zeit.

Der heutige Hörer findet sich zu den Werken der Bach-Zeit nun in einem doppelten Abstand: nicht nur zur Bibel und dem mit ihr bezeugten Geschehen der Passion, sondern auch zu den musikalischen Passionswerken. Und hier erweist sich die Nähe des Passions-Oratoriums zu seiner Zeit für heute als eine besonders intensiv spürbare zusätzliche Ferne.

Eine theologische Betrachtung des Unterschiedes von oratorischer Passion und Passions-Oratorium muß auch die Frage der theologischen Wertung ansprechen – wenngleich es nicht sinnvoll scheint, die Differenzen auf die theologische Goldwaage zu legen.

Vielmehr ist nach den je eigenen werkimmanenten Kriterien zu fragen: hier kann gesagt werden, daß sich die Integration der oratorischen Passion, die eine Integration von *docere, movere* und *delectare* ist, beim Passions-Oratorium verschiebt hin zu einer Dominanz des *movere*. Dies gilt es zu erkennen in seinen Grenzen, aber auch seinen Chancen.

Alle Passionen beleuchten etwas von der Passion – so wie alle Aufführungen etwas am Werk beleuchten. Aber jede hervorhebende Beleuchtung hat den Preis des Schattens. In diesem Sinne sind oratorische Passion und Passions-Oratorium grundsätzlich zwei verschiedene Sichtweisen, besser Hör-Weisen der einen Passion. Die Unterscheidungskriterien sollten hier auf diesen Vorgang des Hörens bezogen bleiben, so daß das Werk (als Werk eines bestimmten Komponisten, der in seiner Zeit steht) im Spiel ist, aber auch die Situation, in der es gespielt wird und vor allem die (nicht wissenschaftlich objektivierbare) Haltung des Hörers.

Der Hörer kann sich mittels dieser Kriterien die theologische Tendenz der Passionen bewußtmachen, die er hört. Je intensiver ihm das gelingt und je deutlicher er das mit der Wahrnehmung der Musik verbinden kann, desto schwächer wird ihm die Abgrenzung der Passionstypen oratorische Passion und Passions-Oratorium erscheinen, und desto stärker wird deren gegenseitige Ergänzung. Für den Hörer, der sich die eine Passion in verschieden akzentuierter Gestaltung zeigen läßt, ergänzen sich oratorische

Passion und Passions-Oratorium. Beides sind Klang-Bilder der Passion, das heißt – theologisch – des *Mysterium fidei*, dessen künstlerische Vergegenwärtigung zu denken und zu glauben gibt, aber zugleich das Mysterium als Mysterium belassen muß.

NEUE SPUREN ZU BACHS »WEIMARER« PASSION

Von Andreas Glöckner (Leipzig)

Nicht am 13. April 1716 – wie in der einschlägigen Literatur vermerkt[1] – sondern fast am gleichen Tag, aber erst ein Jahr darauf, verstarb der Gothaer Kapellmeister Christian Friedrich Witt, der im 18. Jahrhundert vor allem durch sein 1715 gedrucktes Choralbuch »Psalmodia Sacra« weit über die Grenzen des Herzogtums Gotha hinaus bekannt geworden ist. Wie neuerliche Recherchen ergaben, starb Witt am Samstag, dem 3. April 1717, zwischen 2 und 3 Uhr nachmittags[2] nach schwerer Krankheit im Alter von 51 Jahren.[3] Witt wurde zwei Tage später, am 5. April, zu nächtlicher Stunde beigesetzt und erhielt auf Anweisung seines Herzogs ein »solennes« Begräbnis, für das aus dem Etat des Hofes die stattliche Summe von 57 Florin und 3 Groschen aufgewendet wurde.[4] Die Rechnungen der drei Hofmediziner, die Witt seit Anfang Januar des Jahres 1717 behandelten, lassen vermuten, daß der Kapellmeister an einer bösartigen Magen- und Darmerkrankung litt,[5] die ihn an der Ausübung seines Amtes hinderte. Witt stand der Hofkapelle nicht mehr zur Verfügung[6] – und bis zum Amtsantritt von Gottfried Heinrich Stölzel im Herbst 1719 war diese daher auf

---

1 Vgl. die Beiträge über Christian Friedrich Witt in MGG und anderen einschlägen Musiklexika sowie bei Armin Fett, *Musikgeschichte der Stadt Gotha*, mschr. Diss. Freiburg i. Br. 1951, S. 218.

2 Sterberegister der evangelischen Kirchgemeinde Gotha/Thür., Schloßkirche, Jahrgang 1717, S. 37. Für einen freundlichen Hinweis auf Witts tatsächliches Todesdatum danke ich Herrn Ludwig Weber (Gotha).

3 Witt wurde am 8. November 1665 in Altenburg/Thür. getauft (Taufbuch der Evang.-Lutherischen Kirchengemeinde Altenburg/Thür., Jg. 1665, S. 26, Nr. 141).

4 Thüringisches Staatsarchiv Gotha (fortan TSG abgekürzt), »Friedensteinische Cammer | Rechnung | über | Das baare Geldt | Mit Gott angefangen | am Tage Michaelis 1716 | Durch Gottes gnade beschloßen | am Abend vor Michaelis 1717.«, (fortan als Kammerrechnungen 1716/17 zitiert) fol. 94r.

5 TSG, Belege zu den Kammerrechnungen 1716/17, Beleg Nr. 2575 und 2578. Hinweise zu Witts möglicher Krankheit gab mir freundlicherweise Dr. Christoph Müller (Mülheim/Ruhr).

6 Am 1. Februar 1717 nahm Witt zusammen mit seiner Frau Susanna Margeretha letztmalig am Abendmahl in der Gothaer Schloßkirche teil. (TSG, Schloßkirche Nr. 78, »Register | derer | Confitenten und Communicanten | . . . «).

auswärtige Musiker, Konzert- oder Kapellmeister angewiesen. Deren Namen sind denn auch seit dem Frühjahr 1717 in den Kammerrechnungen des Hofes und in den Rechnungsbüchern zur Herzoglichen Privatschatulle recht zahlreich vertreten. Erwähnt werden hier unter anderem Georg Philipp Telemann aus Frankfurt, Reinhard Keiser aus Hamburg, der Kapellmeister und Amtsvorgänger Bachs am Köthener Hof August Reinhard Stricker, außerdem die Kapellmeister Hertel und Stölzel.

Ein Rechnungseintrag, der kurz nach dem Osterfest 1717 erfolgte, hat bereits vor einigen Jahren in der Bach-Forschung besondere Beachtung gefunden: Für Montag, den 12. April 1717 ist in den Rechnungen der Herzoglichen Privatschatulle folgender Eintrag nachzulesen: »12 rthlr. dem Concert Meister Bachen« (s. Abbildung auf S. 35).[7] Leider kann der zugehörige Beleg nicht mehr herangezogen werden. Er wurde – wie aus einem Vermerk in den Findbüchern zum »Geheimen Archiv« hervorgeht[8] – spätestens 1855 vernichtet, so daß die näheren Umstände für die vorliegende Gratifikationszahlung bis heute unbekannt geblieben sind. Eva-Maria Ranft, welche bereits 1985 erstmalig näher darauf eingegangen ist, hat festgestellt, daß mit dem »Concert Meister Bachen« nur Johann Sebastian Bach selbst gemeint sein kann, da kein anderer Namensträger der Bach-Familie zur Zeit dieser Zahlung den Titel eines Konzertmeisters führte.[9]

Der Betrag von 12 Talern läßt einerseits auf eine musikalische Aktivität größeren Umfangs schließen; andererseits entspricht er etwa dem, was einem Musiker vom Rang eines Konzertmeisters damals als Gratifikation gereicht wurde. Wie Peter Wollny unlängst ermitteln konnte, erhielt Bach denselben Betrag für eine Probemusik, die er im Dezember 1713 im Zusammenhang mit seiner Bewerbung in Halle aufführte, und seinem Mitbewerber Melchior Hoffmann aus Leipzig gewährte man sieben Monate zuvor ebenfalls 12 Taler für die Darbietung einer Trauermusik.[10]

---

7   TSG, Geheimes Archiv, *E.XII.12^b.14.* (»Rechnung über Serenissimi Scatul vom 1. January biß ultimo Decembris 1717«), fol. 32v.
8   TSG, Geheimes Archiv, Bd. III, *E.IXa–XIX*, S. XX. Die Belege zu den Schatullrechnungen für das Jahr 1717 wurden ehedem unter der Signatur *E.XII.20* aufbewahrt. Im Findbuch ist an dieser Stelle vermerkt: »18 bis 21 sind die Belege vernichtet worden. Nachrichtl. BK 1855«.
9   Eva-Maria Ranft, *Ein unbekannter Aufenthalt Johann Sebastian Bachs in Gotha?*, BJ 1985, S. 165f.
10   Peter Wollny, *Bachs Bewerbung um die Organistenstelle an der Marienkirche zu Halle und ihr Kontext*, BJ 1994, S. 25–39.

Oben: Eintrag vom 12. April 1717 in den Rechnungen der Herzoglichen
Privatschatulle 1717 (TSG, Geheimes Archiv, *E.XII.12ᵇ.14.*, fol. 32v).
Mitte: Rechnungseintrag (TSG, Kammerrechnungen 1716/17, fol. 271r).
Unten: Zahlungsbeleg (TSG, Belege zu den Kammerrechnungen 1716/17, Nr. 2447).

Berücksichtigen wir, daß die Zahlung der Gratifikation an Bach genau zwei Wochen nach dem Osterfest erfolgte, dann drängt sich der Gedanke an einen Zusammenhang mit der Komposition und Aufführung einer Passionsmusik auf, denn im außergottesdienstlichen Rahmen hätten vergleichbare musikalische Darbietungen zumindest bis zum 28. März (dem 1. Ostertag) wegen der Fastenzeit kaum stattfinden können.

Erst unlängst konnte bei Recherchen im Gothaer Staatsarchiv weiteres Quellenmaterial gefunden werden, welches die näheren Umstände dieser Gratifikation hinreichend erhellt. Ermittelt wurden unter anderem der Rechnungseintrag und der Zahlungsbeleg für den Textdruck zu einer Passionsmusik, die 1717 in der Kirche auf Schloß Friedenstein aufgeführt wurde. Dieser Beleg ist auf den 12. April 1717 datiert – also genau auf denselben Tag, an dem auch Bach das besagte Honorar erhielt. Dem Gothaer Hof-Buchdrucker Christoph Reyher wurden ein Florin und vier Groschen »Vor 20. Passion=Büchergen welche in die Fürstl. Schloß Kirchen geliefert worden« ausgezahlt.[11] Im zugehörigen Zahlungsbeleg heißt es noch etwas detaillierter ein Florin und vier Groschen für »... 20 gebundene Passion so dieses Jahr Musiciret worden« (s. Abbildung auf S. 35).[12] Hieraus wird erstmals ersichtlich, in welcher Mission sich Bach im Frühjahr 1717 am Gothaer Hof aufhielt und weswegen ihm die besagte Gratifikation von 12 Talern gereicht wurde. Nicht nur der Hof-Buchdrucker, sondern auch der »Concert Meister Bach« aus Weimar erhielten am 12. April 1717 Zahlungen für die schon seit einigen Jahren zur Tradition gewordene Passionsaufführung in der Kirche von Schloß Friedenstein.[13] Die besagte Passionsmusik erklang – wie auch die Passionen in den nachfolgenden Jahren – am Karfreitag. Der Darbietung ging am Vorabend, dem Gründonnerstag, ein großes Abendmahl für den gesamten Hofstaat in der Schloßkirche voraus.[14] Daß die gedruckten Textbücher zur Passionsmusik zwar aus dem herzoglichen Etat bezahlt, jedoch – wie der Rechnungsbeleg vermerkt – an den Kapellmeister Christian Friedrich Witt geliefert wurden, verwundert zunächst, läßt sich einerseits damit erklären, daß der Hof-Buchdrucker diese Lieferung wie gewohnt vornahm,

---

11 TSG, Kammerrechnungen 1716/17, fol. 271r.
12 TSG, Belege zu den Kammerrechnungen 1716/17, Beleg Nr. 2447.
13 In den angrenzenden Jahren sind die Passions-Textdrucke in den Kammerrechnungen des Hofes nicht gesondert vermerkt. Vor diesem Hintergrund erscheint der Textdruck für die Passionsaufführung im Jahr 1717 als eine einmalige, außerordentliche und kurzfristige Angelegenheit.
14 TSG, Schloßkirche Nr. 78 (vgl. Fußnote 6).

beziehungsweise nicht wußte, wie unter den besonderen Umständen (Bettlägerigkeit des Hofkapellmeisters) anders zu verfahren sei. Andererseits war Witt Karfreitag 1717 von Amts wegen für die Passionsaufführung verantwortlich, auch wenn er aufgrund seiner schweren Krankheit vertreten werden mußte. Die Witwe Susanna Margeretha erhielt nach seinem Tode noch zwei Quartalszahlungen, durfte somit das vielerorts gewährte »Gnadenhalbjahr« in Anspruch nehmen.[15] Sie war damit allerdings verpflichtet, die Amtsgeschäfte ihres Mannes vorerst weiterzuführen.

Trotz intensiver Recherchen konnte der Textdruck zur Passionsmusik von 1717 bis heute nicht ermittelt werden. Da dieser in so geringer Auflage (20 Exemplare) erschien, sind die Chancen, ihn noch aufzufinden, leider gering. Vielsagend ist freilich die bescheidene Auflagenhöhe des Druckes. Es läßt sich daraus leicht ersehen, daß der Passionsaufführung im Frühjahr 1717 kaum mehr als ein handverlesener Zuhörerkreis beiwohnte. Vermutlich war es nur der Herzog Friedrich II. mit seinem Hofstaat. Die Kirche auf Schloß Friedenstein bot freilich auch nicht die räumlichen Voraussetzungen für eine Darbietung in größerem Rahmen.

Am Rande zu erwähnen sind noch zwei weitere Gratifikationszahlungen, die ebenfalls im April 1717 erfolgten und vielleicht auch im Zusammenhang mit der Passionsaufführung stehen: Einerseits erhielt der Sekretär und Tenorist der Hofkapelle Valentin Burckhardt eine Sondergratifikation von vier Talern[16] und andererseits wurden einem auswärtigen Altisten Namens Vogt sogar zwölf Taler[17] gereicht. Offenbar schloß die letztgenannte Gratifikation für den Altisten – wie auch die Zahlung an Bach – Reise- und Aufenthaltskosten mit ein. In den Rechnungsbüchern werden im April 1717 darüber hinaus erhöhte Beträge für »gethane Schreiberey zur Fürstl. Capella« erwähnt. Sie beziehen sich vielleicht auch auf das Ausschreiben der neuen Aufführungsstimmen zur Passionsmusik.

Aus weiteren Zusammenhängen wird deutlich, daß Bach zur Aufführung seiner Passionsmusik in Gotha offenbar selbst anwesend war. Hätte er nur das Aufführungsmaterial geliefert, dann wäre dies in dem oben zitierten Rechnungseintrag besonders erwähnt worden, wie es bei den Gratifikationszahlungen für die Kapellmeister Freißlich und Kegel, den Konzertmeister Fasch aus Gera oder den Kapellmeister Telemann aus

---

15 TSG, Kammerrechnungen 1716/17, fol. 203r. Am 6. August 1717 gewährte ihr der Herzog außerdem eine weitere Zuwendung von 13 Florin und 15 Groschen (TSG, Kammerrechnungen 1716/17, fol. 108r-v).
16 TSG, Geheimes Archiv, *E.XII.12^b.14.* (vgl. Fußnote 7), fol. 32r.
17 TSG, Geheimes Archiv, *E.XII.12^b.14.* (vgl. Fußnote 7), fol. 32v.

Frankfurt der Fall ist, denn bei diesen Zahlungen befindet sich in den Rechnungsbüchern der zusätzliche Vermerk »vor überschickte« oder »überbrachte« beziehungsweise »dedicirte Musicalia«.

Vielleicht auch im Zusammenhang mit Bachs Vertretung für den kranken Kapellmeister steht ein Brief Christian Friedrich Witts vom 3. März 1717. Er erscheint in einer der herzoglichen Portolisten und war somit kein privates Schreiben des Absenders.[18] Ob dieser 23 Tage vor der Passionsaufführung abgeschickte Brief nach Weimar gesandt wurde, ist dem Rechnungseintrag leider nicht zu entnehmen.

Mit dem Nachweis einer Passionsmusik, die 1717 unter Bachs Leitung in der Kirche von Schloß Friedenstein aufgeführt wurde, kann der in der Vergangenheit vieldiskutierte und mehrfach auch angezweifelte Hinweis Carl Ludwig Hilgenfeldts auf eine 1717 von Bach komponierte Passionsmusik erstmals hinreichend bestätigt werden. Im Kapitel über die Bachschen Passionsmusiken schreibt der Autor in seiner Zentenarschrift von 1850: »Eine der drei übrigen [Passionen] soll Bach im Jahre 1717 componirt haben«.[19] Wie zuverlässig diese singulär überlieferte Aussage ist, war bisher nicht festzustellen. Hans-Joachim Schulze hat jedoch seinerzeit bereits darauf hingewiesen, daß derartige Mitteilungen aus dem Kreis um Christoph Daniel Ebeling stammen könnten und somit indirekt auf Carl Philipp Emanuel Bach zurückgehen dürften.[20] Möglicherweise waren die nicht alltäglichen Begleitumstände, die den Weimarer Konzertmeister Bach im Frühjahr 1717 zur Übernahme der Passionsaufführung auf Schloß Friedenstein veranlaßten, so bedeutsam, daß sie im Familienkreis über zwei Generationen hinweg tradiert wurden.

Bachs Komposition einer Passionsmusik im letzten Jahr seiner Anstellung als Organist und Konzertmeister an der Weimarer Hofkapelle erscheint im Blick auf die Chronologie seiner bis dahin bereits geschaffenen Vokalwerke als folgerichtig: Nachdem Bach im März 1714 das Prädikat eines Konzertmeisters erhalten hatte und gleichzeitig beauftragt worden war, »Monatlich neue Stücke« in der Weimarer Schloßkirche aufzuführen,[21] dürfte er den Vorsatz gefaßt haben, im Laufe der Jahre einen voll-

---

18 TSG, Belege zu den Kammerrechnungen 1716/17, Beleg Nr. 3636.
19 Carl Ludwig Hilgenfeldt, *Johann Sebastian Bach's Leben, Wirken und Werke. Ein Beitrag zur Kunstgeschichte des achtzehnten Jahrhunderts*, Leipzig 1850, Reprint Hilversum 1965, S. 114.
20 Hans-Joachim Schulze, *Studien zur Bach-Überlieferung im 18. Jahrhundert*, Leipzig und Dresden 1984, S. 19, Fußnote 41.
21 Dok II, Nr. 66.

ständigen Jahrgang an Kirchenstücken zu schaffen. Daß ein solcher Plan – sofern er tatsächlich bestand – wie manche andere Vorhaben in Bachs Schaffen nicht zur Vollendung kam, wurde sicherlich auch durch äußere Umstände verursacht. Zu erinnern ist in diesem Zusammenhang einerseits an die Landestrauer nach dem Tod des Weimarer Prinzen Johann Ernst, in deren Folge es zu einer zeitweiligen Unterbrechung der Kantatenaufführungen[22] kam, und andererseits an die zunehmenden Kompetenzstreitigkeiten zwischen den rivalisierenden Weimarer Herzögen und dem damit verbundenen indirekten Musizierverbot im »Roten Schloß«, der Residenz des Mitregenten Ernst August, sowie letztlich das Übergehen Bachs bei der Nominierung eines neuen Kapellmeisters nach dem Tod von Johann Samuel Drese.[23] Die Entstehung einer eigenen Passionsmusik am Ende dieser Schaffensphase und zu einem Zeitpunkt, als Bachs musikalische Aktivitäten für den Weimarer Hof – wie es scheint – weitgehend oder völlig erloschen waren, findet eine plausible Erklärung darin, daß der Auftrag dafür von außerhalb kam und Bach – in Ermangelung anderer Möglichkeiten zur Darbietung – diesen gern übernommen haben dürfte.

Sechs Sätze, die zeitweilig der Johannes-Passion angehörten, und zwar die Choralchöre »O Mensch, bewein dein Sünde groß«, »Christe, du Lamm Gottes«, die Arien »Himmel, reiße, Welt, erbebe« und »Zerschmettert mich, ihr Felsen und ihr Hügel« und »Ach windet euch nicht so, geplagte Seelen« sowie ein vierstimmiger Choralsatz sind von der jüngeren Bach-Forschung mit einer möglicherweise in Weimar komponierten Passion bereits mehrfach in Verbindung gebracht worden.[24] Aus jetziger Sicht waren sie Bestandteil jener Passion, die Bach im Frühjahr 1717 unter den obengenannten Umständen in der Kirche auf Schloß Friedenstein aufführte.

Im folgenden soll eine weitere Spur verfolgt werden, die allem Anschein nach ebenfalls auf die vorliegende Gothaer Passionsmusik zurückführt.

---

22 Vgl. Andreas Glöckner, *Zur Chronologie der Weimarer Kantaten Johann Sebastian Bachs*, BJ 1985, S. 159–164.

23 Vgl. Andreas Glöckner, *Gründe für Johann Sebastian Bachs Weggang von Weimar*, in: Bericht über die Wissenschaftliche Konferenz zum V. Internationalen Bachfest der DDR in Verbindung mit dem 60. Bachfest der Neuen Bachgesellschaft. Leipzig, 25. bis 27. März 1985, im Auftrag der NFG Bach hrsg. von Winfried Hoffmann und Armin Schneiderheinze, Leipzig 1988, S. 137–143.

24 Vgl. BC [D 1], insbesondere die dort angegebenen Literaturhinweise. Den bereits bekannten Fakten ist lediglich hinzuzufügen, daß der Choral »Jesu, deine Passion« in der Baß-Arie »Himmel, reiße, Welt, erbebe« in Christian Friedrich Witts Choralbuch *PSALMODIA | SACRA, | Oder: | Andächtige und schöne | Gesänge, | ...*, Gotha 1715, S. 49f., in einer nahezu analogen Melodieversion enthalten ist.

Kantate »Ich armer Mensch, ich Sündenknecht« BWV 55. Autographe Partitur, SBB, Haus 2, *Mus. ms. Bach P 105*, Satz 1, Takte 1–29: Konzeptschrift.

Kantate »Ich armer Mensch, ich Sündenknecht« BWV 55. Autographe Partitur, SBB, Haus 2, *Mus. ms. Bach P 105*, Satz 3, Takte 9–29: Reinschrift.

Ein Hinweis darauf ergibt sich aus dem Quellenbefund der Tenor-Solokantate »Ich armer Mensch, ich Sündenknecht« BWV 55 zum 22. Sonntag nach Trinitatis 1726. Erst unlängst konnte im Rahmen der Editionsarbeiten für Band I/26 der Neuen Bach-Ausgabe folgendes festgestellt werden:

Die autographe Partitur[25] der Kantate BWV 55 erweist sich in Bezug auf die Sätze 1 und 2 als korrekturenreiche Konzeptschrift (s. Abbildung auf S. 40). Ab Satz 3 jedoch wechseln Tintenfarbe (stärker gebräunt als zuvor) und vor allem Schriftcharakter: Von hier an bietet die Handschrift plötzlich das Bild einer nahezu korrekturenfreien Kopie (s. Abbildung auf S. 41). Die letzte Seite des Manuskripts besteht zudem aus anderem Papier (größeres Format, ohne Wasserzeichen) mit einer von den vorangegangenen Seiten deutlich abweichenden Rastrierung.

Die Originalstimmen[26] sind nur bei Satz 1 und 2 nach der autographen Partitur hergestellt worden. Von Satz 3 an enthalten sie mehrere von der Partitur deutlich abweichende Lesarten.[27] Es steht außer Frage, daß sie von hier an nicht nach der autographen Partitur, sondern nach einer anderen unbekannten Vorlage kopiert wurden, und die Kantate somit partiell auf eine verschollene Komposition zurückgeht. Über die Herkunft der Sätze 3 und 4 (auch 5?) lassen sich vorerst nur Vermutungen anstellen. Im Unterschied zu den Sätzen 1 und 2 der Kantate bezieht sich ihr Text kaum auf das Evangelium zum 22. Sonntag nach Trinitatis,[28] sondern weist viel eher auf eine Passionskantate oder -musik. Namentlich die Arie »Erbarme dich!« (Satz 3) wäre als kontemplativer Satz nach der Verleugnung Petri (Matthäus 26,75) gut vorstellbar. Die unmittelbare musikalische Verwandtschaft zur Alt-Arie Nr. 37 der Matthäus-Passion BWV 244 mit demselben Textanfang wird gleich beim Themenkopf der Arie durch den zweimaligen Sextsprung aufwärts und die danach folgenden fallenden Sekundschritte deutlich:

Flauto Traverso

---

25 SBB, *Mus. ms. Bach P 105.*

26 SBB, *Mus. ms. Bach St 50.*

27 Eine detaillierte Beschreibung der Originalquellen und Bemerkungen zu den abweichenden Lesarten in den Sätzen 3–5 enthält der Kritische Bericht zu NBA I/26.

28 Matthäus 18,23–35 (Gleichnis vom Schalksknecht).

Die auffallend häufige Verwendung des Neapolitanischen Sextakkordes verleiht dem Satz einen äußerst expressiven musikalischen Charakter. Die Arie erweckt somit den Eindruck, als habe sie ursprünglich an dramaturgisch exponierter Stelle gestanden.

Da eine solche Passionsmusik oder -kantate für die Leipziger Zeit (bis einschließlich 1726) nicht postuliert werden kann – die möglichen Aufführungsdaten (Estomihi und Karfreitag der Jahre 1724–1726) sind durch andere Werke bereits belegt[29] – ist ihre Entstehung vor 1723 anzunehmen. In diesem Zusammenhang ist es naheliegend, unsere Passionsmusik aus dem Jahre 1717 als mögliche Quelle für die Sätze 3 und 4 (auch Satz 5?) der Kantate BWV 55 anzusehen.

Anhand der wenigen Sätze, die mit einiger Wahrscheinlichkeit jener Gothaer Passion zuzuordnen sind, läßt sich vorerst noch nichts Signifikantes zum Gesamtaufbau oder zur Form des verschollenen Werkes aussagen. Nicht zu übersehen ist freilich die Häufung von anspruchsvollen Tenorarien.[30] Dies könnte vielleicht eine Erklärung dafür sein, daß dem Hofsekretär und Tenoristen Valentin Burckhardt wenige Tage nach der Aufführung des Werkes eine Gratifikation von vier Talern gereicht wurde.[31] Burckhardt war dem Kapellmeister Witt finanziell nahezu gleichgestellt und rangierte in der Gothaer Hofkapelle an zweiter Stelle.[32] Er durfte somit erwarten, daß ihm eine herausragende Solo-Partie in der Passionsmusik zufiel. Nach dem Tod des Kapellmeisters und schon zur Zeit, als dieser auf dem Sterbebett lag, führte Burckhardt die Geschäfte der Hofkapelle.

Zum Abschluß sei mit aller Vorsicht noch eine Überlegung angestellt, die sich vor allem auf die Frage nach der Textgestalt der verlorenge-

---

29 Estomihi 1723: BWV 22 und BWV 23; Estomihi 1724: BWV 22 und möglicherweise BWV 23; Estomihi 1725: BWV 127; Estomihi 1726: Johann Ludwig Bach, Kantate »Ja, mir hast du Arbeit gemacht«; vgl. dazu Alfred Dürr, *Zur Chronologie der Leipziger Vokalwerke J. S. Bachs. Zweite Auflage: Mit Anmerkungen und Nachträgen versehener Nachdruck aus Bach-Jahrbuch 1957*, Kassel etc. 1976 (Musikwissenschaftliche Arbeiten, hrsg. von der Gesellschaft für Musikforschung. 26.), S. 57, 67f., 79, 85. Karfreitag 1723: keine Passionsaufführung unter Bachs Leitung nachweisbar; Karfreitag 1724: BWV 245 (1. Fassung); Karfreitag 1725: BWV 245 (2. Fassung); Karfreitag 1726: Reinhard Keiser, Markus-Passion; vgl. Dürr, S. 57, 67f., 79, 86.
30 »Zerschmettert mich, ihr Felsen und ihr Hügel«, »Ach windet euch nicht so, geplagte Seelen«, »Erbarme dich!«; vgl. dazu die vorangegangenen Bemerkungen.
31 Vgl. Fußnote 16.
32 Im Jahre 1717 erhielt Burckhardt ein Jahresfixum von 270 Florin; Witt wurden hingegen 280 Florin gezahlt. TSG, Kammerrechnungen 1716/17, fol. 203r–v.

gangenen Passionsmusik bezieht: Im Blick auf Bachs ersten Leipziger Kantatenjahrgang läßt sich feststellen, daß seine Weimarer Werke darin eine wesentliche Basis bilden. Wegen der erheblichen Mehrbelastung im ersten Amtsjahr vermochte es der Thomaskantor wohl nicht, diesen ersten Kantatenzyklus völlig neu zu komponieren. Mit Ausnahme einiger Mühlhäuser Kantaten hat er in Leipzig daher alle bereits vorliegenden Vokalwerke noch einmal zur Aufführung gebracht und vornehmlich in seinen ersten Kantatenjahrgang inkorporiert. Die Frage, warum Bach jene Passionsmusik von 1717 – soweit wir wissen – nach 1723 nicht in ihrer ursprünglichen Gestalt wiederaufführte, sondern demontierte, indem er lediglich einzelne Sätze daraus in andere Werke übernahm, läßt sich vielleicht damit erklären, daß diese 1717 komponierte Passion in einer Textgestalt vorlag, die in den Leipziger Hauptkirchen – zumindest in Bachs ersten Amtsjahren – so nicht dargeboten werden konnte. Möglicherweise gehörte das Werk wie viele der am Gothaer Hof aufgeführten Passionsmusiken zur Gattung des Passions-Oratoriums und konnte deshalb in den beiden Leipziger Hauptkirchen in dieser Form nicht aufgeführt werden. In der Kirche von Schloß Friedenstein war es hingegen zur Tradition geworden, neben liturgischen Passionen auch sogenannte Passions-Oratorien – also Kompositionen darzubieten, die anstelle des Evangeliums eine freie madrigalische Dichtung als Textgrundlage haben. Dies lassen noch vorhandene Textbücher erkennen, auf die Walter Blankenburg erstmals hingewiesen hat.[33] Von den gegenwärtig nachweisbaren Textdrucken zu Passions-Oratorien, die am Gothaer Hof aufgeführt wurden, stammt das früheste aus dem Jahre 1719. Es hat den Titel: »Der blutige | und | Sterbende | JESUS, | Zu Erweck= und Erhaltung | GOtt=gefälliger Andacht, | An dem Heil. Sterbens= | und | Begräbnis = Tage, | dieses | Unseres Hochgel. HErrn | und Heylands, | 1719. | in dem GOttes=Haus zum Friedenstein | beweglich vorgestellet«.[34] Hierbei handelt es sich um Christian Friedrich Hunolds gleichnamiges Passionslibretto. Es wurde 1704 von Reinhard Keiser vertont und im gleichen Jahr auf der Schaubühne eines Hamburger Armenhauses dargeboten. Da Keiser im Juni und Oktober 1718 am Gothaer Hof weilte,[35] lag es nahe,

---

33 Vgl. Walter Blankenburg, *Die Aufführungen von Passionen und Passionskantaten in der Schloßkirche auf dem Friedenstein zu Gotha zwischen 1699 und 1770*, in: Festschrift Friedrich Blume zum 70. Geburtstag, hrsg. von Anna Amalia Abert und Wilhelm Pfannkuch, Kassel etc. 1963, S. 50–59.

34 Forschungs- und Landesbibliothek Gotha, *Cant. spir. 695.*

35 Am 18. Juni 1718 wurden Keiser 30 Taler und am 13. Oktober nochmals 24 Taler »zur Abfertigung« aus der Herzoglichen Schatulle gezahlt. TSG, Geheimes

eine seiner Passionsmusiken im darauffolgenden Jahr – vor allem wegen der immer noch bestehenden Vakanz im Kapellmeisteramt – aufzuführen. Der Gothaer Textdruck von 1719 ist mit dem Hamburger Textbuch[36] von Keisers Passion weitgehend identisch, enthält jedoch die folgenden vier Choräle – »Mein Lebetage will ich dich aus meinem Sinn nicht lassen«, »Petrus, der nicht denkt zurück«, »O Menschen Kind! Nur deine Sünd«, »Mein Sünd mich werden kränken sehr«–, die dem Oratorium ursprünglich nicht angehörten und für die Gothaer Aufführung im Jahre 1719 wohl nur deswegen eingeflochten wurden, um die Darbietung eines so überaus theatralischen Werkes in der Kirche zu legitimieren. Bemerkenswert ist, daß die ersten beiden Choräle im Textdruck mit Versangabe und entsprechenden Seitenhinweisen auf das Gothaer Gesangbuch von 1715 erscheinen.[37] Damit haben wir einen wichtigen Beleg dafür, daß diese Kirchenlieder von den Passionszuhörern in der Schloßkirche mitgesungen wurden.

Gottfried Heinrich Stölzels erste Gothaer Passionsmusik »Die Leidende | und am | Creutz sterbende | Liebe | JESU«[38] entstand im Jahr darauf (1720) und ist wiederum ein kontemplatives Passions-Oratorium. Der neue Kapellmeister setzte somit die bereits vor Bachs Gothaer Aufenthalt begonnene Tradition der Aufführung von Passions-Oratorien fort. Im Jahre 1725 schließlich erklang in der Kirche auf Schloß Friedenstein Stölzels Passions-Oratorium »Der für die Sünde | der Welt | Gemarterte | und | Sterbende JESUS«[39] nach dem berühmten Libretto von Barthold Heinrich Brockes.

Archiv, *E.XII.12^b.15* (»Rechnung über Serenissimi Scatul vom 1. January biß ultimo Decembris 1718«), fol. 29r und 30r. Anläßlich der Taufe seines Sohnes Wilhelm Friedrich erhielt Keiser am 11. Oktober 1718 vom Herzog außerdem eine Gratifikation von 27 Florin und 9 Groschen (TSG, Kammerrechnungen 1718/19, fol. 107). Zu diesen Gratifikationen siehe auch Klaus-Peter Koch, *Reinhard Keiser (1674–1739), Leben und Werk*, Teuchern [1989], S. 46f.

36 Die Musik ist verschollen. Zwei Exemplare des Textdruckes befinden sich im Staatsarchiv Hamburg, Sammlung Lochau XII (*93 an Sammelband 212, Acta Hamburgensia 1704–1706*) und Sammlung Lochau XVI (*62 an Acta Hamburgensia 1709–10*).

37 *Neu = vermehrtes | Gothaisches | Gesang = | Buch, | . . . Auf Gnädigsten Fürstl. Befehl | in dieser Form | daselbst gedruckt und verlegt | durch Christoph Reyhern, | F. S. Hof = Buchdr. | Im Jahr Christi 1715.*

38 Textdruck in der Forschungs- und Landesbibliothek Gotha, *Cant. spir. 884/2^a.*

39 Textdruck ebenfalls in der Forschungs- und Landesbibliothek Gotha, *Cant. spir. 884/5.*

Daß Bach seine erste Passionsmusik in der Gestalt eines Passions-Oratoriums komponiert haben könnte, mag zunächst befremdlich erscheinen. Eine solche Hypothese zu erhärten oder zu verwerfen ist nur aufgrund weiterführender Überlegungen und Recherchen möglich. Festzuhalten bleibt jedoch, daß die von Hilgenfeldt für das Jahr 1717 geltend gemachte Passionsmusik von Bach tatsächlich komponiert wurde und somit künftig nicht mehr als ein hypothetisches Werk anzusehen ist.

BIBLISCHER BERICHT UND MUSIKALISCHER VERLAUF: ZU DEN EVANGELIENREZITATIVEN IN BACHS MATTHÄUS-PASSION

Von Konrad Küster (Freiburg i. Br.)

Die Musiktheorie des 18. Jahrhunderts betont, daß das Rezitativ dem Sprechen nahestehe, freilich ohne daß damit die Eigenschaft, eine musikalische Gattung zu sein, in Frage gestellt würde.[1] Die Affinität, die man zwischen Rezitativ und individualisierender Rede sah, bewirkte unter anderem, daß man aus dem Sprechverhalten Kriterien für die Rezitativgestaltung entwickelte. Diese gründen sich neben der Beachtung des Wortakzents primär auf die Interpunktion des zu vertonenden Texts; hierfür entwickelte Gottfried Heinrich Stölzel ein besonders weitreichendes System, mit dem die Intervallik zwischen Singstimme und Continuo an den Zäsuren geregelt werden und den entsprechenden Ausdrucksgehalt übernehmen könne.[2]

Sobald aber rezitativische Formen zur Vertonung eines biblischen Berichts genutzt werden, tritt in deren Definitionsfeld ein besonderer, eigener Traditionsaspekt ein: derjenige einer gesungenen Lektion. Das, was in ihr als Schriftlesung dargeboten wird, ist keine wörtliche Rede, wie man sie im Rezitativ erwartet; sie kann sich allenfalls noch innerhalb eines derart distanzierteren Berichts ergeben, doch für diesen ist die Rezitativlehre an sich nicht zuständig. Zwar läßt sich prinzipiell auch der Evangelistenpart nach rezitativischen Regeln großräumig gliedern; aus der musikalischen Umsetzung der Interpunktion heraus würde dann, von den Zeilenschlüssen ausgehend, auch der Melodieverlauf geregelt, so daß gewissermaßen jeweils ein *punctum* auch den vorausgehenden *tenor* eines Versvortrags bestimmte

---

1 Vgl. etwa Gottfried Heinrich Stölzel, *Abhandlung vom Recitativ*, Vorbericht, § 3 (abgedruckt bei Werner Steger, *G. H. Stölzels »Abhandlung vom Recitativ«*, Diss. Heidelberg 1962, S. 150). Siehe auch Johann Mattheson, *Der Vollkommene Capellmeister*, Hamburg 1739, Reprint, 5. Auflage, Kassel etc. 1991 (Documenta Musicologica. Druckschriften-Faksimiles. 5.), S. 214; Johann Adolph Scheibe, *Critischer Musikus*. Neue, vermehrte und verbesserte Auflage, Leipzig 1745 (Reprint Hildesheim und Wiesbaden 1970), S. 743 (»Abhandlung vom Recitativ«).

2 Stölzel, *Abhandlung vom Recitativ*, 2. Kapitel, § 6 (zitiert nach Steger, *G. H. Stölzel*, s. Fußnote 1, S. 248–253); vgl. auch Scheibe, *Critischer Musikus* (s. Fußnote 1), Abhandlung vom Recitativ, S. 742.

(soweit dort der Wortakzent nicht bereits wieder eigene Lösungen fordert). Rezitativische Regulierungen für das melodische *initium* der Lektion gibt es hingegen so gut wie nicht, da jede Regulierung, die prononciert auf die Melodieführung abzielte, ja den Sprech-Bezug einschränkte.[3] Im Evangelienrezitativ können also unterschiedliche Techniken miteinander verschmolzen werden: solche, die sich auf die zeitgenössische Rezitativtechnik beziehen, und solche, die aus traditionellen Lektionstechniken stammen. Gibt es folglich Anzeichen dafür, daß Bach in seinen Evangelienrezitativen die Versgliederung respektierte?[4] Oder ist er bereit, sich aus musikalischen, sozusagen spezifisch rezitativischen Gründen über sie hinwegzusetzen? Probleme und Chancen dieser Verhältnisse seien im folgenden exemplarisch an der Matthäus-Passion beleuchtet.[5]

Als Ausgangspunkt dient – nicht zufällig – das Rezitativ Nr. 2.[6] Bach vertont zwei Verse; die einleitenden Worte des Evangelisten stammen aus Matthäus 26,1, die anschließende wörtliche Rede Jesu nimmt den Vers 2 ein. Vers 1 öffnet sich mit einem Doppelpunkt zu Vers 2 (»... sprach er zu seinen Jüngern: ...«); eine scharf abgrenzende Kadenz wie an einem Satzende wäre nach den Interpunktionsregeln kaum vertretbar, und Bach läßt den Evangelistenanteil daher mit einem lediglich unverbindlich kadenzierenden Harmonieschritt enden.[7] Die Abgrenzung des nach-

---

3 Stölzel, *Abhandlung vom Recitativ*, 2. Kapitel, § 4; (zitiert nach Steger, *G. H. Stölzel*, s. Fußnote 1, S. 247). Stölzel führt die Initiumsformel der Leipziger Agende von 1692 an; zu deren Bedeutung siehe unten. Verständlich wird die Abgrenzung bereits deshalb, weil die Festlegung einer Initiumsformel für eine musikalische Rede eine nicht sprech- oder inhaltsbezogene Reglementierung wäre.

4 Wie weit Bachs Bewußtsein (wohl im Rahmen des Zeitüblichen) für Versgliederungen geht, zeigt sich etwa im Magnificat BWV 243: Je Bibelvers schreibt er einen Satz; der *attacca*-Anschluß von »Omnes generationes« (NBA Nr. 4) an »Quia respexit« (Nr. 3) ist dadurch zu erklären, daß beide Textabschnitte einem einzigen Vers angehören (so daß an sich die getrennte Zählung beider Sätze an den Intentionen Bachs vorbeizielt).

5 Die analytische Betrachtung der Initiumsformeln sollte somit über bloße statistische Ansätze hinausgehen. Vgl. etwa Hermann Melchert, *Die melodischen Grundmuster des Rezitativs der Bachschen Matthäuspassion*, Wilhelmshaven 1991 (Veröffentlichungen zur Musikforschung. 10.).

6 Satzzählung nach NBA.

7 Stölzel grenzt die beiden Kadenztypen als »Punctum« und »Clausula« voneinander ab; vgl. *Abhandlung vom Recitativ*, 2. Kapitel, § 6 (zitiert nach Steger, *G. H. Stölzel*, s. Fußnote 1, S. 253; mit Beispiel, S. 251). Scheibe hebt hervor, daß »ein ... Punct (.) nicht allemal den Schluß einer ganzen Periode anzeiget« (*Critischer Musikus*, s. Fußnote 1, Abhandlung vom Recitativ, S. 742 und 746).

folgenden Verses scheint sich primär aus der Besetzung zu ergeben; mit dem Beginn des neuen Verses begegnet man erstmals dem Stimmregister des Christus-Sängers und dem typischen Streicher-Accompagnato. In der Besetzung ist die Expositions-Wirkung des gesamten Satzes somit wohl unbestritten.

Doch sie zeigt sich auch in der Melodik: in Bachs Umgang mit Initiumsformeln. Eine erste stellt bereits der Evangelist vor (»Formel A«): Sie setzt sich aus den Tönen eines gebrochenen Sextakkords zusammen und besteht aus einem Quartsprung aufwärts, einem bisweilen melodisch ausgefüllten Sextsprung abwärts und einem neuerlichen Terzanstieg zur Quinte. Mit der zweiten (»Formel B«) wird der Einsatz des Bassisten hervorgehoben: Sie besteht aus einem Quartsprung aufwärts und einer schrittweise ansteigenden Linie bis hin zur Dreiklangsterz. Die Gliederung, die an dieser Stelle von den Initiumsformeln[8] ausgeht, läßt sich allerdings ambivalent verstehen: einerseits versbezogen (denn die Formeln stehen jeweils am Versbeginn), andererseits dramatisch (indem sie das elementar-dramatische Grundprinzip eines sozusagen rollenspezifischen Sprechens unterstreichen). Die Gewichtung dieser Ansätze bleibt offen.

Beide Formeln sind geringfügig variabel. In der ersten, vom Evangelisten vorgestellten, kann der Quartauftakt wegfallen, und in der zweiten kann (im Sinne modaler Traditionen) der Quartauftakt auch zur Quinte geweitet werden oder jeweils entsprechend von oben eintreten; die Quint-Variante tritt häufig dann ein, wenn Bach die Zäsurwirkung einer Versgrenze reduziert.[9] Die Expositions-Wirkung dieses ersten Rezitativs kann also kaum hoch genug veranschlagt werden; mit ihm sind die Formeln dargelegt, aus denen heraus Bach das Gliederungsproblem löst. Bemerkenswert ist dabei, daß Bach den zweiten Vers, die wörtliche Rede, mit einer Formel eröffnet, die auch Stölzel auf den Kirchengebrauch zurückführt.[10]

---

8   Allenfalls Formel B wird bereits von Melchert als »II. Grundmuster« erfaßt; siehe Melchert, *Grundmuster des Rezitativs* (s. Fußnote 5), S. 19: »aufsteigender Quartsextakkord«. Formel A wäre am ehesten mit Melcherts »VI. Grundmuster« zu beschreiben (ebenda, S. 47: »von der Oktave zum Grundton absteigender voller Dreiklang«), doch damit werden die beschriebenen melodischen Grundcharakteristika letztlich nicht erfaßt.

9   Aus dieser Beobachtung folgt freilich, daß Bach mit der Verwendung dieser Quintvariante auch deren abgrenzende Wirkung reduziert; folglich kann sie auch häufiger innerhalb von Bibelversen vorkommen, ohne daß mit ihrem Eintritt Teilabschnitte besonders abgegrenzt würden.

10 Vgl. oben, Fußnote 3.

Tatsächlich hat Bach mit diesen Initiumsformeln auch fortlaufende Evangelistenbeiträge gegliedert. Mit der Versfolge in Einklang steht etwa die Gestaltung der eröffnenden Takte des Rezitativs Nr. 45, in denen Bach die Anfänge der Verse 15-17 des 27. Kapitels[11] durchweg mit den beschriebenen Formeln markiert: In Takt 1 beginnt Vers 15 mit Formel A, in Takt 5 Vers 16 mit Formel B, und in Takt 8 schließt er Vers 17 mit der Quintauftakt-Variante von Formel B an. Anscheinend wird hier also die Versgliederung direkt mit in die Komposition übernommen. Wann aber setzt sie als Gliederungsmittel aus?

Keine Probleme entstehen, wenn Bach in einem Evangelienrezitativ nur einen einzelnen Bibelvers vertont; dann stellt sich die Abgrenzungsfrage gar nicht.[12] Keine Probleme entstehen auch am Anfang eines Evangelien-abschnitts; die Abgrenzung zu einer vorausgegangenen Arie oder einem Choral ist stark genug, um den Neueinsatz eines Verses zu unterstreichen. Analog dazu kann eine Initiumsformel ausbleiben, wenn der vorausgegangene Vers mit einer starken Kadenz abgeschlossen wurde (nachschlagende Quintfallkadenz ebenso wie Schlußkadenz eines Evangelien-Chorsatzes oder eines ariosen Teilabschnitts).[13] Damit zeigt sich, daß die Gliederung eines Bibeltext-Abschnitts nicht ausschließlich von den Initiumsformeln getragen, sondern in deren Wechselspiel mit perfekten Kadenzen realisiert wird.

Probleme ergeben sich allerdings dann, wenn eine Versgrenze entgegen der Syntax des deutschen Bibeltexts gesetzt ist. Matthäus 26,6 etwa behandelt lediglich einen Nebensatz (»Da nun Jesus war zu Bethanien, im Hause Simonis des Aussätzigen«); den Beginn von Vers 7 (»trat zu ihm ein Weib«) läßt Bach daher ohne entsprechende Zäsur folgen. Freilich kann Bach in der Bewertung des Problems, das sich zwischen Versgliederung und Syntax ergibt, auch ziemlich weit gehen: Als Extremfall werden in Kapitel 27 die vier Verse 27-30 ohne jede derartige Abgrenzung miteinander verknüpft (Nr. 53):

---

11 Vers 15: »Auf das Fest aber hatte der Landpfleger die Gewohnheit, dem Volk einen Gefangenen loszugeben, welchen sie wollten.« – Vers 16: »Er hatte aber zu der Zeit einen Gefangenen, einen sonderlichen vor andern, der hieß Barrabas.« – Vers 17: »Und da sie versammlet waren, spricht Pilatus zu ihnen ...«.

12 In der Matthäus-Passion ergibt sich dieser Fall nur in Nr. 21 (Matthäus 6,39: »Und ging hin ein wenig ...«). Im Weihnachts-Oratorium etwa ist er weitaus häufiger: Als Einzelverse werden direkt in einen rezitativischen Satz übergeführt aus Lukas 2 die Verse 7, 12, 15, 20, 21 (als einziger Bibeltext des IV. Teils) und aus Matthäus 2 Vers 12.

13 Vgl. Fußnote 7.

»Da nahmen die Kriegsknechte des Landpflegers Jesum zu sich in das Richthaus und sammleten über ihn die ganze Schar und zogen ihn aus und legeten ihm einen Purpurmantel an und flochten eine dornene Krone und satzten sie auf sein Haupt und ein Rohr in seine rechte Hand und beugeten die Knie vor ihm und spotteten ihn und sprachen: Gegrüßet seist du, Jüdenkönig! und speieten ihn an und nahmen das Rohr und schlugen damit sein Haupt.«[14]

Im weiteren Sinn kann also die Syntax Ursache dafür sein, daß Bach über die Versgliederung hinwegkomponiert; der Ansatz, auch im Evangelienrezitativ Grundbedingungen des Sprechens umzusetzen, kann mithin stärker sein als der, sich an der Versgliederung zu orientieren. Obgleich sich also die Arbeit mit derart standardisierten Formeln aus der Lektionstechnik herleitet, richtet sich deren Anwendung auch nach rezitativischen Erfordernissen.

Ferner: Was geschieht, wenn im Laufe eines Verses der Beitrag eines der Einzelsänger einsetzt? Wenn dem Bibeltext zufolge ein Solist zu sprechen beginnt, läßt dieser »Beginn« ja eine konkurrierende Situation zu einem Versbeginn entstehen. Die Lösung des Problems läßt sich an der unmittelbaren Fortsetzung des betrachteten Pilatus-Rezitativs Nr. 45 erhellen.[15] Der Beginn von Vers 17 (»Und da sie versammlet waren«) greift Formel B in der Quint-Variante auf. Daraufhin setzt Pilatus ein – mit Formel A, obgleich sein Beitrag noch Teil jenes Verses 17 ist; und eigenartigerweise benutzt Bach für »von dem gesaget wird, er sei Christus« neuerlich eine der typischen Initiumsformeln (Formel B). Den Beginn des neuen Bibelverses (18) hebt Bach dann beim Neueinsatz des Evangelisten in gewohnter Deutlichkeit hervor (Formel B, Quint-Variante), und Vers 19 beginnt mit der Quart-Grundgestalt der Formel B (»Und da er auf dem Richtstuhl saß«). Wiederum aber greift auch die Uxor Pilati für ihren Einsatz auf eine der Formeln zurück (Formel B, entgegen der Formel A im Pilatus-Part); mit ihrem Beitrag endet Vers 19, und Bach unterstreicht dies mit einer nachschlagenden Quintfallkadenz. Daher kann der Evangelist für den Beginn von Vers 20 in der beschriebenen Weise melodisch frei fortfahren, und Vers 21 beginnt er neuerlich mit Formel B.[16]

---

14 Entsprechend dicht folgen jeweils Petri Antworten auf die Fragen der Mägde (Nr. 38; Matthäus 26,69–70 und 71–72).

15 Ein Musterbeispiel ist auch das Rezitativ Nr. 16 (Matthäus 26,33–35).

16 Hierbei wirkt sich auch aus, daß Ketten von Tonwiederholungen im Rezitativ dem Sprachakzent widersprechen; Bach hat nur selten mehr als drei Achtelwerte hintereinander auf einen Ton gesetzt, vgl. auch Weihnachts-Oratorium, Nr. 2, Takt 1 (melodische Ausweichung nach Ais) und Nr. 11, Takt 1 (Ausweichung nach Dis). Der Charakter der »Formel« bleibt davon unberührt.

Bach vermischt also die Techniken: Mittel, die er zur Hervorhebung von Versanfängen heranzieht, können auch Redeanfänge markieren, und zwar selbst dann, wenn diese nicht an einem Versanfang stehen. Es entsteht dabei eine Konkurrenz zwischen dem liturgisch-formalen Ansatz, den Versbau musikalisch umzusetzen, und dem rudimentär dramatischen Ansatz, auch Redeanfänge hervorzuheben – und zwar mit den gleichen, aus der Technik der gesungenen Schriftlesung abgeleiteten Mitteln. Auch in diesem Punkt hat es also den Anschein, daß Bach die Lektionstechniken lediglich als eine Grundstufe behandelt und aus ihnen heraus auch das spezifisch Rezitativische konkretisiert.

Allerdings: Der Versanteil des Evangelisten vor einer eingeschobenen wörtlichen Rede kann so kurz sein, daß eine Initiumsformel kaum eintreten kann; und Bach kann im Beitrag des jeweiligen Einzelsängers mit den Formeln so umgehen, daß keine tatsächlich dramatische Wirkung entsteht. Beides zeigt die Vertonung von Matthäus 26,18:

> »Er sprach: Gehet hin in die Stadt zu einem und sprecht zu ihm: Der Meister läßt dir sagen: Meine Zeit ist hier, ich will bei dir die Ostern halten mit meinen Jüngern.«

»Er sprach« bietet keinen Raum für eine signalhafte musikalische Ausgestaltung; in einem solchen Fall wird die Initiumsformel häufig vom anschließend »Sprechenden« übernommen. Doch auch der Christus-Baß spart diese zunächst aus; Bach greift für dessen Part vielmehr auf die Tonleitermelodik zurück, die er für den Beginn des vorigen Verses entwickelt hat (»Aber am ersten Tage der süßen Brot«), der – neu einsetzend nach einer Arie – einer eigenen Initiumsformel nicht bedarf.[17] Nach dem ersten Doppelpunkt, den Jesu Rede enthält (»Gehet hin in die Stadt zu einem und sprecht zu ihm: ...«), setzt – mitten im Vers und mitten in der Rede – die eingangs dargestellte Formel B ein; Bach behandelt das, was die Jünger erst später sagen sollen, also bereits jetzt wie eine wörtliche Rede. Doch mit diesem Satz (»Der Meister läßt dir sagen: ...«) wird dann ein weiterer Doppelpunkt erreicht, nach dem eine weitere wörtliche Rede zu folgen scheint (»Meine Zeit ist hier ...«); neuerlich wählt Bach eine der Initiumsformeln (hier nun Formel A).

Die Konstruktion geht insofern an der Textvorlage vorbei, als sie mit dem Einsatz der Initiumsformeln die Evangeliengliederung aushöhlt. Und sie ist insofern undramatisch, als sie das Sprechen einer einzigen Person in

---

17 Bach setzt also beide Wortbeiträge einander gleich: Die Frage der Jünger und das, was Jesus ihnen zu sagen aufgibt, werden auf gleiche Weise vorbereitet.

der Vorausschau zu einem fiktiven Sprechen mehrerer Personen potenziert. Dennoch bedient sie sich einerseits einer dramatischen Überlegung, wenn sie die Redeanfänge entsprechend hervorhebt, greift aber andererseits dafür auf ein Formelwerk zurück, dem ein unrezitativischer Lektionscharakter anzuhaften scheint. Bach setzt also auf der einen Seite ein dramatisches Bewußtsein beim Hörer voraus, da nur dann, wenn dieses Bewußtsein vorhanden ist, die von ihm aus dem Text herausgelesene Staffelung der wörtlichen Reden erlebbar ist; auf der anderen Seite setzt er ein Bewußtsein für die Lektionstechniken voraus, da ohne dieses die jeweilige Anfangswirkung kaum verständlich ist.

Aus dieser letzten Überlegung heraus gibt es schließlich einen dritten Ansatz – dieser verbindet sich neuerlich mit der Pilatus-Rede: Bach eröffnet den Relativsatz »von dem gesaget wird, er sei Christus« mit einer der Initiumsformeln, obwohl dies weder ein Versbeginn noch ein Redebeginn ist. Zweifellos: Bach hebt damit diesen Satz eigens hervor, doch er weist ihm – mit der Initiumsformel – ebenfalls eine Anfangswirkung zu, und zwar desto klarer, je weiter der musikalische Umgang mit den Initiumsformeln im Werk fortgeschritten ist.[18]

Für die Evangelienrezitative der Matthäus-Passion arbeitet Bach also mit zwei Initiumsformeln. Schon deren Existenz rückt diese Rezitative ein Stück weit aus dem engeren Horizont der Rezitativik heraus; die Arbeit mit Vers-Initien scheint aus den Techniken der Schriftlesung abgeleitet zu sein. Trotz dieses Traditionsbezugs setzt Bach diese Formeln nur dann an Versanfängen ein, wenn die Stellung der Versgrenze in der deutschen Bibeltext-Version seiner Syntax-Auffassung entspricht; er verwendet sie also nicht für extrem kurze Textportionen oder für Anfänge solcher Verse, die er in einem engen syntaktischen Abhängigkeitsverhältnis zu einem vorausgegangenen Vers sieht. Gewissermaßen hinterfragt Bach also die Versgliederung. Daneben nutzt er die Anfangswirkung derselben Formeln, um mit ihnen direkte und indirekte Reden zu eröffnen. Beide Gliederungs-Ansätze werden in Wechselbeziehung zu den rezitativtypischen Interpunktionsmitteln der Kadenzen realisiert. Schließlich aber hebt Bach mit den beiden Formeln auch Teilsätze hervor, die weder Versanfänge noch Redeanfänge sind; in deren Kontext allerdings ist unvermeidlich, daß auch für diese dritte Ebene der Eindruck einer Anfangswirkung zustandekommt.

---

18 Entsprechende Pilatus-Bemerkungen über Christus finden sich in Matthäus 27,17 und 22; beide stattet Bach mit einer Initiumsformel aus.

Keiner der drei Ansätze erweist sich letztlich als dominierend. Der dramatische Eindruck läßt sich, wie gesehen, etwa durch eine Staffelung indirekter Reden in einer direkten Rede nivellieren. Die Versgliederung kann außer Kraft gesetzt werden – auch so weit, daß ein Satzpaar aus Rezitativ und Arie einen Vers zerteilt (wie »Mein Jesus schweigt zu falschen Lügen stille« und »Geduld, Geduld!«[19] mitten in Matthäus 26,63) und Bach anschließend den Evangelienvortrag mit einer Initiumsformel wiederaufnimmt (»Und der Hohepriester antwortete und sprach zu ihm«, Nr. 36). Andererseits gibt es Satzanfänge, die Bach, weil sie mitten im Vers stehen, nicht mit einer Initiumsformel hervorhebt – etwa den Vers 58 des 27. Kapitels, in dem von Joseph von Arimathia die Rede ist (Nr. 63). Er lautet: »Der ging zu Pilato und bat ihn um den Leichnam Jesu. [Punkt!] Da befahl Pilatus, man sollte ihm ihn geben.« Obgleich dieser Textabschnitt zum vorausgegangenen in einer engeren Beziehung gesehen werden kann, eröffnet Bach den Vers mit Formel B, aber den Anfang des zweiten Satzes im Vers behandelt er frei. Der dritte Aspekt – die freie Hervorhebung einzelner Sätze – wirkt ohnehin wie ein Spezialfall.

Anders gesagt: Bachs Vorgehen zeigt seine Sensibilität für alle drei Aspekte; in deren Kombination spiegelt sich ein auffallend pragmatischer Umgang mit einer biblischen Textgrundlage. Die gleiche Technik erfaßt auch die Evangelienrezitative von Weihnachts- und Himmelfahrtsoratorium, doch sie kann nicht auch in Rezitativen wirksam werden, die nicht-biblisch sind oder nur kurze Bibelzitate enthalten; in beiden Fällen »fehlt« der Kontinuitätsgedanke, der in einem fortlaufenden Bibeltext ein derartiges, beständiges Neu-Ansetzen auf so besondere Weise rechtfertigt. Erstaunlicherweise hat Bach aber auch in der Johannes-Passion[20] die Textstrukturen nicht nach diesem Prinzip eingerichtet; in ihr hat Bach folglich mit Mitteln operiert, die als »spezifischer rezitativisch« zu gelten haben.

---

19 Der Versbeginn wird an dieser Stelle durch nichts hervorgehoben; daß Bach »Aber Jesus schwieg stille« ohne jede Vermittlung an das Vorausgehende anschließt, dürfte allerdings durch den Sinn motiviert sein (ebenso Matthäus 27,14: »Und er antwortete ihm nicht auf ein Wort ...«). Eine gleichartige Vers-Unterbrechung ereignet sich auch in Matthäus 27,23: Nach der Pilatus-Frage »Was hat er denn Übels getan?« wird der Vers aus dem Satzpaar »Er hat uns allen wohlgetan« – »Aus Liebe will mein Heiland sterben« heraus gewissermaßen tropiert.

20 Entgegen Melchert, *Grundmuster des Rezitativs* (s. Fußnote 5), S. 67.

EINE APOKRYPHE BACHSCHE PASSIONSMUSIK IN DER HANDSCHRIFT JOHANN CHRISTOPH ALTNICKOLS

Von Peter Wollny (Leipzig)

Das Bach-Bild der zweiten Hälfte des 18. Jahrhunderts konstituiert sich aus der Kenntnis und Verbreitung nicht nur der echten Werke Johann Sebastian Bachs, sondern auch der irrtümlich unter seinem Namen kursierenden Stücke. Daß gerade in Leipzig dieser Aspekt der Überlieferungs- und Wirkungsgeschichte Bachscher Kompositionen eine besondere Rolle spielt, mag zunächst verwundern, ist jedoch leicht erklärt: Auch nach 1750 war zwar vor allem im Umkreis der Thomasschule die Erinnerung an den einstigen Kantor und damit wohl auch das Interesse an seiner Musik für geraume Zeit noch lebendig, die meisten seiner Werke aber waren kurz nach seinem Tode im Erbteil der Söhne aus Leipzig abgewandert. Eine bemerkenswerte Ausnahme bilden hier lediglich die Originalstimmensätze des Choralkantaten-Jahrgangs, die Bachs Witwe Anna Magdalena noch 1750 der Thomasschule überließ.[1] Die Originalquellen anderer zentraler Werke aus Bachs Amtszeit als Thomaskantor, darunter die Matthäus- und Johannes-Passion, die Oratorien, die h-Moll-Messe sowie die Mehrzahl der Kirchenkantaten, waren jedoch nicht mehr verfügbar. Angesichts dieser Situation konnten Leipziger Interessenten sich vielfach nur auf die offensichtlich dürftigen Restbestände in den Händen der in Leipzig verbliebenen Nachkommen Bachs stützen oder aber mußten Bachsche Werke aus anderen, oft unzuverlässigen Quellen mühsam wieder zusammentragen; dies führte zu einer ganzen Reihe von – teilweise vielleicht vorsätzlichen – Fehlzuschreibungen.[2] So ist besonders für die Leipziger Bach-Überlieferung im

---

1 Vgl. Dok II, Nr. 621.
2 Hier ist in erster Linie an das von Johann Gottlob Immanuel Breitkopf zusammengetragene und in fünf Verzeichnissen angebotene Repertoire gedacht. Vgl. Dok III, Nr. 711. Breitkopfs Sammlung mit Bachiana stammt nachweislich teilweise aus dem Nachlaß des Leipziger Neukirchenorganisten Carl Gotthelf Gerlach; hinzu kommen vermutlich Ankäufe von den beiden ältesten Bach-Söhnen, zu denen Geschäftsverbindungen bestanden, sowie anscheinend auch von den weiterhin in Leipzig ansässigen Angehörigen Bachs. Vgl. Andreas Glöckner, *Handschriftliche Musikalien aus den Nachlässen von Carl Gotthelf Gerlach und Gottlob Harrer in den Verlagsangeboten des Hauses Breitkopf 1761 bis*

späten 18. Jahrhundert die Tendenz spürbar, nahezu alles, was den Namen Bach trug, sowie Quellen, die aus dem Umkreis des Thomaskantors stammten oder auch nur zu stammen schienen, Johann Sebastian Bach zuzuweisen. Die Auswirkungen dieser Haltung sind nicht zu unterschätzen, da zum Beispiel Werke wie die schon 1761 in Leipzig unter Bachs Namen kursierende doppelchörige Messe in G-Dur (BWV Anh. 167) das Bach-Bild der Zeit um und nach 1800 nicht unwesentlich mitgeprägt haben.[3]

Kritische Aufmerksamkeit verdient in diesem Zusammenhang eine von dem ehemaligen Thomaner Johann Friedrich Rochlitz 1829 und erneut 1832 veröffentlichte Erinnerung, in der es heißt:

> »Bach hat aber wenigstens drei Passionen, jede nach einem anderen Evangelisten geschrieben; jede in der Auffassung und Behandlung von der anderen sehr verschieden, und jede doch in ihrer Art so groß und herrlich wie jene. Er selbst, der Verf., hat alle drei als Knabe aus Dole's reicher Sammlung noch mitgesungen.«[4]

Diese Aufführungen müssen Rochlitz' Thomanerzeit entsprechend in den Jahren 1782 bis 1789 stattgefunden haben.

Einen Teil des musikalischen Nachlasses von Doles verzeichnet ein 1802 gedrucktes Verkaufsangebot des Leipziger Verlagshauses Bureau de Musique von Hoffmeister und Kühnel.[5] Dort finden sich zwei Bach zugeschriebene

---

1769, BJ 1984, S. 107–116; ders., *Die Musikpflege an der Leipziger Neukirche zur Zeit Johann Sebastian Bachs*, BzBf 8 (1990); Hans-Joachim Schulze, *Johann Sebastian Bachs Vokalwerke in den nichtthematischen Katalogen des Hauses Breitkopf aus den Jahren 1761 bis 1836*, in: Atti del XVI Congresso della Società Internazionale di Musicologia Bologna 1987, Torino 1990, S. 57f.; sowie ders., *»O Jesu Christ, meins Lebens Licht«: On the Transmission of a Bach Source and the Riddle of its Origin*, in: A Bach Tribute. Essays in Honor of William H. Scheide, Kassel etc. 1993, S. 209–220. Zur Leipziger Überlieferung außerhalb der Bach-Familie vgl. Hans-Joachim Schulze, *»Sebastian Bachs Choral-Buch« in Rochester, NY?*, BJ 1981, S. 123–130; sowie ders., *Studien zur Bach-Überlieferung im 18. Jahrhundert*, Leipzig und Dresden 1984, S. 125–127.

3   Vgl. Dok III, Nr. 879.

4   Friedrich Rochlitz, *Für Freunde der Tonkunst*, Bd. III, Leipzig 1829, S. 231. Rochlitz teilt ferner mit: »Von Cantaten über Kirchenchoräle ... enthielt diese Sammlung sechs und zwanzig. Andere Kirchencantaten hat Bach weit über hundert geschrieben.« Bei der ersten Werkgruppe handelt es sich offenbar um Stücke aus dem Choralkantaten-Jahrgang, wobei, bedenkt man deren geringe Zahl, wohl kaum die Thomana-Stimmen dieses Jahrgangs gemeint sein dürften, sondern Kopien in Doles' Privatbesitz. Ob Rochlitz seine Kenntnis der »weit über hundert« übrigen Kantaten ebenfalls Doles zu verdanken hat, läßt sich nicht feststellen; immerhin rühmt sich Rochlitz an anderer Stelle (Bd. IV, S. 161) einer langjährigen vertrauten Freundschaft mit Doles.

5   *Catalog geschriebener, meist seltener Musikalien und theoretischer Werke welche im Bureau de Musique bei Hoffmeister et Kühnel in Leipzig im Fürstenhause zu haben*

Passionsmusiken. Seit geraumer Zeit ist bekannt, daß die eine mit der von Johann Sebastian Bach zusammen mit dessen Sohn Carl Philipp Emanuel kopierten und mindestens zweimal aufgeführten anonymen Lukas-Passion identisch ist.[6] Die zweite ist nach einer 1991 bei Hans-Joachim Schulze veröffentlichten Feststellung Yoshitake Kobayashis identisch mit dem unter der Signatur *Mus. ms. Bach St 124* in der Staatsbibliothek zu Berlin aufbewahrten Stimmensatz, der der ebenfalls dort vorhandenen Partitur *Mus. ms. Bach P 31* zuzuordnen ist.[7] Bei dem in *St 124* und *P 31* enthaltenen Stück handelt es sich um ein Johann Sebastian Bach zugeschriebenes Passions-Oratorium mit den Anfangsworten »Jesu, deine Passion will ich jetzt bedenken«.

Unabhängig von dieser Beobachtung gelang der Nachweis, daß es sich bei dem Hauptkopisten der Stimmen um den Schüler und Schwiegersohn Bachs Johann Christoph Altnickol (1719-1759) handelt. Teile der Violino Primo- sowie der Continuo-Stimme stammen von der Hand eines unbekannten Schreibers. Im einzelnen sind folgende Stimmen erhalten:

1. *Canto.*: 2 Bogen, 8 beschriebene Seiten; Doppelpapier, WZ undeutlich, eventuell Adler in Blatt a und b. Schreiber: Altnickol.
2. *Alto.*: 2 Bogen, 7 beschriebene Seiten; Papier wie 1. Schreiber: Altnickol.
3. *Tenore.*: 3 Bogen, 12 beschriebene Seiten; Papier wie 1. Schreiber: Altnickol.
4. *Basso.*: 2 Bogen, 8 beschriebene Seiten; Papier wie 1. Schreiber: Altnickol.
5. *Flauto Primo.*: 1 Bl., 1 beschriebene Seite; Doppelpapier, anscheinend ohne WZ. Schreiber: Altnickol.
6. *Flauto Secondo.*: 1 Blatt, 1 beschriebene Seite; Doppelpapier, anscheinend ohne WZ. Schreiber: Altnickol.
7. *Cornu Primo.*: 1 Blatt, 1 beschriebene Seite; Doppelpapier, anscheinend ohne WZ. Schreiber: Altnickol.
8. *Cornu Secondo.*: 1 Blatt, 1 beschriebene Seite; Doppelpapier, anscheinend ohne WZ. Schreiber: Altnickol.

---

sind, Leipzig 1802. Das einzige bekannte Exemplar dieses Verzeichnisses (SBB, Haus 1, *Mus. Ab 645*) stammt aus der Sammlung Georg Poelchaus und trägt dessen handschriftliche Notiz »Nachlass eines Goldschlägers Werndt in Leipzig, der mit Musicalien schacherte«.

6   Quelle *P 1017*. Vgl. Schulze *Studien zur Bach-Überlieferung* (s. Fußnote 2), S. 94f.
7   Hans-Joachim Schulze, *Bemerkungen zum zeit- und gattungsgeschichtlichen Kontext von Johann Sebastian Bachs Passionen*, in: Johann Sebastian Bachs historischer Ort, hrsg. von Reinhard Szeskus, Wiesbaden und Leipzig 1991 (Bach-Studien. 10.), S. 202-215, hier S. 208. Die mit roter Tinte links unten auf dem Titelblatt angebrachte Signatur »278.« stimmt mit der entsprechenden Nummer im genannten Verkaufangebot von Hoffmeister & Kühnel überein.

9. *Violino Primo.*: 4 Bogen (II + II), 16 beschriebene Seiten, WZ: 1. a) G W, b) H und undeutliche Figur; 2. a) Adler mit Brustschild, belegt mit H, b) WUNNERLICH. Schreiber 1: S. 1–8 oben; alles übrige: Altnickol.
10. *Violino Secondo.*: 4 Bogen, 15 beschriebene Seiten; Doppelpapier, WZ Adler. Schreiber: Altnickol.
11. *Viola da Braccia.*: 4 Bogen, 14 beschriebene Seiten; WZ: 1. a) Adler mit Herzschild, b) I C I (?); 2. Adler (Doppelpapier). Schreiber: Altnickol
12. *Fondamento.* (beziffert, nicht transponiert): 4 Bogen (II + II), 15 beschriebene Seiten; WZ: 1. a) undeutlich, eventuell Löwe, b) G A W (?) in Schrifttafel; 2. a) Adler mit Herzschild, belegt mit H,[8] b) WUNNERLICH(?). Schreiber 1: S. 1–7; alles übrige: Altnickol.

Die Stimmen befinden sich in einem Titelumschlag (34 x 20,5 cm) mit der Aufschrift »Passion | v. | J. S. Bach.« von unbekannter Hand; als Wasserzeichen ist erkennbar: Großes Heraldisches Wappen von Schönburg in Blatt a und b (Doppelpapier).

Vereinzelte Revisionsspuren[9] sowie die gesamte Textunterlegung der am Schluß des Soprano-Stimmhefts notierten zweiten Solo-Partie des Duetts »Gott am Kreuze, lehre mich« sind von Doles nachgetragen.[10] Damit dürfte eine Leipziger Aufführung des Werkes in Doles' Amtszeit als erwiesen gelten. Die oben erwähnte Partitur (*P 31*) hat nichts mit Altnickol oder Doles zu tun; sie wurde erst im frühen 19. Jahrhundert von einem für den Grafen Voss-Buch tätigen Kopisten angefertigt, und zwar eindeutig als Spartierung von Altnickols Stimmen, die 1802 in den Besitz des Grafen kamen.[11]

---

8 Dieses Hauptzeichen ist nahezu identisch mit dem Wasserzeichen in Altnickols Abschrift der Motette BWV Anh. 160 (*P 37*).
9 Von Doles' Hand stammt etwa die erklärende Notiz zu einem Verweiszeichen Altnickols auf S. 2 der Alto-Stimme: »Es folgt auf folgender Seite der Choral: Ich falle dir etc.« Altnickol hatte den Choral beim Ausschreiben der Stimme zunächst vergessen, ihn dann aber am Ende des ersten Teils nachgetragen. Ferner korrigierte Doles die Textunterlegung in der Sopran-Arie »Heiliger, auch ich bin Erde« und ergänzte eine bei Altnickol fehlende Zeile in der Baßstimme zum Schlußchor (»wir werden nie in dein Gericht«).
10 Diesen Hinweis verdanke ich Hans-Joachim Schulze.
11 Die Signaturen »ad part: 367« auf dem Titelblatt von *St 124* sowie »part: 367« an der entsprechenden Stelle von *P 31* verweisen auf den »Catalog der Vocalmusiken nach den Nummern« der Sammlung Voss-Buch (SBB, Haus 1, *Mus. ms. theor. K 120*), in dem das Werk als »Eine Passion von J. S. Bach mit ausgeschrb. Stimmen« angeführt ist.

Passionsmusik »Jesu, deine Passion«. SBB, Haus 1, *Mus. ms. Bach St 124*. Letzte Seite
der Canto-Stimme mit nachgetragener zweiter Sopran-Partie zu Satz 13.
Notenschrift und Satzbezeichnung Handschrift Johann Christoph Altnickol,
Textunterlegung und Stimmenbezeichnung Handschrift Johann Friedrich Doles.

Eine genauere zeitliche Einordnung von Altnickols Stimmensatz ist an eine zumindest grobe Chronologie seiner Handschrift gebunden. Mit Ausnahme der Bestimmung eines frühen Schriftstadiums (um 1744), vertreten in Altnickols erster Abschrift des Wohltemperierten Klaviers II, war eine auf schriftkundlichen Merkmalen basierende zeitliche Einordnung der Handschrift Altnickols bislang jedoch nicht möglich.[12] Die Berücksichtigung sämtlicher greifbarer Schriftzeugnisse erlaubt nun, zumindest ein mittleres Stadium seiner Handschrift (nach 1744 bis mindestens 1755) von einem späten (nach 1755) zu unterscheiden. Weitere Differenzierungen mögen zukünftigen Forschungen vorbehalten bleiben.

Das mittlere Stadium der Handschrift Altnickols zeichnet sich durch eigentümlich verschnörkelte, oft maniert wirkende Buchstaben- und Pausenformen aus. Die Handschrift ist mehr oder weniger stark nach links geneigt. Überaus charakteristisch ist die C-Taktvorzeichnung, an deren oberem Ende sich ein kleiner Zierstrich fühlerartig emporhebt, um dann in eine kleine Endschlaufe auszulaufen.[13] Die Violinschlüssel schneiden mit ihrer Endschleife die obere Begrenzung des Systems; die Schleife läuft meist entweder nach rechts oben oder nach innen gebogen aus und ähnelt darin oft auffallend der reifen Handschrift Johann Sebastian Bachs wie auch der mittleren Handschrift Carl Philipp Emanuels.[14] Dieses hier knapp skizzierte mittlere Schriftstadium Altnickols findet sich in allen während der Leipziger Zeit entstandenen Handschriften[15] und läßt sich darüber hin-

---

12 Vgl. Alfred Dürr, *Zur Chronologie der Handschrift Johann Christoph Altnickols und Johann Friedrich Agricolas*, BJ 1970, S. 44–65. Die folgenden Ausführungen verstehen sich als eine Fortsetzung der verdienstvollen Arbeit Dürrs, dem ich für die freundliche Überlassung seiner Arbeitsunterlagen zu Altnickol herzlich danke.

13 Vgl. die Faksimileproben bei Dürr, a. a. O., S. 52, sowie in NBA V/8, S. VIII.

14 Vgl. etwa die in NBA VI/1, S. IV, faksimilierte Seite aus *P 229*.

15 Etwa in der Organo-Stimme zu BWV 96 (bei *P 179*), vermutlich entstanden für eine Aufführung am 1. 10. 1747, in der Basso- bzw. der Continuo-Stimme zu BWV 82 (*St 54*), entstanden um 1746/47, sowie in den Stimmen zur Pergolesi-Bearbeitung »Tilge, Höchster, meine Sünden« (*Mus. ms. 17155/16*), ebenfalls entstanden um 1746/47 (sämtliche Angaben zur Datierung nach Yoshitake Kobayashi, *Zur Chronologie der Spätwerke Johann Sebastian Bachs. Kompositions- und Aufführungstätigkeit von 1736 bis 1750*, BJ 1988, S. 7–72). Die Basso-Stimme zu BWV 8 (*Thom 8*, Nr. 4) stammt vermutlich nicht von Altnickols Hand; allerdings bestehen gewisse übereinstimmende Schriftmerkmale zu der Violone-Stimme in *St 127*.

aus bis zu seiner 1755 datierten (zweiten) Abschrift des Wohltemperierten Klaviers (*P 402*) verfolgen.[16]

Die späte Handschrift Altnickols zeichnet sich durch gradlinige, gefestigte, vor allem aber zierlichere Züge aus, die sie von Kopien aus den späten 1740er und frühen 1750er Jahren klar abgrenzen. Charakteristisch für dieses späte Stadium ist die deutlich gewandelte Form der C-Taktvorzeichnung, die anstatt des fühlerförmigen Ausläufers einen knappen meist sichelförmig gebogenen Schlußstrich aufweist. Die Viertelpausen sind winkelförmig vereinfacht; der Violinschlüssel ist zierlich und läuft nach der oberen Schleife in einen fast geraden, doch stets verdickten Strich aus. Zu der deutlich abgrenzbaren Gruppe der späten Altnickol-Quellen zähle ich neben »Jesu, deine Passion« (*St 124*) etwa seine Abschriften der Matthäus-Passion in ihrer mutmaßlichen Frühfassung (*Am.B. 6/7*)[17] und des Passions-Pasticcios »Wer ist der, so von Edom kömmt« nach Graun, Telemann und Bach (*Mus. ms. 8155*), seine Kopie der Pasticcio-Motette »Jauchzet dem Herrn, alle Welt« BWV Anh. 160 (in *P 37*), sowie seiner Abschrift der Cembalosonate in a-Moll Wq 62/21 von C. P. E. Bach (in *P 789*). Während sich die Kopie des Passions-Pasticcios aufgrund des Wasserzeichenbefunds auf um 1756 datieren läßt,[18] kann die letztgenannte Quelle wegen des Kompositionsdatums von Wq 62/21 nicht vor Herbst 1758 und nicht nach Juli 1759 (Altnickols Tod) entstanden sein.[19] Diese späte Gruppe läßt sich anhand der abwärts kaudierten Halbenoten noch weiter differenzieren: In den anscheinend ganz späten Quellen wandert der Hals von der rechten Seite zur Mitte des Notenkopfes,[20] und der Baßschlüssel ist manchmal mit zwei senkrechten Strichen versehen. Diese beiden Merkmale finden sich

---

16 Folgende Quellen belegen die nahtlose Verbindung der in Leipzig entstandenen Handschriften mit der Kopie des Wohltemperierten Klaviers: (1) Zwei Sanctus, mit autographer Datierung 1748 (SBB, Haus 1, *Mus. ms. Altnickol 1*), (2) Mettenordnung der Wenzelskirche zu Naumburg, mit originaler Datierung Weihnachten 1748 (Bach-Archiv Leipzig), (3) Cembalosonate C-Dur, um 1748 (SBB, Haus 2, in: *Mus. ms. 30194*; Datierung belegt durch das mit der vorgenannten Quelle identische Wasserzeichen), (4) Abschrift der Französischen Suiten BWV 812-817 (Washington, Library of Congress, *ML 96 B 186*, aufgrund des Wasserzeichens datierbar um 1753).

17 Vollständiges Faksimile dieser Quelle in NBA II/5a.

18 Vgl. John W. Grubbs, *Ein Passions-Pasticcio des 18. Jahrhunderts*, BJ 1965, S. 10–42, speziell S. 18.

19 C. P. E. Bachs Nachlaßverzeichnis nennt als Entstehungsort und -jahr des Werks »Zerbst 1758«; C. P. E. Bach war im August 1758 wegen drohender Kriegsgefahr von Berlin nach Zerbst geflohen und weilte dort bis zum Dezember des Jahres.

20 So etwa in *P 789*, *P 37* und *St 124*.

auch in der Quelle *St 124*, deren Entstehung damit wohl in die letzte Lebenszeit Altnickols fällt. Weiter unten zu erörternde stilistische Kriterien werden diese Datierung noch weiter stützen.

Insgesamt stellt sich bei all diesen späten Quellen die Frage nach den Vorlagen, auf die Altnickol hier zurückgreifen konnte, zumal in mehreren Fällen Divergenzen zu den von Bach autorisierten Werkfassungen bestehen.[21] Im Falle der Motette BWV Anh. 160 zum Beispiel deutet eine aus zuverlässiger Quelle stammende mündliche Tradition auf eine Bearbeitung durch Bachs Nachfolger Gottlob Harrer, woraus sich eine Entstehungszeit der heute bekannten Werkfassung zwischen 1750 und 1755 im Umkreis der Thomasschule ergibt. Nach unserer Datierung ist Altnickols Abschrift des Stückes erst während der Amtszeit von Johann Friedrich Doles entstanden, und dies eröffnet die Möglichkeit, daß zwischen den beiden Bach-Schülern, die sich 1744 in Leipzig kennengelernt haben dürften, noch in den Jahren nach 1755 persönliche Kontakte bestanden. Diese Kontakte müßten immerhin so eng gewesen sein, daß Doles seinem Kollegen die Abschrift von Musikalien aus der Thomasschulbibliothek gestattete.[22] Vor diesem Hintergrund wäre auch die Herkunft der Vorlagen für Altnickols Kopien des Passions-Pasticcios »Wer ist der, so von Edom kömmt« und insbesondere der Matthäus-Passion neu zu überdenken, zumal im Falle der letztgenannten Abschrift nunmehr ausgeschlossen werden kann, daß sie um 1744–1748 zu Bachs Lebzeiten beziehungsweise unter seiner Aufsicht entstand.

Daß sich umgekehrt auch Doles für die Musiksammlung Altnickols interessierte, zeigt der Umstand, daß er, vermutlich nach Altnickols Tod, dessen Stimmen des Passions-Oratoriums »Jesu, deine Passion« erwarb;[23] außerdem befand sich die Abschrift eines von Altnickol komponierten Kyrie in d-Moll bis zum Zweiten Weltkrieg im Bestand der Thomasschulbibliothek.[24] Der durch die Provenienz von *St 124* erbrachte Nachweis, daß

---

21 Vgl. die Abschriften von BWV 964 und 968 in *P 218* (zur Echtheitsdiskussion dieser beiden Stücke siehe BJ 1975, S. 30–42), des Wohltemperierten Klaviers in *P 402* (zur Bewertung dieser Quelle vgl. NBA V/6.1, *Kritischer Bericht*, S. 174–175) sowie der Motette BWV Anh. 160 in *P 37*.

22 Diese Hypothese trifft anscheinend nicht auf Altnickols nach 1750 (vielleicht um 1753) anzusetzende Partiturabschrift der Kantate BWV 125 (Wien, Österreichische Nationalbibliothek, *Mus. 15.535*) zu, die nach einer Feststellung Yoshitake Kobayashis nicht auf die Thomana-Stimmen, sondern möglicherweise auf die verschollene Originalpartitur zurückgeht. Vgl. BJ 1978, S. 60.

23 Für den Provenienzgang dieser Quelle erscheint wichtig, daß nach dem Tod Altnickols dessen Witwe Elisabeth Juliana Friderica nach Leipzig zurückkehrte.

24 Vgl. *Veröffentlichungen der Neuen Bachgesellschaft*, Jahrgang V, Heft 1, Leipzig 1905, S. III und 8–12.

Doles Handschriften aus Altnickols Nachlaß in seinen Besitz brachte, könnte auf einen ähnlichen Besitzgang für die Partitur der Lukas-Passion hindeuten. Und da Doles die Originalquelle dieses Werks dem Leipziger Musikhändler Johann Gottlob Immanuel Breitkopf zwecks Anfertigung einer Abschrift (*P 30*) zur Verfügung stellte, wäre parallel hierzu denkbar, daß die beiden großbesetzten Altnickol-Kantaten in Breitkopfs Katalog von 1761 ebenfalls auf diese Weise in dessen Sortiment kamen.[25] Hätte Breitkopf den Nachlaß Altnickols direkt übernommen, würde man – wie im Falle Harrers – in den gedruckten Verkaufsangeboten wohl mehr von dessen Kompositionen erwartet haben.[26]

Abgesehen von den hier skizzierten Erkenntnissen und resultierenden Hypothesen zur Leipziger Bach-Überlieferung nach 1750 eröffnet die neu identifizierte Altnickolsche Passionsabschrift einen interessanten Einblick in dessen Naumburger Aufführungsrepertoire. Sollten – worauf die Schriftchronologie deutet – in der zweiten Hälfte der 1750er Jahre die Matthäus-Passion, das Passions-Pasticcio »Wer ist der, so von Edom kömmt« und unser Passions-Oratorium in Naumburg aufgeführt worden sein, so spräche dies gleichermaßen für Altnickols künstlerischen Ehrgeiz wie für die Leistungsfähigkeit der ihm dort zur Verfügung stehenden Musiker.

Ich möchte nun das Passions-Oratorium »Jesu, deine Passion« kurz näher vorstellen und dabei besonders auch nach dessen tatsächlichem Autor und der Entstehungszeit fragen, nicht zuletzt um zu klären, ob das Werk möglicherweise gar etwas mit Bachs Leipziger Aufführungsrepertoire zu tun haben könnte. Daß die Zuschreibung an Johann Sebastian Bach selbst – die übrigens nicht auf Altnickol zurückgeht, sondern von späterer Hand stammt – auf einem Irrtum beruht, ergibt sich schon aus einem oberflächlichen Blick auf die Partitur. Der galante Stil der Arien verrät eindeutig den Einfluß Grauns und Hasses und weist damit auf einen Komponisten aus der Generation der Bach-Söhne und -Schüler. Dieser Komponist hat sich die

---

25 *Verzeichniß musicalischer Werke ... welche in richtigen Abschriften bey Joh. Gottlob Immanuel Breitkopf, in Leipzig, ... zu bekommen sind. Leipzig, in der Michaelmesse 1761*, S. 23 und 24. Es handelt sich hier um eine »Trauungs-Cantate: Gottes Rath ist wunderbar« sowie um eine nicht näher gekennzeichnete »Installations-Cantate«; keines der beiden Werke scheint erhalten zu sein. Darüberhinaus erscheint im nichtthematischen Katalog von 1770, S. 7, ein »Magnificat, a 2 Cor. 2 Oboi, 2 Viol., Viola, Soprano Alto, Tenore, Basso e Contin. in Part.«

26 Viele Handschriften Altnickols gelangten zudem vermutlich über seine Witwe in den Besitz ihres Bruders C. P. E. Bach; die regelmäßigen finanziellen Zuwendungen C. P. E. Bachs an seine Schwester könnten damit in Zusammenhang stehen.

Errungenschaften des von der italienischen Oper geprägten Arien- und Rezitativstils völlig zu eigen gemacht, und auch der Librettist schließt sich dieser modernen Einstellung an. Wie Carl Wilhelm Ramler im »Tod Jesu« formt er den Bericht des Evangelisten in eine individuelle empfindsam-lyrische Schilderung um, bei der die Rührung und Bewegung des Gemüts weit mehr Gewicht erhält, als die Schilderung der Ereignisse. Die Intention dieser poetischen Neufassung des Evangelienberichts liegt vornehmlich darin, dem Komponisten die Möglichkeit zu geben, sich von den nach 1750 zunehmend als altmodisch empfundenen Testo-Partien zu trennen; allein, hier bleibt der Komponist unseres Passions-Oratoriums hinter seiner Textvorlage zurück, denn er weist die rezitativischen Partien nahezu durchweg dem Tenor zu, obwohl aus textlicher Sicht hierzu keine Veranlassung bestanden hätte.

Um einen Eindruck von der Anlage des Werks zu vermitteln, seien zunächst Text-Incipits, Tonarten, Metrum und Stimmlagen der Solosätze angeführt. Als Instrumentalbegleitung werden neben dem Continuo stets Streicher verlangt. Lediglich in Satz 6 und Satz 15 treten zwei Traversflöten beziehungsweise zwei Hörner hinzu.[27]

[Erste Abteilung]
1. Choral: »Jesu, deine Passion« – G-Dur, C
2. Recit. (T): »O! welch ein kläglich Bild«
3. Aria (S): »Heiliger, auch ich bin Erde« – Es-Dur, 3/4, *Largo*
4. Coro: »Mein Herz ist bereit« – B-Dur, C, *Poco Allegro*
5. Recit. (T): »Verräter! wie! dir muß es doch gelingen«
6. Aria (T): »Lieblich fließt die Zähre« – A-Dur, C, *Poco Largo*
7. Coro: »Wohl dem, dem die Sünde bedecket ist« – D-Dur, C
8. Choral: »Ich falle dir, mein Gott, zu Füßen« – h-Moll, C
    (Melodie: »Wer nur den lieben Gott läßt walten«)
9. Rec. (T, A): »Er, dessen Allmachtsruf«
10. Coro: »Er ist um unser Missetat willen« – c-Moll, 3/4, *Largo lagrimoso*
11. Choral: »Schreibe deine blutgen Wunden« – As-Dur, C

Zweite Abteilung
12. Recit. (T): »Nun ist die feierliche Stunde«
13. Duetto (S, S): »Gott am Kreuze, lehre mich« – G-Dur, 3/4, *Largo non molto*
14. Recit. (T): »Es schweben Seraphim von fern«
15. Aria (B): »Hört's, Christen, hört's« – D-Dur, 3/4, *Allegro*
16. Coro: »Meine Seele dürstet nach Gott« – A-Dur, ¢, *Languido*
17. Choral: »O Freud, o Lust, o Leben« – A-Dur, 3/2

---

27 Für die Stimmenbezeichnungen werden die gängigen Abkürzungen S (Soprano), A (Alto), T (Tenore), B (Basso) verwendet.

18a. Recit. (A, T, B): »Du schöner Morgenstern«
18b. Choral (S, A sowie S, A, T, B) alternierend mit Baß-Solo: »Mein Jesus stirbt,
    ihr Augen weint« und »Seid getrost, ihr Weinenden« – A-Dur, C
18c. Tutti (S, A, T, B): »Dank, Preis und Ehre« – D-Dur, C
19. Coro: »Versöhner, heilges Gotteslamm« – G-Dur, C

Ein genauer Vergleich von Text und Musik unseres Oratoriums mit der von
dem Berliner Hofkapellmeister Carl Heinrich Graun komponierten und
1755 uraufgeführten Vertonung des Ramlerschen Librettos zeigt, daß zwischen den beiden Stücken mehr als nur oberflächliche oder zufällige Parallelen bestehen; in der Tat ist »Jesu, deine Passion« direkt von »Der Tod
Jesu« abhängig, denn die Auswahl und Gliederung der Szenen sowie Inhalt
und Plazierung der Arien setzen eine intime Vertrautheit des Librettisten
mit dem Ramlerschen Werk voraus. Zwar ist durchaus ein Bemühen um
eigene Formulierungen erkennbar, doch ist die Suggestionskraft von Ram-
lers Sprache so groß, daß Phrasen oder Bilder mehrfach nahezu wörtlich
übernommen werden. Hierzu einige Beispiele:

a)   »Der Tod Jesu«

      Gethsemane! Gethsemane!
      Wen hören deine Mauren,
      So bange, so verlassen trauren?
      ...
      Bester aller Menschenkinder,
      du zagst, du zitterst gleich dem Sünder ...

      »Jesu, deine Passion«

      O, welch ein kläglich Bild,
      worin mein Jesus mir erscheinet,
      Er zagt, er zittert,
      Todesangst erfüllt sein Herz,
      sein Auge weint, blickt gen Himmel,
      und blutger Schweiß fließt in die Thränen!
      Du schauervollste der Sonnen,
      Gethsemane! Gethsemane!

b)   »Der Tod Jesu«

      Nun klingen Waffen, Lanzen blinken
      ...
      Ihn bindet man, ihn führt man fort.
      Sein Petrus folgt, der einzige von allen,
      er folgt, zur Hülfe schwach von fern,
      mitleidig folgt er seinem Herrn zum Caiphas.

»Jesu, deine Passion«

Verräther! wie! dir muß es doch gelingen,
Ach Gott, ich höre schon die Waffen klingen.

...

Und nun wird er gebunden fortgeführt zum Caiphas;
nur Petrus folget ihm, gerührt von Mitleid, ...

c) »Der Tod Jesu«

Es steigen Seraphim von allen Sternen nieder
und klagen laut: »Er ist nicht mehr!«

»Jesu, deine Passion«

Es schweben Seraphim von fern
am schädelvollen Hügel,
tief staunend über ihren Herrn
bedecken sie mit ihren Flügeln das Antlitz,
»Jesus leidet« sagen sie.

Doch nicht nur der Textdichter, auch der Komponist war innigst mit dem Graunschen Oratorium vertraut, als er sich an seine Vertonung begab. Die am Ende der ersten Szene plazierte Sopran-Arie »Heiliger, auch ich bin Erde« lehnt sich in ihrer formalen Gestaltung bis ins Detail an Grauns Tenor-Arie »Ihr weichgeschaffnen Seelen« an; desgleichen finden sich enge Parallelen zwischen der Tenor-Arie am Ende der zweiten Szene »Lieblich fließt die Zähre« und Grauns Arie »Ein Gebet um neue Stärke«. An zentraler Stelle, nach der Kreuzigung und Verhöhnung Jesu, steht in beiden Werken ein liebliches Duett für zwei Soprane im 3/4-Takt. Beinahe Zitatcharakter hat auch die Vertonung der oben angeführten Stelle »Es schweben Seraphim von fern« (s. Notenbeispiel auf S. 67).

Ähnlich eng an Grauns Vorbild orientiert sich die letzte große Szene nach dem Kreuzestod Jesu, in der ein kanonisch geführter Trauerchoral – hier sind es drei Strophen von »Mein Jesus stirbt, ihr Augen weint«, bei Graun »Ihr Augen weint, der Menschenfreund« – von tröstenden Einwürfen des Basses unterbrochen wird. Auch in der schlichten und andachtsvollen Setzweise der Choräle, die stets in Halben notiert sind, lehnt sich das Passions-Oratorium an die Graunsche Komposition an. Das gleiche gilt für die Behandlung der Rezitative. Ein auffälliger Unterschied besteht nur bei den streng polyphonen Bibelwortchören, die bei Graun meist fugiert gesetzt sind, während unser Werk seltsamerweise auf jegliche kontrapunktische Satztechnik verzichtet.

Passions-Oratorium »Jesu, deine Passion«

Es schwe - ben Se - ra - phim von fern

Carl Heinrich Graun, »Der Tod Jesu«

Es stei - - gen Se - ra - phim von al - len Ster - nen nie - der

Die erwähnten Beispiele zeigen deutlich, daß »Jesu, deine Passion« regelrecht an Grauns »Tod Jesu« entlangkomponiert wurde. Aus dieser Beobachtung lassen sich einige Schlüsse zur Datierung ziehen. »Der Tod Jesu« wurde am 26. März 1755 in der Berliner Domkirche uraufgeführt. Über die frühe Verbreitung des von Anfang an überaus erfolgreichen Werks ist wenig bekannt,[28] doch spätestens ab 1756 bemühte sich Johann Gottlob Immanuel Breitkopf, über Friedrich Wilhelm Marpurg eine Kopie zu erhalten, was ihm um Ostern des darauffolgenden Jahres endlich gelang. Die Entstehung des anonymen Oratoriums kann demnach nicht vor der Passionszeit von 1756 liegen. Nimmt man an, daß Altnickol ein fremdes Werk kopierte, so wird ihm dieses wohl frühestens zur Passionszeit 1757 zur Verfügung gestanden haben. Da Altnickol im Juli 1759 starb, läßt sich die Entstehungszeit des Oratoriums also recht eng eingrenzen. Und in jedem Fall ist damit die Möglichkeit ausgeschlossen, daß das Stück irgend etwas mit Johann Sebastian Bachs Aufführungsrepertoire zu tun gehabt haben könnte.

Bei dem Passionsoratorium handelt es sich offensichtlich um eine handwerklich zwar solide, aber weitgehend epigonale Komposition. Altnickol selbst scheidet als Komponist des Werks wohl aus: Zwar deuten gewisse Korrekturen in den Stimmen auf kompositorische Eingriffe – etwa wenn im Schlußchor am Ende des Mittelteils die recht schroffe harmonische Rückung von C-Dur nach h-Moll durch Änderung der Zieltonart nach e-Moll abgemildert wird, oder wenn die Notierung in den Schlußtakten des vorletzten Satzes auf doppelte Werte vergrößert wird, um eine intendierte Ritardando-Wirkung im Notentext zu fixieren–, doch verraten häufige Fehler (vor allem in der Pausenzählung und der Abfolge der Sätze) auf Schritt und Tritt die mangelnde Vertrautheit des Kopisten mit dem Werkganzen, was man von einem Komponisten beim Ausschreiben der Stimmen eines eigenen Werkes eigentlich nicht erwarten würde.

Die Identifizierung des tatsächlichen Autors gelingt anhand eines gedruckten Textbuchs in der Bibliothèque Royale Albert Ier in Brüssel, deren reiche, jedoch noch kaum ausgewertete Librettosammlung zu diesem Zweck durchgesehen wurde. Das in Brüssel ermittelte Textbuch trägt den Titel: »Der sterbende | Heyland. | Ein Oratorium. | In Musik gesetzt | von | N. N. Wolf. | Schwerin, | gedruckt mit Bärensprungschen Schriften.«[29] Trotz des fehlenden Vornamens, den der Schweriner Drucker

---

28 Zur frühen Rezeption des Werks siehe Ingeborg König, *Studien zum Libretto des »Tod Jesu« von Karl Wilhelm Ramler und Karl Heinrich Graun*, München 1972 (Schriften zur Musik. 21.), S. 5–15.
29 Brüssel, Bibliothèque Royale Albert Ier, *Fétis 4548*, Bd. 3, Nr. 4.

durch die Formel »N. N.« (= *Nomen Nescio*) ersetzte, kann kein Zweifel bestehen, daß hier der nachmalige Weimarer Kapellmeister Ernst Wilhelm Wolf gemeint ist; dafür sprechen folgende Überlegungen: Die überaus starke Abhängigkeit der Komposition von Grauns »Tod Jesu« läßt auf einen noch jungen Komponisten schließen, dessen Werk Johann Christoph Altnickol um 1756 bis 1759 in Naumburg zugänglich gewesen sein muß. Wolf wurde 1735 in Großen-Behringen bei Gotha geboren; nach Ausbildungsjahren in Eisenach und Gotha bezog er 1755 die Universität Jena, wo er schon bald musikalisch aktiv wurde, das dortige studentische Collegium musicum leitete und 1758 das Picandersche Libretto »Der Streit zwischen Phöbus und Pan« vertonte. 1758 ging er nach Leipzig, wo er mit Doles und Hiller Verbindung aufnahm, und wenig später führte ihn eine Anstellung als Hauslehrer der Familie von Ponickau nach Naumburg. Ab 1761 stand er im Dienst des Weimarer Hofes, wo er bis zu seinem Tod im Jahre 1792 verblieb. Zu den prägenden Ereignissen von Wolfs jungen Jahren zählt eine angeblich bereits in Gotha erlebte Aufführung von Grauns Tod Jesu:

> »Noch in späteren Jahren erzählte er, daß er beim ersten Mal Anhören dieses Stückes ganz in Freuden und Entzücken verloren gewesen wäre.«[30]

In der Tat existiert ein konkreter Nachweis für die Autorschaft Wolfs. Die Staatsbibliothek zu Berlin besitzt unter der Signatur *Mus. ms. 23262* eine Abschrift des gesuchten Stückes mit dem Titelblatt: »Passions = Oratorium | in | Music gesezt | von | den Herrn Capellmeister | Ernst Wilhelm Wolf. | die Poesie ist von den Herrn | Magister Schmidt.« Eine Preisangabe (mk 13 –) in der rechten unteren Ecke des Titelblatts weist die Quelle als aus dem Sortiment des Hamburger Musikalienhändlers Johann Christoph Westphal stammend aus, in dessen gedruckten Verzeichnissen von 1777 und 1782 das Werk auch tatsächlich auftaucht.[31] Gelegentlich von *St 124* abwei-

---

30 Friedrich von Schlichtegroll, *Musiker-Nekrologe*, neu hrsg. von Richard Schaal, Kassel [1954], S. 101f.

31 *Verzeichniss derer MUSICALIEN, welche in der Niederlage auf den grossen Bleichen bey Johann Christoph Westphal und Comp. in Hamburg in Commißion zu haben sind. 1782. ... HAMBURG. Gedruckt bey Joh. Philipp Christian Reuss*, S. 160: »Wolff, in Weymar, Passions-Oratorium Jesu, deine Passion &c Partitur. 13: [mk] – [ß]«; ein nur unwesentlich abweichender Eintrag auch im *Anhang zum Verzeichnis von Musicalien, ... Anno 1777*, S. 165. Der Schreiber der Berliner Partitur ist ein Hamburger Berufskopist, der bei Joachim Jaenecke, *Georg Philipp Telemann. Autographe und Abschriften*, München 1993 (Staatsbibliothek Preußischer Kulturbesitz. Kataloge der Musikabteilung, Serie I, Bd. 7) als Kopist Nr. 50 geführt ist.

chende Lesarten der Westphalschen Partitur mögen einer späteren Revision zuzuschreiben sein; hierzu dürfte auch die Mitwirkung von stimmverstärkenden Oboen in einigen Chören und Arien zu zählen sein.

Bei dem als Textdichter genannten Magister Schmidt, der außer dem vorliegenden Stück auch das Libretto zu Wolfs Passions-Oratorium »Die letzte Stimme der sterbenden Liebe am Kreuz« beisteuerte,[32] handelt es sich allem Anschein nach um den Jenaer Advokaten und Privatdozenten Achazius Ludwig Karl Schmid(t).[33] Da Schmidt im Jahre 1756 den Titel eines Konsistorialrates verliehen bekam, auf dem Titelblatt von *Mus. ms.* 23262 aber noch als Magister geführt ist, dürfte das Oratorium »Jesu, deine Passion« bereits zur Osterzeit 1756 in Jena entstanden sein. Aufgrund der biographischen Umstände Wolfs ist anzunehmen, daß Altnickol das Werk um 1758/59 kennenlernte und kopierte.

Obwohl das Passions-Oratorium »Jesu, deine Passion« als künstlerisches Produkt keinesfalls zu den herausragenden Kompositionen seiner Zeit gezählt werden kann, kommt ihm doch eine gewisse historische Bedeutung zu, denn mit seiner engen Verwandtschaft zu Grauns »Tod Jesu« zählt es zu den frühesten Zeugnissen der Wirkungsgeschichte dieses bedeutenden Werks; daneben gehört das Stück durch seine frühe Fehlzuschreibung – und damit kehre ich zu meinen einleitenden Bemerkungen zurück – weiterhin auch zu den Zeugnissen der Leipziger Wirkungsgeschichte Johann Sebastian Bachs.

---

32 SBB, *Mus. ms.* 23260. Auf dem Titelblatt dieser Quelle erscheint Schmidt mit dem Titel eines Oberkonsistorialrates. Zu Wolfs geistlichem Vokalschaffen vgl. auch Johannes Brockt, *Ernst Wilhelm Wolf (Leben und Werke). Ein Beitrag zur Musikgeschichte des 18. Jahrhunderts*, Breslau 1927, S. 32ff.; auf S. 35f. findet sich eine knappe Würdigung von »Jesu, deine Passion«.

33 Schmidt wurde am 9. 4. 1725 in Jena geboren und starb am 6. Juli 1784 in Weimar. Er besuchte die Universität seiner Heimatstadt, wo er 1748 promoviert wurde und anschließend als Privatdozent und Advokat tätig war. Ab 1756 finden wir ihn als Coburger Regierungs- und Konsistorialrat und ab 1763 als Professor an der Universität Jena. Ab 1766 wirkt er als zweiter Assistenzrat und später als Wirklicher Geheimrat und Kanzler der Landesregierung in Weimar. Vgl. Allgemeine Deutsche Biographie, Bd. 31, Leipzig 1890, S. 649.

HASSES »I PELLEGRINI AL SEPOLCRO« ALS LEIPZIGER PASSIONSMUSIK

Von Ulrich Leisinger (Leipzig)

1.

Das Verhältnis zwischen Leipzig und Dresden ist seit jeher geprägt von den Unterschieden der Denkungsart in einer bürgerlichen Handels- und Universitätsstadt auf der einen und in einer Residenz auf der anderen Seite. Erschwerend kamen im achtzehnten Jahrhundert religiöse Spannungen hinzu, da die meisten Einwohner Sachsens die Konversion Augusts des Starken zum Katholizismus als einen Verrat am wahren Glauben empfanden. Obwohl es einen regen kulturellen Austausch[1] zwischen den beiden größten sächsischen Städten gab, bestand auf dem Gebiet der offiziellen Kirchenmusik ein krasser, kaum überbrückbarer Gegensatz. Hier der Thomaskantor, fest verwurzelt in protestantischen Traditionen, dort die Komponisten der katholischen Hofkirche in Dresden, die sich an Italien und vor allem an Wien orientierten. Wir würden es uns zu leicht machen, wenn wir den Gegensatz auf die Schlagworte Tradition versus Moderne bringen wollten. Denn letztlich zeigt das Kirchenmusikrepertoire beider Städte ein ähnlich breitgefächertes Spektrum, das von Motetten und Messen der Palestrina-Zeit bis hin zu den allerneuesten Werken reichte.[2] Der

---

1   Musiker wie Gottfried August Homilius (1714–1785) und Wilhelm Friedemann Bach (1710–1784), die in Leipzig ausgebildet worden waren, fanden Anstellung an Bürgerkirchen in Dresden; umgekehrt konnte Gottlob Harrer (1703–1755) vom allmächtigen Grafen Brühl als Nachfolger Johann Sebastian Bachs ins Thomaskantorat eingesetzt werden. Weiterhin bestanden rege persönliche Beziehungen zwischen Musikerkollegen (siehe beispielsweise Dok II, Nr. 448). Nicht zuletzt beweist Johann Sebastian Bachs ironische Bemerkung von den »schönen Dresdner Liederchen« (Johann Nikolaus Forkel, *Ueber Johann Sebastian Bachs Leben, Kunst und Kunstwerke*, Leipzig 1802, S. 48), daß es wohl der Mühe wert war, für eine Opernaufführung die Reise nach Dresden zu unternehmen.

2   Zum Kirchenmusikrepertoire in Dresden siehe Wolfgang Horn, *Die Dresdner Hofkirchenmusik 1720–1745. Studien zu ihren Voraussetzungen und ihrem Repertoire*, Kassel und Stuttgart 1987. Entsprechend groß ist die Bandbreite in Leipzig, die von den Motetten aus dem *Florilegium Portense* über Werke von Palestrina und Kerll bis hin zu Werken von Johann Christoph Altnickol oder Johann Gottlieb Goldberg reichte, die allem Anschein nach bereits zu Lebzeiten Johann Sebastian Bachs in den Hauptkirchen aufgeführt wurden. Siehe Kirsten Beiß-

Unterschied liegt vielmehr vor allem in der liturgischen Funktion, die am einfachsten an der Textwahl aufgezeigt werden kann. Schwerpunkt der protestantischen Kirchenmusik war noch um 1750 die Kantate mit weitgehend frei gedichtetem deutschen Text, der auf die Lesungen zum jeweiligen Sonntag des Kirchenjahres Bezug nimmt. Die Komponisten für die katholische Hofkirche griffen hingegen fast ausschließlich auf lateinische Texte zurück. Zusätzlich finden wir dort italienische Oratorien.

Sieht man einmal von Kyrie-Gloria-Messen, Vertonungen des Magnificat und Sanctus mit lateinischem Text ab, so gab es keine Überschneidung zwischen der neueren katholischen und protestantischen Kirchenmusik, damit aber auch keine Verwendungsmöglichkeit für liturgische Kompositionen der jeweils anderen Konfession.[3]

2.

Neben Niccolò Jommellis »La Passione« war das Oratorium »I Pellegrini al Sepolcro di Nostro Salvatore« von Stefano Benedetto Pallavicino (1672–1742) in der Vertonung Johann Adolf Hasses die beliebteste katholische Passionskomposition im 18. Jahrhundert.[4] Das Werk wurde erstmals am Karfreitag 1742 in der Dresdner Hofkirche aufgeführt und dort über Jahrzehnte hinweg fast jährlich wiederholt, eine Aufführungstradition, die allenfalls mit der Berliner Rezeption des »Tod Jesu« (1755) von Ramler und Graun vergleichbar ist. Rasch verbreitete sich das Werk über ganz Deutschland und Italien, wovon die große Zahl an erhaltenen handschriftlichen Kopien zeugt.

Der Erfolg des Werks hat eine vielschichtige Erklärung. Zum einen die Qualitäten der Hasseschen Musik; davon konnten wir uns bei der Darbietung des Werkes im Rahmen des Bach-Festes überzeugen. Zum anderen erlaubte die kleine Besetzung und die Schlichtheit der Komposition eine Aufführung auch mit bescheidenen musikalischen Kräften. Besonderen Reiz

---

wenger, *Johann Sebastian Bachs Notenbibliothek*, Kassel etc. 1992 (Catalogus Musicus. 13.), passim.

3 Es ist daher kein Zufall, daß Bach die heikle Frage, wie sich ein lutherischer Kirchenmusiker seinem katholischen Landesherrn empfehlen könnte, im Jahre 1733 mit der Widmung der Kyrie-Gloria-Messe in h-Moll beantwortete.

4 In Hinblick auf die Entstehungshintergründe siehe Michael Koch, *Die Oratorien Johann Adolf Hasses. Überlieferung und Struktur*, 2 Bde., Pfaffenweiler 1989, vor allem Bd. 1, S. 31–35. Hierauf basiert auch die Darstellung von Hans Grüß im *Bach-Fest-Buch* zum 69. Bach-Fest der Neuen Bachgesellschaft, Leipzig, 30. März bis 5. April 1994, Leipzig 1994, S. 83–86.

gewinnt das Werk durch die Dichtung Pallavicinos, die die altbekannte Passionsgeschichte aus einer neuen Perspektive darstellt: Eine Gruppe von Pilgern hat die beschwerliche Reise ins Heilige Land unternommen, um die Leidensstätten Jesu mit eigenen Augen zu sehen. Sie begegnen dort einem Einsiedler, der sich von der Welt zurückgezogen hat, um am Heiligen Grab zu wachen. Die Pilgrime bitten ihn nun, ihnen die »heiligen verehrungsvollen Wunderwerke« zu zeigen und zu erklären. Der Eremit fordert sie zu demütigem Verhalten auf und stimmt mit ihnen einen Lobgesang an.

Der Bericht des Eremiten über die Stationen von Jesu Leidensweg bildet den zweiten Teil des Oratoriums. Er wird als Rezitativ vorgetragen und von den ergriffenen Pilgern immer wieder unterbrochen. Durch diesen Kunstgriff kann der Textdichter den an die Bibel angelehnten Bericht mit aktueller Deutung verbinden. Dieser Gegenwartsbezug ergibt sich zwanglos aus dem Gespräch der Pilger mit dem Einsiedler[5] und gelingt damit organischer als in der protestantischen oratorischen Passion, bei der die eingefügten Arien und Choräle den Handlungsfluß unterbrechen.

Schon hieraus wird deutlich, wie grundlegend sich das Oratorium »I Pellegrini al Sepolcro« in der Anlage von Werken wie der Matthäus- oder der Johannes-Passion unterscheidet. Aus protestantischer Sicht ist der Passionsbericht stark verkürzt (und nicht im Wortlaut der Bibel) wiedergegeben; Choräle sind überhaupt nicht vorgesehen. Nicht zuletzt sollte man annehmen, daß einem italienischen Text in Leipzig kein großer Erfolg beschieden sein konnte. Die kümmerliche, handgestrickte Dichtung, die Bachs Kantate »Non sa che sia dolore« BWV 209 zugrundeliegt, macht deutlich, daß um 1740 nicht einmal im Umfeld der Leipziger Universität mit guten Italienischkenntnissen gerechnet werden darf.

---

5   Obwohl Pallavicino insgesamt fünf verschiedene Personen einführt, ist die Grundkonzeption des Werkes episch und nicht dramatisch. Nicht das Geschehen selbst, sondern der Bericht und seine Deutung stehen im Mittelpunkt. Dies zeigt sich schon am zweisprachigen Dresdner Textdruck von 1754: *I PELLEGRINI | AL SEPOLCRO | DI N.S. | ORATORIO | DA CANTARSI NELLA | REGIA ELETTORAL CAP= | PELLA DI DRESDA | LA SERA | DEL | VENERDI SANTO. | NELL'ANNO MDCCLIV. | DRESDA, | Dalla Stamperia Regia per la Vedova Stössel.* (Exemplar: Sächsische Landesbibliothek Dresden, *MT 4° 166 Rara*). Der Übersetzer gibt die Werkbezeichnung »Oratorio« (die ursprünglich den Aufführungsort derartiger Werke, den Betsaal eines Klosters, bezeichnet) als »ein Musicalisches Gespräch« wieder. Nicht zuletzt sind auch die Pilger beim näheren Hinsehen gar keine handelnden, sondern allegorische Personen: So verkörpert Teotimo die Gottesfurcht, Agapito die Liebe Gottes.

Wenn wir von dieser Position aus noch einmal einen Blick auf das Referatsthema werfen, so müssen wir uns fragen, wie überhaupt die »Pellegrini« als ein Leipziger Passions-Oratorium gelten können. Das Werk ist jedenfalls schon bald nach Leipzig gelangt. Ein erster Hinweis findet sich in Riemers Chronik für das Jahr 1750:

> »Den 23. März [d.h. am Tag nach Palmarum] ist in dem großen musicalischen Concert im Gasthofe zum drei Schwanen im Brühl das gewöhnliche Oratorium passionale I pellegrini al sepolcro di nostro salvatore oder die Pilgrimme bei dem Grabe des Erlösers musicalisch aufgeführt worden. Die Composition war von dem berühmten königl. polnischen und chursächsischen Capellmeister Herr Hassen; der Zuhörer waren bei 300 Personen.«[6]

Wichtiger als die Mitteilung, daß das Konzert gut besucht war, ist es, daß Riemer von dem »gewöhnlichen Oratorium passionale I pellegrini al sepolcro« sprach. Wenn damit nicht einfach gemeint ist, daß in Leipzig regelmäßig Oratorienaufführungen in der Passionszeit stattfanden, hieße dies, daß Hasses »Pellegrini« dort mehr als einmal zu Bachs Lebzeiten erklungen ist.[7] Weitere Aufführungen sind für die Jahre 1752 und 1757 verbürgt.[8]

Leider lassen sich derzeit keine musikalischen Quellen mit diesen Aufführungen in Verbindung bringen.[9] Und obwohl Textdrucke[10] nach Unterlagen des Verlagshauses Breitkopf, die vor dem Krieg noch zugänglich waren, jeweils in Auflagen von 200 bis 300 Exemplaren hergestellt worden sind, ist nach gegenwärtigem Kenntnisstand nur zur Aufführung von 1750

---

6   Zitiert nach Gustav Wustmann, *Quellen zur Geschichte Leipzigs,* Leipzig 1889 (Veröffentlichungen aus dem Archiv und der Bibliothek der Stadt Leipzig. 1.), S. 430.
7   Möglicherweise bezieht sich schon Riemers Eintragung vom 31. März 1749 auf eine Aufführung der »Pellegrini«: »Den 31. März [gleichfalls der Montag der Karwoche] wurde im Leipziger großen Concert der Music ein passionalisches Oratorium aufgeführt, wobei derer Zuhörer über 300 Personen waren« (zitiert nach Wustmann, *Quellen zur Geschichte Leipzigs,* s. Fußnote 6, S. 430). Für diese Veranstaltung wurde am 4. März bei Breitkopf ein Textdruck in 300 Exemplaren abgerechnet (siehe Hermann von Hase, *Breitkopfsche Textdrucke zu Leipziger Musikaufführungen zu Bachs Zeiten,* BJ 1913, S. 69–127, hier S. 110).
8   Arnold Schering, *Johann Sebastian Bach und das Musikleben Leipzigs im 18. Jahrhundert,* Leipzig 1941, S. 268–270, basierend auf Angaben von Riemer und Hermann von Hase. Spätere Aufführungen im Großen Konzert fanden mindestens 1763, 1782 und 1785 statt (ebenda, S. 403 und S. 492).
9   Aus den spärlichen Nachrichten geht nicht hervor, wer Initiator und musikalischer Leiter dieser Konzerte war.
10 Hase, *Breitkopfsche Textdrucke* (s. Fußnote 7), S. 110f.

ein gedrucktes Libretto[11] erhalten. Die Tatsache allein, daß die Oratorien-aufführungen in Riemers Chronik überhaupt vermerkt wurden, macht deutlich, welch hohen Stellenwert diese Konzerte in der Passionszeit hatten.

3.

Ein Glücksfall ist es daher, daß sich in der Library of Congress in Washington eine Partiturkopie des Oratoriums aus etwas späterer Zeit erhalten hat, die wichtige Rückschlüsse auf die Leipziger Rezeption von Hasses »Pellegrini« erlaubt.[12] Das Titelblatt der Handschrift, die wohl aus der Zeit um 1760/70 stammt, lautet:

> »Herrn | Johann Adolph Hassens | Churfürstl. Sächs. Ober-Capellmeisters | Music | zu dem | Italiänischen Oratorio | Gli Pellegrini | mit deutscher Poesie zu einer Paßions-Music | von Hl: Enderlein Stud. in Freiberg, | und eingeschalteten Choralen, | unterlegt | von Hl.: Johann Friedrich Doles | Cantore und Collega der Schule zu | St. Thomas in Leipzig.«

Das Wasserzeichen, ein undeutliches Wappen, und die Schriftzüge des professionellen Kopisten geben derzeit noch keinen Aufschluß über die Herkunft der Kopie. Für eine Datierung[13] ergeben sich folgende

---

11 Brüssel, Bibliothèque Royale Albert Ier, *Fétis 4547 Mus A*, Nr. 1: *I PELLEGRINI | AL SEPOLCRO | DI NOSTRO SALVATORE. | Die | Pilgrime | bey | dem Grabe des Erlösers, | ein Singstück, | welches | in der Charwoche | von der musicalischen Gesellschaft in Leipzig | aufgeführet ward. | Leipzig, gedruckt bey Joh. Gottl. Imm. Breitkopf 1750.* Das 32seitige Textbuch enthält neben dem italienischen Text eine deutsche Prosaübersetzung. Das Werk wurde demnach auf italienisch aufgeführt.

12 Washington, Library of Congress, *M2000.H31P45.* Auf diese Abschrift weist auch Hans Grüß in seinem Einführungstext hin. Ich danke Christoph Wolff und John Howard (Harvard University) sowie Wolfgang Kohlhase (Tübingen) für ihre Bemühungen, eine Kopie des Werkes aus Washington zu beschaffen.

13 Die Mitteilungen von Helmut Banning (*Johann Friedrich Doles. Leben und Werke*, Leipzig 1939, S. 59f.) über Doles' Geschäftsbeziehungen zu Breitkopf geben für die Datierung wegen der Kürze der Einträge in den Breitkopfschen Rechnungs-büchern keinen Aufschluß. 1769 ist zwar explizit »Eine Passions-Musick, die Pilgrimme auf Golgatha« genannt (s. Banning, *Johann Friedrich Doles,* S. 60). Hiermit könnte aber auch die Vertonung von Friedrich Wilhelm Zachariäs gleichnamiger Dichtung von 1756 (Neudichtung nach Pallavicino, aber nicht identisch mit dem unten beschriebenen Parodietext zu Hasses »Pellegrini«) durch Johann Christoph Friedrich Bach gemeint sein, von der sich offenbar eine Kopie in Doles' Nachlaß befand: *Catalog geschriebener, meist seltener Musikalien und theoretischer Werke welche im Bureau de musique bei Hoffmeister et Kühnel in Leipzig ... zu haben sind,* Leipzig 1802 (einziges bekanntes Exemplar: SBB, Haus 1,

Anhaltspunkte: Die Abschrift nennt Johann Friedrich Doles (1715–1797) in seiner offiziellen Funktion als Thomaskantor und Lehrer an der Thomasschule. Sie kann also nicht vor 1755 entstanden sein.[14] Die Werkfassung kann mit Sicherheit vor 1777 angesetzt werden.[15]

Hier liegt also in der Tat eine Leipziger Passionsmusik auf der Basis von Hasses »I Pellegrini al Sepolcro« vor. Die beiden auffallendsten Änderungen gegenüber dem Original sind die durchgehend deutsche Textfassung und die Einschaltung von Chorälen; auf beide weist schon das Titelblatt der Handschrift hin.[16]

Anhand der Übersicht (siehe S. 84f.) läßt sich der Aufbau der beiden Fassungen leicht vergleichen. Doles schließt an jede der Arien einen schlichten vierstimmigen Choralsatz an. An den Einfluß Johann Sebastian Bachs läßt dabei die Notierung in Viertelnoten denken, da um diese Zeit Choräle andernorts gewöhnlich in halben Noten aufgezeichnet werden. Eine weitere Besonderheit, wie sie nach gegenwärtigem Kenntnisstand nur im Umfeld Johann Sebastian Bachs auftrat, ist die Idee eines Leitchorals: In unserer Passionsmusik nimmt das Lied »Wenn meine Sünd' mich kränken« eine ähnliche Stellung ein wie der Choral »O Haupt voll Blut und Wunden« in der Matthäus-Passion oder das Lied »Christus, der uns selig macht« in einem Passionspasticcio nach Telemann, Graun und Bach aus dem Besitz

---

Ab 645), S. 1, Nr. 319. Zum Zusammenhang zwischen dem Verkaufskatalog und dem Nachlaß Doles siehe Hans-Joachim Schulze, *Studien zur Bach-Überlieferung im 18. Jahrhundert*, Leipzig und Dresden 1984, S. 94.

14 Wegen des Textdichters ist man zunächst versucht, an ein Freiberger Werk zu denken (vgl. Banning, *Johann Friedrich Doles*, s. Fußnote 13, S. 160). Es scheint allerdings gut möglich, daß Enderlein und Doles ihre Zusammenarbeit in den ersten Jahren nach der Übersiedlung des Komponisten nach Leipzig aufrechterhielten. Selbst wenn das Werk schon in Freiberg entstanden sein sollte, läßt das Titelblatt zumindest auf eine Leipziger Wiederaufführung schließen.

15 Die in Abschnitt 5 diskutierte Werkfassung von Friedrich Gottlob Fleischer (1722–1806) und Friedrich Wilhelm Zachariä (1726–1777) basiert auf der Einrichtung durch Doles. Aufschlüsse könnte eine weitere – nicht eingesehene – Kopie mit deutschem Text liefern, die in der Bibliothek der Princeton University liegt (Signatur: *AM 15924*). Diese *Betrachtung | über das | Leiden Jesu | eine | Cantate | nach des Herrn Capellmstr. Hassens | Composition | des | italiänischen Oratorii | I Pellegrini al Sepolcro | di nostro | Salvatore* wurde von Ernst Ludwig Gerber im Oktober 1767 kopiert.

16 Für eine Aufführung im Jahre 1751 komponierte Hasse einen neuen Schlußchor. Diese Fassung löste die ältere ab und ist handschriftlich weit verbreitet. Doles verwendet die frühere Fassung des Werkes, bei dem der Schlußchor des Ersten Teils am Ende des Zweiten Teils wiederholt wird.

Johann Christoph Altnickols.[17] Durch eine geschickte Textunterlegung bleibt Hasses Musik weitestgehend unangetastet.

Die naheliegende Annahme, daß Doles für die eingeschalteten Choräle verantwortlich ist, läßt sich durch ein Choralbuch der Sammlung Gorke im Bach-Archiv Leipzig (*Go. S. 304*) bestätigen. In diesem Band aus Doles' Besitz, der mehrere hundert vierstimmige Choralsätze und Liedmotetten enthält, finden sich die meisten der Choralsätze mit geringfügigen Abweichungen wieder.[18]

4.

Weit interessanter als die bescheidenen Eingriffe in die musikalische Substanz ist die neue Textfassung, die – um dies vorweg zu sagen – von Pallavicinos ursprünglicher Konzeption nichts beibehält.

Das Eingangsrezitativ, das den Hörer bei Pallavicino mit der Reise der Pilger ins Heilige Land vertraut macht und den Anblick des zerstörten Jerusalem beschreibt, wird nun mit einem Exordium unterlegt, das folgendermaßen beginnt:

> Dein Leiden jetzt zu betrachten, soll sich mein Herz bereiten,
> Du Menschenfreund hast unsre Plagen getragen,
> Mein Glaubensauge soll dich sehen
> voll Trauren und voll Todesangst zum Ölberg gehen,
> den Fluch der Sünde, die Hölle zu empfinden.

Damit sind wir bereits mitten in der Sphäre protestantischer Passionstexte. Noch vertrauter klingt der Beginn der ersten Arie:

---

17 SBB, Haus 2, *Mus. ms. 8155.* Siehe John W. Grubbs, *Ein Passions-Pasticcio des 18. Jahrhunderts*, BJ 1965, S. 10–42. Eine detaillierte Übersicht über den Werkaufbau bei Beißwenger, *Johann Sebastian Bachs Notenbibliothek* (s. Fußnote 2), S. 95–100.
18 Die Handschrift *Go. S. 304* ist ein Konvolut, das in seiner älteren Quellenschicht mehrere Motetten enthält. Doles trug dann etwa 300 vierstimmige Choralsätze und Chorlieder ein. Siehe Hans-Joachim Schulze, *Katalog der Sammlung Manfred Gorke. Bachiana und andere Handschriften und Drucke des 18. und frühen 19. Jahrhunderts*, Leipzig 1977, S. 75f. Vgl. auch Banning, *Johann Friedrich Doles* (s. Fußnote 13), S. 144 und S. 224. Die folgenden Choralsätze aus *Go. S. 304* wurden - teilweise transponiert und geringfügig verändert - in die Passionsmusik übernommen: »Nun ruhen alle Wälder« (*Go. S. 304*, fol. 110r) = Nr. 17* – »So gehst du nun, mein Jesu, hin« (*Go. S. 304*, fol. 32v) = Nr. 3* – »Treuer Gott, ich muß dir klagen« (*Go. S. 304*, fol. 82v) = Nr. 9* – »Wenn meine Sünd' mich kränken« (*Go. S. 304*, fol. 33v) = 1*, 5*, 12*, 15* – »Wenn mein Stündlein vorhanden ist« (*Go. S. 304*, fol. 97v) = Nr. 19* – »Wie schön leuchtet der Morgenstern« (*Go. S. 304*, fol. 47v) = Nr. 13*.

> Von der Menge unsrer Sünden
> uns auf ewig zu entbinden
> fühlt Gott unnennbare Pein.

Die Anlehnung an die Brockes-Passion ist unverkennbar. Daß das einmal gewählte Modell nach wenigen Zeilen aufgegeben werden muß, liegt darin begründet, daß das italienische Original, an das der neue Text angepaßt werden sollte, die Versstruktur und damit die Zeilenlängen und Betonungen bis ins Detail festlegt.

Es ist nicht unsere Aufgabe, über den künstlerischen Wert der Poesie zu richten. Enderlein[19] hat sich redlich bemüht, das Versmaß und den Grundaffekt der einzelnen Sätze genau zu beachten. Gelegentlich hat er auch einzelne Bilder aufgegriffen, obwohl allem Anschein nach nur Hasses Musik, nicht aber Pallavicinos Werkkonzeption übernommen werden sollte.

Grundsätzlich kam die Zweiteiligkeit von Pallavicinos »Pellegrini« den Leipziger Gepflogenheiten entgegen. Eine Schwierigkeit ergab sich aber daraus, daß der Leidensbericht bei Hasse und Pallavicino nur den zweiten Teil des Werkes einnimmt, während der erste eine großangelegte Einstimmung bedeutet.

Bei der Elimination der Pilgerhandlung droht im ersten Teil des Oratoriums, wenn nicht zugleich einzelne Rezitative und Arien herausgekürzt werden, ein gewisser Leerlauf. Enderlein und Doles haben ihn geschickt dadurch umgangen, daß der Leidensbericht schon mit Rezitativ Nr. 6 einsetzt: »Dort, dort kömmt die Schar mit Schwertern und mit Stangen«. Die Sturmesarie »Senti il mar« kann dann umgedeutet werden als die Zerstreuung der Jünger angesichts der Häscher Jesu.

Einfacher noch gelingt es, den zweiten Teil in ein Passions-Oratorium umzuschreiben. Die Pilatusszene wird in Rezitativ Nr. 14 dargestellt. Den Mittelpunkt bilden das große Accompagnato Nr. 16 »O haltet ein«, das Jesu Kreuzigung und Tod schildert, und die Arie »Schmelz aus fromm und dankbar'n Schmerze, schmelz in Tränen und zerfleuß«, mit dem die Gläubige Seele den Leidenstod Jesu als ihre Erlösung begreift. Typisch für das protestantische Passions-Oratorium dieser Zeit ist es, daß es über die

---

19 Über den blinden Dichter Enderlein (um 1711–1786) liegen nur spärliche Nachrichten vor. Siehe Banning, *Johann Friedrich Doles* (s. Fußnote 13), S. 26, Fußnote 121.

Grablegung hinausweist. Mit dem Choralsatz »Weil du vom Tod erstanden bist« wird die Osterbotschaft schon ausgesprochen.[20]

Durch die eingefügten Choralstrophen wird der Charakter des Werkes ganz entscheidend beeinflußt. An jede von Hasse übernommene Einheit aus Rezitativ und Arie wird ein Choral angeschlossen, der den Handlungsablauf in festgefügte Szenen einteilt. Doles gewinnt aber gegenüber dem biblischen Gespräch des italienischen Originals eine neue Dimension. Zum Bericht (im Rezitativ) und zur persönlichen Betroffenheit, die sich in den Arien äußert, kommt mit den Chorälen ein Gemeindebewußtsein hinzu. Das Werk wird in dieser Einrichtung seine Wirkung auf die protestantische Zuhörerschaft nicht verfehlt haben.

5.

Man möchte einwenden, daß es sich bei Doles' Bearbeitung eben doch nur um einen – letztlich folgenlosen – Versuch gehandelt hat, Hasses berühmtes Oratorium für den Protestantismus zu sichern. Hiergegen können aber eine Reihe von Argumenten vorgebracht werden. Zum einen beweist schon das Faktum, daß die erhaltene Abschrift von der Hand eines Kopisten und nicht von Doles selbst stammt, daß es mehr als eine Kopie dieser Werkfassung gegeben haben muß.[21] Weiterhin finden sich im Washingtoner Exemplar Eintragungen mit Bleistift (kleinere Änderungen und Transpositionsvermerke), die Aufführungen bis ins 19. Jahrhundert hinein belegen. Drittens erweist sich eine weitere Einrichtung des Werkes durch Friedrich Wilhelm Zachariä und Friedrich Gottlob Fleischer in Braunschweig als eine spätere Überarbeitung der Dolesschen Fassung.[22] In der Braunschweiger Fassung werden einige der Choräle durch andere ersetzt, die in halben Noten niedergeschrieben sind. Weiterhin finden wir drei zusätzliche Choräle, die, anders als dies bei Doles der Fall war, in Rezitative eingefügt werden. Eine kurze Notiz stellt sicher, daß die Fassung von Zachariä und Fleischer nach der von Enderlein und Doles angelegt worden ist. Bei einem der zusätzlich eingefügten Choräle heißt es nämlich: »NB.

---

20 Für diese Konzeption eignet sich die ursprüngliche Fassung des Werkes besser als die spätere, die am Schluß den Gedanken, daß der Mensch nur ein Pilger auf Erden sei, thematisiert.

21 Doles' Handexemplar, das heute verschollen ist, ist allerdings nicht im Verzeichnis seines Nachlasses zu finden (s. Fußnote 13).

22 Handschriftliche Kopie: Washington, Library of Congress, *M2000.H31P32*. Eine weitere Kopie dieser Werkfassung findet sich möglicherweise in Wolfenbüttel (*C.G. III*).

Das Rezitativ ist verkürzt und dafür ein Choral eingeschaltet«. Überdies wird dem Werk ein Eingangschor vorangestellt, der ausdrücklich als »Coro di Fleischer« bezeichnet ist, und einen traditionellen Passionsgedanken ausspricht:

> Kommt, kommt, Menschen, seht mit dankerfülltem Herzen
> der größten Liebe Beispiel an euch selbst.
> Gott selbst, gebeugt von herben Schmerzen,
> Gott selbst betritt für euch die Todesbahn.

Insgesamt ist die Braunschweiger Textfassung der Leipziger an Qualität sicher überlegen. Zachariä hat die Arientexte durch Änderung einzelner Wörter mit sicherem Gespür poetischer gestaltet und vor allem die Rezitativtexte gründlich revidiert.[23]

Festzuhalten gilt es, daß die »Pellegrini al Sepolcro« als italienisches Original, aber auch in der Bearbeitung von Doles eine feste Größe im Leipziger Oratorienrepertoire in der zweiten Hälfte des 18. Jahrhunderts waren. Hierfür spricht auch, daß Johann Adam Hiller, Leiter der Gewandhaus-Konzerte und später Nachfolger von Doles als Thomaskantor, noch eine weitere deutsche Fassung des Werkes durch den Braunschweiger Dichter Johann Joachim Eschenburg vorlegte.[24] Diese erschien 1784 sogar als Klavierauszug im Druck. Hiller konnte sich begründete Hoffnung machen, daß Liebhaber das Werk in dieser Fassung erwerben wollten. Im Vorwort zu dieser Ausgabe bemerkt Hiller:

> »Unter den Oratorien des seit kurzem verstorbenen Ober-Kapellmeisters Hasse, ist immer das: I Pellegrini ... vorzüglich geschätzt [worden]. ... es sind hier [= in Leipzig?] auch zwei deutsche Texte bekannt, die nach dieser vortrefflichen Musik eingerichtet sind. Der eine hat einen blind gebohrenen Poeten in Freyberg, Namens Enderlein, zum Verfasser ... In dieser Gestalt ist dies Oratorium in vieler Cantoren Händen und in Kirchen oft aufgeführet worden[25], eine zweite Verdeutschung haben wir dem Prof. Eschenburg zu danken.«[26]

---

23 Die Frage, wie Zachariä und Fleischer Zugang zur Bearbeitung von Doles fanden, beantwortet sich wohl damit, daß Fleischer einer von Doles' Schülern gewesen sein soll.

24 Johann Joachim Eschenburg (1743–1820) war wie Friedrich Wilhelm Zachariä Professor am Carolineum in Braunschweig.

25 Für die Richtigkeit von Hillers Bemerkung spricht, daß sich eine weitere Aufführung des Werkes am Karfreitag 1777 in Leisnig belegen läßt, die ebenfalls auf die Enderleinsche Textfassung zurückgeht. Siehe Lucian Kamienski, *Die Oratorien Johann Adolf Hasses*, Leipzig 1912, S. 125.

26 *Répertoire International des Sources Musicales, Einzeldrucke vor 1800*, redigiert von Karlheinz Schlager, Bd. 2, Kassel etc. 1972 (= RISM A/I/2), H 2237.

Da Eschenburgs Textfassung schon 1770 im Druck erschienen war[27] und offenbar die Enderleinsche ersetzen sollte, läßt sich die Entstehungszeit der Bearbeitung von Doles und Enderlein weiter eingrenzen.

6.

Es gilt den Blick noch einmal auf die Bestimmung der Parodiefassung der »Pellegrini« durch Doles und Enderlein zurückzulenken. Wir wissen durch Forschungen von Helmut Banning, daß Doles in seiner Leipziger Zeit verschiedene Arten der Passionsmusik gepflegt hat. Eigene oratorische Passionen stehen neben Passions-Oratorien; ferner hat er – wie dem Beitrag von Peter Wollny im vorliegenden Band entnommen werden kann – auch Werke anderer Komponisten aufgeführt.

Eine heute verschollene Handschrift aus der Sammlung Gotthold in der ehemaligen Universitätsbibliothek Königsberg[28] belegt, daß Doles noch andere Werke von Hasse bearbeitet hat. Dem Oratorium »Il Cantico dei tre fanciulli« (1734) hat Doles gleichfalls einen deutschen Text unterlegt. Dem Manuskript lag ein – leider undatierter – Leipziger Textdruck bei, dessen Titelblatt über die liturgische Verwendung Aufschluß gibt:

> »Empfindungen bey der Kreuzigung des Erlösers in einer Parodie auf die Hassische Composition des Cantico de' tre Fanciulli am Palmsonntage früh in der Thomaskirche und am Charfreitage in der St. Nikolaikirche zu Leipzig aufgeführet.«[29]

Wenn wir zum Vergleich die Änderungen an der Textkonzeption der »Pellegrini« berücksichtigen, wodurch Doles das katholische Oratorium in eine protestantische Passionsmusik verwandelte, so spricht nichts dagegen,

---

27 Kamienski, *Die Oratorien Johann Adolf Hasses* (s. Fußnote 25), S. 125.
28 Signatur: *13895*. Siehe Joseph Müller, *Die musikalischen Schätze der Königlichen- und Universitäts-Bibliothek zu Königsberg in Pr. aus dem Nachlasse Friedrich August Gotthold's. Nebst Mitteilungen aus dessen musikalischen Tagebüchern*, Bonn 1870, Reprint Hildesheim-New York 1971, S. 201, »Johann Adolf Hasse, Nr. 3«; vgl. auch S. 430, Nr. 63. Nach Angaben von Kamienski (*Die Oratorien Johann Adolf Hasses*, s. Fußnote 25, S. 87), dem das Manuskript noch vorlag, handelt es sich mit einiger Sicherheit um die Handschrift von Johann Friedrich Doles. Die Bearbeitung gehörte dem späteren Thomaskantor Schicht. Vgl. auch Banning, *Johann Friedrich Doles* (s. Fußnote 13), S. 170 und S. 258. Im Verzeichnis des Nachlasses von Johann Friedrich Doles (siehe oben Fußnote 13, S. 5, Nr. 93 und Nr. 315) werden zwei weitere Oratorien von Hasse mit deutscher Textunterlegung genannt: »S Petrus et S Maria Magdalena« (komponiert um 1730) und »Le Virtù appiè della croce« (1737).
29 Zitiert nach Joseph Müller (siehe die vorige Fußnote), S. 201.

daß auch die »Pellegrini« in der uns vorliegenden Gestalt einst für den Karfreitagsgottesdienst in den Leipziger Hauptkirchen vorgesehen waren.

Spätestens Gottlob Harrer, Thomaskantor von 1750 bis 1755, hatte diesen Wandel von der oratorischen Passion mit biblischem Text zum freigedichteten Passions-Oratorium – wie ihn Meinrad Walter in seinem Eingangsreferat beschrieben hat[30] – durchgesetzt.[31] Allem Anschein nach hat sich Harrer bereits 1751 mit einer Vertonung des ins Deutsche übertragenen Textes zu »La Passione« von Metastasio in der Nikolaikirche hören lassen. Am Karfreitag 1753 führte er dort sein Oratorium »Der Tod Abels des Gerechten« – wiederum nach Metastasio – als Passionsmusik auf, bemerkenswerterweise ohne daß Einwendungen gegen die Aufführung eines Passions-Oratoriums am Karfreitag erhoben wurden.[32]

Von hier aus möchte ich noch einen Schritt zurückgehen. Wir haben nahezu keine Anhaltspunkte für Johann Sebastian Bachs Aufführungskalender an Passionsmusiken in den 1740er Jahren. Es läßt sich nur jeweils eine Aufführung der Matthäus-Passion und der Johannes-Passion mit Bestimmtheit nachweisen. Ein- oder zweimal mag die verschollene Markus-Passion erklungen sein. Ferner wurde die Markus-Passion von Keiser mit einigen Arien aus der Brockes-Passion von Händel aufgeführt. Dennoch bleiben große Lücken. Wenn es nun zu Harrers Zeiten problemlos möglich war, den Karfreitagsgottesdienst mit einem Passions-Oratorium zu bestreiten, wer sagt uns dann, daß Bach stets nur oratorische Passionen aufgeführt hat?

In erster Linie käme Händels Brockes-Passion in Frage, die Bach zwischen 1746 und 1749 in mehreren Etappen teils selbst abgeschrieben hat, teils kopieren ließ und allem Anschein nach auch in Leipzig aufgeführt

---

30 Friedrich Rochlitz, *Für Freunde der Tonkunst*, Bd. 4, Leipzig 1832, S. 432, sieht interessanterweise die Ablösung der oratorischen Passion durch das Passions-Oratorium als in der Ästhetik der Aufklärung bedingt an. Doles wird in diesem Zusammenhang ausdrücklich erwähnt.

31 Siehe Arnold Schering, *Der Thomaskantor Joh. Gottlob Harrer (1703–1755)*, BJ 1931, S. 112–146, vor allem S. 132ff. Die in der Stadtbibliothek Danzig nachgewiesene Passionsmusik (ebenda, S. 125) ist offenbar erhalten, lag mir aber nicht vor.

32 Harrers Autograph befindet sich in der Sammlung Becker der Musikbibliothek der Stadt Leipzig (Signatur: *III.2.82*). Das beiliegende handschriftliche Textbuch weist sich – nach Aussage Arnold Scherings (*Der Thomaskantor Joh. Gottlob Harrer*, s. die vorige Fußnote, S. 138) – »als jenes Exemplar aus, das alter Gewohnheit nach vor jeder Aufführung der Geistlichkeit eingereicht werden mußte«.

hat.[33] Denn zur Arie »Der Gott, dem alle Himmelskreise« notiert Bach, daß der Text der zweiten Strophe in die ausgeschriebene Stimme (die heute verloren ist) eingetragen sei.[34] Auch könnte man – hierauf hat mich freundlicherweise Andreas Glöckner hingewiesen – die bekannte Auseinandersetzung um die Passionsmusik von 1739 in diesem Sinne deuten. Der Rat der Stadt untersagte eine geplante Aufführung. Bach verwies darauf, »wenn etwa ein Bedenken wegen des Textes gemacht werden wolle, so wäre solcher schon ein paar mahl aufgeführet worden«.[35] Der Streit wird gewöhnlich mit einer Wiederaufführung der Johannes-Passion in Verbindung gebracht. Leider ist Bachs Mitteilung nur als Paraphrase erhalten, aber die vorliegende Formulierung muß nicht unbedingt so verstanden werden, als habe er – Bach – das Stück schon mehrmals aufgeführt. Vielmehr könnte auch gemeint sein, daß das betreffende Werk (eventuell auch in einer anderen Vertonung) schon einige Male in Leipzig zu hören war. Dies träfe auf Oratorien wie Telemanns Brockes-Passion oder das »Selige Erwägen« zu, für die Leipziger Aufführungen nachgewiesen beziehungsweise wahrscheinlich gemacht worden sind, wenn auch bislang nur außerhalb der Hauptkirchen St. Thomas und St. Nikolai.[36]

Selbst wenn wir annehmen, daß der Rat der Stadt 1739 die Aufführung eines Passions-Oratoriums abgelehnt hat, ist damit noch lange nicht bewiesen, daß dieses Verbot auch während der 1740er Jahre fortbestand. Es ist gewiß zu früh, sich von dem Dogma zu verabschieden, daß die Karfreitagsmusiken unter Johann Sebastian Bach grundsätzlich mit oratorischen Passionen bestritten wurden, aber die Amtsführung Harrers sowie Doles' Einrichtung der »Pellegrini al Sepolcro« sollten uns veranlassen, darüber wenigstens einmal nachzudenken.

---

33 Beißwenger, *Johann Sebastian Bachs Notenbibliothek* (s. Fußnote 2), S. 87ff.
34 SBB, Haus 1, *Mus. ms. 9002/10*, S. 11. Siehe Andreas Glöckner, *Johann Sebastian Bachs Aufführungen zeitgenössischer Passionsmusiken*, BJ 1977, S. 75–119, hier S. 105.
35 Dok II, Nr. 439.
36 Andreas Glöckner, *Die Musikpflege an der Leipziger Neukirche zur Zeit Johann Sebastian Bachs*, BzBf 8 (1990), S. 79 und 131.

ÜBERSICHT

Pallavicino/Hasse (Dresden 1742)

I. Teil

1. Sinfonia [c-Moll]

2. Recit. (Albino):	»Compagni, eccoci giunti«
3. Aria (Albino): [f-Moll; *Più tosto Allegro*]	»Città misera, il tuo stato«
4. Recit. (Eugenio):	»Di Solima distrutta«
5. Aria (Eugenio): [B-Dur; *Allegro*]	»Del cammin più lo stento«
6. Recit. (Teotimo):	»Grazie a quel Dio, che della nostra carco«
7. Aria (Teotimo): [C-Dur; *Moderato*]	»Sentí il mar l'Omnipotente«
8. Recit. (alle):	»A chi di cuor l'invoca«
9. Aria (Agapito): [h-Moll; *Allegretto*]	»Non così cervo assetato«
10. Recit. (Guida):	»Quanto scorgete intorno, alme fedeli«
11. Lauda (alle): [F-Dur; *Lento, ma non troppo*]	»Le porte a noi diserra«

II. Teil

12. Recit. (Guida/Eug):	»Il Gessemani è questo«
13. Aria (Eugenio): [G-Dur; *un poco moderato*]	»Era amor quei, che dal fronte«
14. Recit. (Guida/Agap/Alb/Teot):	»Costì di tosco infetto«
15. Aria (Guida): [d-Moll; *Allegro di molto*]	»D'aspri legato«
16. Accomp. (Teot/Guida/Agap):	»Barbari, oimè!«
17. Aria (Agapito): [Es-Dur; *Moderato assai*]	»Viva fonte«
18. Recit. (alle):	»Dall'orror de' miei falli«
19. Aria (Teotimo): [G-Dur; *Allegro ma non troppo*]	»Scaccia l'orror, le tenebre«
20. Grave [g–C]	
21. Lauda (alle): [F-Dur; *Lento, ma non troppo*]	»Le porte a noi diserra« [= 11.]

Enderlein/Doles

I. Teil

1. Sinfonia
1.* Choral: »Wenn meine Sünd mich kränken« [c-Moll]

2. Recit.: »Dein Leiden jetzt zu betrachten«
3. Aria: »Von der Menge unsrer Sünden«
3.* Choral: »Ach Sünd, du schädlich Schlangengift« [f-Moll]

4. Recit: »Ich staun, o Herr, und zittre«
5. Aria: »Heiland, höre in geweihten Liedern«
5.* Choral: »Laß mich an andern üben« [b-Moll]

6. Recit.: »Dort, dort kömmt die Schar«
7. Aria: »Brausend wallt vor Gottes Stimme«
7.* Choral: »Laß mich kein Lust noch Furcht« [f-Moll]

8. Recit.: »Nun steht er vor den Priestern«
9. Aria: »Güte, Sanftmut, Gott nur eigen«
9.* Choral: »Selig sind die frommen Herzen« [G-Dur]

10. Recit. »So führt man dich, mein Heiland«
11. Chor: »Den besten Dank auf Erden«
11.* Choral: »Heil und Weisheit, Kraft und Stärke« [F-Dur]

II. Teil

12.* Choral: »Herr, laß dein bitter Leiden« [g-Moll]

12. Recit.: »Teurer Heiland, deine Leiden«
13 Aria: »Du befreist mich vom Tode«
13.* Choral: »Wie bin ich doch so herzlich froh« [G-Dur]

14. Recit. »Pilatus selbst muß sagen«
15. Aria: »Durch Sturm und Brüllen«
15.* Choral: »O Wunder ohne Maßen« [a-Moll]

16. Accomp.: »O haltet ein, haltet ein«
17. Aria: »Schmelz aus fromm und dankbarn Schmerze«
17.* Choral: »Nun kann ich nicht viel geben« [As-Dur]

18. Recit.: »O laß, statt mich zu strafen«
19. Aria: »Heiland, den Tod zu schmecken«
19.* Choral: »Weil du vom Tod erstanden bist« [G-Dur]

20. Grave
21. Chor: »Den besten Dank auf Erden« [= 11.]
21.* Choral: »Heil und Weisheit, Kraft und Stärke« [F-Dur, = 11.*]

BACHS PASSIONSMUSIKEN ALS SAKRALES THEATER
EIN SEITENWEG IHRER REZEPTIONSGESCHICHTE

Von Emil Platen (Bonn)

In der beschreibenden oder kritischen Betrachtung der Bachschen Passionsmusiken ist der Begriff des »Dramatischen« längst zum Topos geworden.
Schon die Berichte über die ersten Aufführungen der Matthäus-Passion im
ersten Drittel des 19. Jahrhunderts, mit denen die Rezeptionsgeschichte
eigentlich erst beginnt, bedienten sich dieses Vokabulars. Man fand hier
»das Evangelium vollständig dramatisirt«[1], erlebte das Auftreten der han-
delnden Personen als »dramatisch gegenwärtig«[2] und empfand in den
Chören »dramatisches Leben«[3]. Auch die ablehnende Kritik verwendete
Bezeichnungen aus diesem Begriffsfeld: Georg Christoph Großheim[4] war
der Ansicht, diese Musik handle »den Tod Jesu in Form eines Schauspiels
ab und müsse deshalb – im Heiligthume des Tempels am Karfreitag aufgeführt – Mißfallen erregen«. Joseph Maria von Radowitz war von der Musik
zwar tief ergriffen, meinte aber, »daß diese biblische Oper mit ihrem Irr-
gewinde von Gefühlen, ... aus theologischen und musikalischen Gründen
verwerflich sei«.[5]

Es erscheint im Rahmen dieser Ausführungen unnötig, die historisch-
ästhetischen Voraussetzungen von Oper, Oratorium und Passionsmusik de-
tailliert zu erörtern. Die Fakten sind oft genug vorgebracht worden; die
zeitgenössischen Äußerungen zu diesem Thema gehören inzwischen zum
ständigen Repertoire des Diskurses: von der Leipziger Kirchenmusik, die
»nicht opernhafftig herauskommen«[6] sollte, über die Oratorien, die nichts
anderes seien »als eine ins kurze gezogene Gattung theatralischer Stücke«[7],
bis zu der unvermeidlichen »adelichen Wittwe«, die während der Vor-

---

1 Friedrich Förster, Berlin; vgl. Martin Geck, *Die Wiederentdeckung der Matthäus-
   passion im 19. Jahrhundert*, Regensburg 1967, S. 141.
2 Adolph Bernhard Marx, Berlin 1829; vgl. ebenda, S. 135.
3 Johann Gottfried Hientzsch, Breslau 1830; vgl. ebenda, S. 150.
4 Kassel 1836, vgl. ebenda, S. 115.
5 Berlin 1829, vgl. ebenda, S. 50.
6 Revers des Thomaskantors vom 5. Mai 1723 (Dok I, S. 177, Nr. 92).
7 Johann Adolph Scheibe, *Der Critische Musikus. Neue, vermehrte und verbesserte
   Auflage*, Leipzig 1745, Reprint Hildesheim und Wiesbaden 1970, S. 187.

führung einer Passionsmusik wähnte, in eine »Opera-Comoedie«[8] geraten zu sein.

Dabei geht es immer um kompositorische Kunstmittel oder Textfragen, nicht um Theater; das Problem einer szenischen Aufführung oder Realisierung stellt sich überhaupt nicht. Das Oratorium ist in dieser Zeit die »geistliche Schwester der Oper«, die den Schleier genommen und der Schaustellung auf den Brettern, die – im doppelten Sinne – die Welt bedeuten, entsagt hat.[9]

Bachs Passionsmusiken sind keine geistlichen Opern; wenn im 18. oder 19. Jahrhundert dieser Ausdruck in ihrem Zusammenhang gebraucht wird, so hat er immer nur metaphorische Bedeutung als »imaginiertes Drama«. In übertragendem Sinne ist auch Spittas resümierender Satz gemeint:

> »Bachs Passionen und übrige gleichgestaltete Werke sind eine Erneuerung der mittelalterlichen geistlichen Schauspiele aus deren bester Periode auf einer unvergleichlich höheren Kunststufe, man könnte auch sagen, sie seien die endliche Vollendung derselben.«[10]

Erst im 20. Jahrhundert sind Thesen wie die von Max Eduard Liehburg, Bachs Passionen seien die »gewaltigsten Dramen, die die christliche Kultur hervorgebracht hat«[11] wörtlich, im Sinne einer religiösen Schaubühne gemeint. Vor der Umsetzung einer solchen Idee in die künstlerische Realität waren die Vertonungen der Leidensgeschichte (und nicht nur die Bachschen) – zumindest im Bereich der »seriösen« Kunst und im deutschen Sprachraum – über lange Zeit hinweg aus religiöser und ästhetischer Sicht durch mehrere Tabu-Schichten geschützt.

Da ist zunächst der theologische Vorbehalt gegenüber der Verkörperung Jesu Christi durch einen Schauspieler. Unvorstellbar war vor allem die Zurschaustellung der Martern und der Kreuzigung Jesu.[12] Im volkstüm-

---

8 Nach Christian Gerber, *Historie der Kirchen-Ceremonien in Sachsen*, Dresden und Leipzig 1732, S. 283.
9 Das galt allerdings nur in protestantischen Regionen (und selbst da nur im Prinzip); im katholischen Wien und im theaterfreudigen Süden Europas dachte man wesentlich anders darüber.
10 Philipp Spitta, *Johann Sebastian Bach*, Bd. 2, Leipzig 1880, S. 333.
11 Max Eduard Liehburg, *Bachs Passionen*, Zürich und Leipzig 1930.
12 »Es schickt sich ... nicht, daß man das Geheimniß unserer Seligkeit auff einem Theatro oder Schau-Platze vorstellet«, heißt es in einer Stellungnahme von Daniel Wilhelm Triller zu diesem Problem im Jahre 1723. Vgl. Elke Axmacher, *»Aus Liebe will mein Heyland sterben«. Untersuchungen zum Wandel des Passionsverständnisses im frühen 18. Jahrhundert*, Neuhausen-Stuttgart 1984, S. 110.

lichen Bereich wurden in dieser Hinsicht allerdings gewisse Lokaltraditionen toleriert (etwa die Passionsspiele in Oberammergau oder in Erl).

Weitere traditionelle Vorbehalte beziehen sich auf die ästhetische Problematik einer Visualisierung von Passionsmusiken Bachs und haben entsprechende Verdikte zur Folge. Man kann sie in drei Thesen zusammenfassen:

1. Eine oratorische Passion ist nicht als szenisches Oratorium konzipiert, ihre Gesamtanlage widerspricht trotz »dramatischer« Abschnitte einer partiellen wie integralen Umsetzung in eine Bühnenhandlung.

2. Passionsmusiken sind in sich geschlossene, musikalische Kunstwerke, eine Visualisierung könnte sie nicht steigern, sie würde im Gegenteil ihre musikalische Wirkung beeinträchtigen.

3. Johann Sebastian Bachs Werke, vor allem aber seine Hauptwerke, wozu die Passionsmusiken in besonderem Maße zählen, sind unantastbar.

Auf der anderen Seite stand stets insgeheim das Bestreben, den »dramatischen Kern des Passionsberichtes«, wie Philipp Spitta[13] das genannt hat, zu entfalten und auf respektvolle Weise zu eindrücklicher szenischer Darstellung zu bringen.

In der Rezeptionsgeschichte der Passionsmusiken Bachs läßt sich von Beginn des 20. Jahrhunderts an zwar in größeren Zeitabständen, aber dennoch kontinuierlich ein Verfolgen solcher Gedanken feststellen, wobei die erwähnten Tabus Schicht um Schicht abgetragen wurden.

Der Abbau kündigt sich bereits in einzelnen dramatischen Projekten des 19. Jahrhunderts an. Richard Wagner konzipierte 1849 ein fünfaktiges Musikdrama »Jesus von Nazareth«, in dem er die Titelgestalt als einen Sozialrevolutionär zeigen wollte, der an politischen und religiösen Widersachern scheitert. Damit war die Tabuisierung Jesu als Bühnengestalt aufgehoben, allerdings tastete Wagner das Darstellungstabu der Kreuzigung nicht an. Diese sollte nicht auf der Bühne gezeigt, sondern durch den Bericht des Johannes und der beiden Marien (ähnlich wie in den italienischen Passions-Oratorien Metastasios) mitgeteilt werden. Anton Rubinstein komponierte in den 1890er Jahren eine geistliche Oper »Christus«, die nach seinem Tode 1895 mehrfach szenisch aufgeführt wurde. Auch in dem zugrundeliegenden Libretto von Heinrich Bulthaupt ist jeder Realismus in bezug auf die Leidensdarstellung vermieden. Beide Konzeptionen hatten allerdings keine große Auswirkung: Wagner beließ es bei einem ausführlichen Prosaentwurf, Rubinsteins geistliche Oper setzte sich nicht durch.

---

13 Philipp Spitta, *Johann Sebastian Bach*, Bd. 2 (s. Fußnote 10), S. 329.

Den Boden für Bestrebungen einer dramatisierten Version der Bachschen Passionsmusiken bereiteten ästhetische Ansichten, für welche Bezeichnungen wie der von Alfred Heuß für die Matthäus-Passion geprägte Begriff »Phantasiedrama« charakteristisch sind. Dahinter stand, wie Moritz Wirth, ein Vertreter dieser Richtung, bei einer Tagung der Neuen Bachgesellschaft wörtlich ausführte, eine ganz konkrete Vorstellung:

> »Für die Proben, die ich Ihnen jetzt vorführen will, schicke ich voraus, daß sich Bach die Matthäuspassion allem Anscheine nach als wirkliches Drama gedacht hat, für das wir nach unsrer Gewohnheit auf den Zettel setzen müßten: Ort der Handlung Jerusalem, im Versammlungszimmer der christlichen Gemeinde, Zeit das Jahr 33 nach Christi Geburt, während der Leidenstage Jesu. In dieses Versammlungszimmer kommen die Boten mit den neuesten Nachrichten über die Vorgänge mit Jesu.«[14]

Im weiteren Verlauf dieser Ausführungen kann man nachlesen, welche aufführungspraktischen Folgerungen aus dieser Maxime gezogen wurden: vor allem eine Deklamation der Rezitative im rhetorisch-pathetischen Vortragsstil des Münchner Hoftheater-Intendanten Ernst von Possart.

Durch Vorstellungen solcher Art angeregt, setzt mit Beginn des 20. Jahrhunderts eine Phase ernsthaften Nachdenkens über die Möglichkeit der szenischen Aufführung Bachscher Passionen ein. Die verschiedenen Ansätze stehen in keinem direkten, möglicherweise aber in einem mittelbaren Zusammenhang: das Thema schien gleichsam in der Luft zu liegen.

Den Anfang bilden die gründlichen und langwierigen, viele Stadien durchlaufenden Überlegungen des englischen Regisseurs und Bühnenbildners Edward Gordon Craig (1872–1966) zu einer szenischen Umsetzung der Matthäus-Passion. Sie waren allerdings nur einem kleinen Kreis von Vertrauten bekannt. Das aufwendige Projekt, für dessen Verwirklichung erhebliche Mittel erforderlich waren, schien 1914 Chancen der Realisierung zu haben, aber der Ausbruch des Krieges verhinderte die Ausführung der Pläne. Auch spätere Versuche Craigs, Produzenten für sein Vorhaben zu finden, scheiterten. Erst vor kurzem sind seine Skizzen und Notizen durch Veröffentlichungen aus dem Nachlaß bekannt geworden.[15] Sie betreffen allerdings hauptsächlich die bühnentechnischen Voraussetzungen und

---

14 BJ 1904, Vorträge und Verhandlungen in der Hauptversammlung im Künstlerhause am 3. Oktober [1904], S. 96f.
15 Misolette Bablet, *La Realizzazione scenica della Passione secondo Matteo nei progetti di Edward Gordon Craig*, in: Ritorno a Bach – Dramma e Ritualità delle Passioni, hrsg. von Elena Povellato, Venedig 1986, S. 107–114.

berühren kaum die musikalischen Konsequenzen einer solchen Inszenierung.

An die Öffentlichkeit gelangte dagegen 1922 Ferruccio Busonis Entwurf
einer szenischen Aufführung der Matthäus-Passion.[16] Es handelt sich dabei
um einige allgemeine, nicht bis ins Detail durchgearbeitete Überlegungen,
denen zur Veranschaulichung eine Bühnenskizze beigefügt ist. Busoni begründet sein Projekt völlig subjektiv:

>»Die theatralischen Rezitative und die bewegten Chöre haben seit Jahren in mir
den Wunsch genährt, eine szenische Darstellung der Bachschen Passion zu ent-
werfen.«[17]

Seine musikalisch-dramaturgische Konzeption ist so konsequent wie rigoros
(s. die Abbildung auf S. 92):

»Abgesehen davon, daß die Arien die Handlung ungebührlich aufhalten und sie
unterbrechen, steht auch die barocke pietistische Fassung der Textworte bei
diesen Arien in einem unästhetischen Gegensatz zu jenen der evangelischen
Chronik.
Hier müßte demnach ein theatralischer Bearbeiter die Schere ansetzen und
kurzerhand die Arien entfernen; so sehr manche von ihnen durch Form und
Gefühl (namentlich in ihren Ansätzen) schön geraten sind. Das Einzelne dem
Ganzen zu opfern ist eine der gebieterischen (wenn auch meist schmerzhaften)
Pflichten bei der Gestaltung in der Kunst.
Einmal die Arien ausgeschieden, blieben die Erzählung, die Handlung und der
Gesang der Gemeinde. Bei der hurtigen Konzision von des Evangelisten Bericht
würden die geschauten Vorgänge so rasch vor sich gehen müssen, daß sie sich
überstürzten. Diesem verwirrenden Tempo Rhythmik und Übersichtlichkeit zu
verleihen, sollen die beiden übereinandergestellten Bühnen dienen...
Zwischen diesen beiden Bühnen, in der Höhe eines Halbstocks, sitzt rechts und
links die Gemeinde; auf der mittleren Kanzel steht der Erzähler, dominierend
und zugleich als Zentrum, von dem aus die Fäden der Handlung und der Partitur
nach allen Richtungen strahlenförmig sich ziehen. Die unbewegliche Aufstellung
der Gemeinde ergibt die Annehmlichkeit, daß während ihres Gesanges der Beginn oder der Nachklang eines szenischen Kapitels sich stumm abspielen
kann.«[18]

---

16 Ferruccio Busoni, *Zum Entwurfe einer szenischen Aufführung von J. S. Bachs
Matthäuspassion*, in: derselbe, Von der Einheit der Musik. Verstreute Aufzeichnungen, Berlin 1922, S. 341–343.
17 Ebenda, S. 341.
18 Ebenda, S. 342f.

Ferruccio Busoni, Entwurf für eine szenische Aufführung der Matthäus-Passion (1921). Wiedergabe nach: ders., *Von der Einheit der Musik. Verstreute Aufzeichnungen*, Berlin: Max Hesse 1922.

Kaum noch bekannt sind die Bemühungen des Dramatikers Max Eduard Liehburg um eine Verwirklichung seiner Idee, »Bachs Dramen so erstehen zu lassen, wie Bach sie empfangen, geschaut, gehört und ersehnt hat ...«.[19] Er veröffentlichte 1930 eine Art Regiebuch für eine Inszenierung beider Bach-Passionen, das den Entwurf eines Bühnenbildes mit zwei Ebenen (ähnlich wie bei Busoni) und im Layout des Buches eine Verteilung des Originaltextes auf Bühne 1 (»Geschichte«) und Bühne 2 (»Gegenwart«) mit Anweisungen für Personenführung und Beleuchtung enthält. Das ganze Konzept stimmt weitgehend überein mit der oben erwähnten Auffassung der Bachschen Passionsmusiken als »Phantasiedramen«. Über Aufführungen nach diesem Regiekonzept ist nichts bekannt geworden.

Die Vorstellungen der bisher erwähnten, sämtlich nicht realisierten Entwürfe konvergieren mit einer charakteristischen Tendenz des Musiktheaters nach dem ersten Weltkrieg: einer offensichtlichen Annäherung von Oper und Oratorium. Auf der einen Seite wird unter dem Einfluß von Regisseuren wie Adolphe Appia oder Bühnenbildnern wie Ewald Dülberg die Opernszene immer mehr vereinfacht und die Personenführung immer statischer, auf der anderen Seite belegen Werke wie Honeggers »Roi David« (1921) oder Strawinskys »Ödipus Rex« (1927) die Hinwendung des Oratoriums zur Bühnendarstellung.

Es paßt in dieses Bild, daß Carl Orff als Dirigent des Münchner Bach-Vereins, seiner Neigung zum Musiktheater folgend, sich 1931 das Ziel setzte, eine Passionsmusik szenisch zu gestalten. Allerdings griff er nicht gleich nach Bachs *opus summum*, der Matthäus-Passion; denn noch übten die traditionellen Vorbehalte eine zumindest dämpfende Wirkung aus. Orff entschied sich für die Lukas-Passion (BWV 246), die zur damaligen Zeit noch als halblegitim galt und somit sein Risiko um die Hälfte verringerte.

»Im verdunkelten Saale stand hier eine halbbelichtete Bühne. Im Vordergrund links auf ihr das Pult des Evangelisten; in der Mitte, auf einer Bauernbank sitzend, der Christusdarsteller; rechts, in Korrespondenz mit dem Evangelisten, die jeweils auftretende Spielfigur (Pilatus, Petrus, der Hauptmann, Joseph von Arimathia). Über dieser Vorbühne, gleichsam auf einem balkonartigen Ausschnitt, stand ein kleiner Chor, der die turbae sang. Über dem Ganzen waren auf dem Hintergrund bunte alte Holzschnitte, je nach der Erzählung (Ecce homo, Kreuzigung und so weiter), nach alten Tiroler Meistern des 15. Jahrhunderts projiziert.«[20]

---

19 Liehburg, *Bachs Passionen* (s. Fußnote 11).
20 Vgl. Andreas Liess, *Carl Orff*, Zürich 1955, S. 24.

Das Ganze war – unter Weglassung der Arien – in Art eines Brechtschen Lehrstücks nicht auf Identifikation, sondern durch pointierte Vortragsweise und Ironisierung der betrachtenden Choralpartien auf Verfremdung hin angelegt. Die Auswahl der Komposition und ihre Umfunktionierung zum epischen Theater deuten darauf hin, daß es Orff weniger um eine besondere Form der Bach-Interpretation als um Gesellschaftskritik ging. Es ist begreiflich, daß zu dieser Zeit Orffs kühne Unternehmung ideologisch und ästhetisch polarisierend wirkte: von den Fortschrittlern wurde sie begrüßt, von den Konservativen kritisiert (man sprach von »Orffs Dreigroschen-Passion«).

Unmittelbar nach dem Zweiten Weltkrieg, in der Zeit der zerstörten Bühnenhäuser und der notdürftig hergerichteten Kirchen, rückte der Gedanke an die szenische Darstellung Bachscher Passionsmusiken in weite Ferne. Aber 1949 erschien in der Zeitschrift *Musik und Kirche* folgende Notiz:

>»Die Erma-Filmgesellschaft beabsichtigt, Bachs Matthäus-Passion zu verfilmen (Regie Ernst Marischka). Herbert von Karajan soll die musikalische Leitung haben. Neben den Wiener Philharmonikern sollen berühmte Solisten verpflichtet werden. Die Aufnahmen zu diesem abendfüllenden Film werden bereits im Oktober in Rom beginnen.
>Wir erfahren zu unserer Freude, daß die Internationale Bach-Gesellschaft gegen diesen Plan Protest erhoben hat, da die Matthäus-Passion als eines der erhabensten Werke des Musikschaffens unantastbar sei und bleiben müsse«.[21]

Der Film wurde trotz des Einspruchs produziert, lief 1950 zum Bach-Jahr in den Lichtspielhäusern an und erwies sich als völlig ungefährlich für den Bach-Mythos, war allerdings auch als bloße Illustrierung des Handlungs- und Musikablaufs durch Filmprojektionen von Gemälden und Kirchen-interieurs ohne nachhaltige Wirkung.[22] Erwähnenswert ist der Vorgang hauptsächlich wegen der entrüsteten Reaktion der damaligen Gralshüter, die deren streng konservative Einstellung zu diesem Problem widerspiegelt. Einige Jahrzehnte später waren die Rückwirkungen auf vergleichbare Projekte erheblich toleranter. Das hatte seinen Grund wohl vor allem in dem stetigen und durchgreifenden Wandel des Verhältnisses von Kirche und Welt, von Religion und Kunst seit den sechziger Jahren. Eine besondere Bedeutung als Vorkämpfer bei der Frage einer szenischen Darstellung des Lebens Jesu kam dabei zweifellos der Filmkunst zu. Vor allem Pier Paolo

---

21 MuK 19 (1949), S. 51.
22 Eine ausführliche Besprechung des Films in: MuK 20 (1950), S. 117–119 (Rudolf Steglich).

Pasolinis »Il vangelo secondo Matteo« von 1964 verschärfte die Auseinandersetzung zu einer Konfrontation der Tabuisierung zentraler
christlicher Inhalte auf der einen gegenüber der Forderung nach
unbeschränkter künstlerischer Freiheit auf der anderen Seite. Von dieser
Diskussion waren Überlegungen zur szenischen Realisierung Bachscher Passionsmusiken allerdings nicht direkt betroffen. Deren Problematik bleibt,
anders als die des ambitionierten Filmkunstwerks, systemimmanent, im
Beziehungsfeld der Religion. Wer Kritik an der Kirche oder ihrer Art der
Vermittlung der Christusgestalt üben will, formt den Stoff aus seiner sub-
jektiven Sicht heraus radikal um und bedient sich nicht der durch Bach
vorgeprägten Gestaltung. Pasolinis Film hatte jedenfalls bewiesen, daß
nicht jeder Versuch einer schauspielerischen Verkörperung Jesu als
Blasphemie gelten muß. Dieses sich allmählich ausbreitende Bewußtsein
kam späteren Bemühungen um eine szenische Realisierung der Bachschen
Passionen zugute, vor allem den Versuchen John Neumeiers in Hamburg,
die Bachsche Matthäus-Passion zu choreographieren. Neumeier hat diese
Idee nicht spontan umgesetzt.[23] Der künstlerischen Konzeption ging ein
langer Prozeß der Reflexion voraus, in dem alle zuvor erwähnten Tabus
ernsthaft erwogen wurden. Auch die Entstehungsgeschichte dieser
Produktion beweist eine Haltung der Verantwortlichkeit gegenüber Stoff
und Werk. Neumeier begann – in Zusammenarbeit mit dem Kantor Günter
Jena – in der Hamburger Michaeliskirche mit einem Probestück, den
»Skizzen zur Matthäus-Passion« in einer gekürzten Fassung. Er wäre bereit
gewesen, es bei dem Versuch zu belassen, wenn er sich als unvertretbar
erwiesen hätte. Der Erfolg der »Skizzen« im November 1980 ermutigte ihn
jedoch zu einer – eigene Erfahrungen und fremde Kritiken berück-
sichtigenden – »erweiterten Skizzenversion« im April 1981 in der Kirche
und schließlich zu einer Gesamtfassung, die im Juni desselben Jahres auf der
Bühne der Staatsoper in einer geschlossenen Voraufführung für Teilnehmer
des Evangelischen Kirchentages erstmals vorgestellt wurde. Gerade diese
engagierten Zuschauer haben den Berichten zufolge mit außergewöhnlicher
Begeisterung reagiert, mehr als das Premierenpublikum und als die
Fachkritik. Letztere äußerte sich erwartungsgemäß kontrovers, wobei es
aufschlußreich ist, daß von kirchlicher Seite weniger theologische
Einwände vorgebracht wurden als von Musik- oder Theaterkritikern.
Unbestritten blieb, daß Neumeier Szenen von unmittelbarer und großer

---

23 Vgl. dazu John Neumeier, *Photographien und Texte zum Ballett der Matthäus-
Passion von Johann Sebastian Bach. Ein Arbeitsbuch*, Hamburg 1983.

Eindringlichkeit gelungen waren. Das betrifft vor allem die berichtenden Partien der Passionsmusik mit ihrer stilisierten Gestik, die von direkter Wirkung waren, ohne Musik und Wort zurückzudrängen. Dagegen erinnerte die Umsetzung mancher Arien mit typisch-klassischen Ballettfiguren im Pas de deux oder Pas de trois zuweilen stark an die artifiziellen Attitüden des Handlungsballetts. Unbestritten blieb jedoch, daß Neumeiers Choreographie trotz mancher Angreifbarkeiten bewiesen hatte, daß eine szenische Darstellung der Matthäus-Passion möglich und sinnvoll sein kann. Neumeiers Tanzfassung bedeutete für die szenische Realisierung Bachscher Passionen eine Art Durchbruch – und das nicht ohne tieferen Grund. Der Tanz ist als hochstilisierte Bewegungsform dem Kultischen, dem Sakralen enger verbunden als die Schauspielkunst singender Darsteller. Was heute bei Sängern (und Schauspielern) als symbolhafte Geste leicht pathetisch oder unnatürlich wirkt, ist dem Tanz wesenseigen. Ein weiterer Grund liegt in der bei einer Choreographie vorgegebenen Trennung von Musik und Darstellung in zwei selbständige Ebenen, wobei die beiden Kunstsparten ihrer jeweiligen spezifischen Wirkung nicht wechselseitig im Wege stehen. Neumeier konnte die Tanzebene dazu nutzen, mit Hilfe eigener, nicht vom musikalischen Verlauf abhängiger Bewegungsabläufe eine Verdopplung und damit Überdetermination der Ausdrucksmittel zu vermeiden. Entscheidend für das positive Ergebnis war aber, daß Neumeier in jeder Szene den – wie er es nennt – »Respekt vor Bach« wahrte.

Auf das theaterbegeisterte Italien scheint das Matthäus-Passions-Gastspiel der Neumeier-Kompanie (1983 in Venedig in der Basilika dei SS. Giovanni e Paolo) wie eine Freisetzung gewirkt zu haben. In der Spielzeit 1984/85 wurden in Venedig, Mailand und Palermo gleich drei weitere szenische Darstellungen Bachscher Passionsmusiken realisiert.[24]

1991 hat der Gelsenkirchener Ballettdirektor Bernd Schindowski die Johannes-Passion als Vorwurf zu einer Choreographie gewählt, die sich bewußt von allen übrigen szenischen Darstellungen Bachscher Passions-

---

24 Es ist leider in diesem Rahmen nicht möglich, auf die einzelnen Projekte näher einzugehen. Deshalb sei hier verwiesen auf eine sehr ausführliche Dokumentation dieser Versuche in dem mit vielen Bildern ausgestatteten Band Ritorno a Bach – Dramma e Ritualità delle Passioni (s. Fußnote 15); vor allem auf die Artikel von Jacques Lonchampt, La Passione secondo Giovanni del Teatro La Fenice di Venezia, S. 115–116; Zoltán Peskó, Ricercare. La Passione secondo Matteo del Teatro alla Scala di Milano, S. 131–139; Vittorio Biagi, Il gioco del »sacro«. La Passione secondo Giovanni del Teatro Massimo di Palermo, S. 149–151.

musiken absetzt. Während diese sich grundsätzlich an den von Text und Musik vorgegebenen Ablauf halten, hat Schindowski das Bühnengeschehen weitgehend von der eigentlichen Passion gelöst. Nur einige, zum Teil verfremdete Symbole deuten einen Bezug zur Leidensgeschichte Jesu an: das Kreuz, zu einem fahrbaren Schaukelbalken umfunktioniert, der Fisch als Zeichen für Christus auf die Bühnenrückwand projiziert, eine Leiter, geborstene tönerne Glocken. Bachs Musik wird hier tatsächlich zurückgedrängt, sie wird zum Antriebsaggregat für die Bewegungen der Tänzer.

Neben dem Tanztheater hat sich auch die Filmkunst mit dem Problem der Passion Christi in der Vertonung Bachs auseinandergesetzt. Der Film verfügt über andere Kunstmittel als Tanz und Schauspiel: er ist nicht an die Einheit des Ortes gebunden, er kann die Blickrichtung des Betrachters lenken und den Bildausschnitt verändern, er kann die Bildfolge durch Schnitte rhythmisieren und illusionäre Techniken einsetzen. Dies alles ist Vorteil und zugleich Gefahr. Das Kino hat aber als Medium der bewegten Bilder auch seine eigenen Gesetze. Gerade in dieser Hinsicht birgt die Verfilmung einer oratorischen Passion mit ihrem wesensbedingten Gegensatz von dramatischen und reflektierenden Abschnitten Konfliktstoff. Die statischen Partien, etwa die Choräle, durch projizierte Standfotos umzusetzen, ginge dem Cineasten gegen die Ehre. So besteht die Verlockung, solche wesensnotwendigen Ruhepunkte zu überspielen: durch Bewegungsvorgänge, durch Regieeinfälle, vielleicht sogar durch besondere Bildeffekte, die vom Wesentlichen ablenken.

Der allgemein positiv bewerteten filmischen Version der Johannes-Passion des Regisseurs Hugo Niebeling (1991) ist es gelungen, die Vorteile des Mediums Film zu nutzen und dabei die größten Gefahren zu vermeiden. Niebeling wählte als Schauplatz den Dom zu Speyer und bediente sich innerhalb dieses imposanten Sakralraums für seine Inszenierung, die oratorische und schauspielerische Elemente miteinander verbindet, aller Möglichkeiten der Kameraführung, des Standortwechsels und der Bildeinstellung auf meisterhafte Weise.

Jesus und Pilatus sind durch Schauspieler dargestellt, die, während die entsprechenden Evangelistenworte rezitiert werden, diesen Text gleichzeitig, aber nicht synchron, halblaut sprechen. Die Rollen des Petrus und Judas werden mimisch, die Volksszenen durch einen Bewegungschor tänzerisch dargestellt. Bei Chorälen richtet sich die Kamera in längeren Einstellungen auf den Chor. Es ist nicht abzustreiten, daß auch in diesem in vieler Hinsicht beeindruckenden Film das musikalische Kunstwerk gelegentlich verdrängt oder umfunktioniert wird. Eingangs- und Schlußchor erklingen teilweise als reine Begleitmusik zu Vor- beziehungsweise Abspannsequenzen, die bedeutungsvoll in die Realität unserer Gegenwart überwechseln (Eintreffen der Mitwirkenden, Umkleiden der Darsteller, Abbau des Bühnenbildes). Gerade bei solchen Partien wird das größte Problem der szenischen Darstellung einer Bachschen Passionsmusik deutlich: Die Musik, die doch eigentlich im Zentrum stehen soll, wird durch solche Versuche einer visuellen Anreicherung beiseite gerückt und unter Umständen sogar in den Hintergrund gedrängt. Die Intensität der Bachschen Musik und, was ebenfalls von Bedeutung ist, die Vertrautheit der meisten Hörer mit diesen Werken ist hier jedoch so groß, daß Bach auch in solchen Momenten noch präsent bleibt.

Die Frage nach der Berechtigung einer szenischen oder filmischen Darstellung einer Passionsmusik wird in der heutigen Zeit jeder Betroffene anders beantworten. Eine Steigerung der spirituellen Wirkung, eine Überhöhung des Werkes ist durch visuelle Aufbereitung nicht zu erwarten. Bei strengem Bewertungsmaßstab in bezug auf die Vereinbarkeit des in sich vollendeten Kunstwerks und seiner dramatisierten Erweiterung sind eigentlich alle derartigen Versuche zum Mißlingen verurteilt. Aber Kunst kann an ihren zu hohen Ansprüchen scheitern und trotzdem sinnvoll und sogar bedeutend sein. Man könnte mit Lothar und Renate Steiger sagen: »Wer kann, der darf!«[25] Wenn die szenische Gestaltungskraft sich der Aufgabe gewachsen zeigt und in jedem Bezug die Vorlage als höchste Instanz respektiert wird, dann ist auch eine Verlegung der Passionsmusik auf die Schaubühne zu rechtfertigen.

Die hier besprochenen Versuche einer Visualisierung Bachscher Passionsmusiken waren gewiß Nebenwege der Bach-Rezeption. Etliche führten zu nichts, manche in die Irre, aber einige auch zu neuen Standorten, und es ist keine Frage, daß in geglückten Fällen von der dann erreichten Position aus neue Aspekte auf das Werk möglich wurden. Es ist eher eine Frage, ob nicht manche monomanische Verbalexegese und manche manierierte musikalische Interpretation den Blick auf Bachs Musik mehr verstellt als eine ernsthaft am Werk ausgerichtete visualisierte Fassung. Schließlich sollte man das Argument bedenken, das 1723 der Herausgeber des »Leidenden Christus« von Hugo Grotius zur Verteidigung dieses geistlichen Trauerspiels vorbrachte:

---

25 Lothar und Renate Steiger, »*Wer kann, der darf*«. *Zu John Neumeiers Choreographie der Bachschen Matthäuspassion*, MuK 51 (1981), S. 233–237.

»Ich kann die große Sünde nicht absehen, wenn man eine dergleichen Heilige Historie auff dem Schau-Platze unter der gehörigen Auszierung, und insonderheit einer wohlgesetzten und beweglichen Music, darstellet; und ich bin versichert, daß manchem Ruchlosen durch eine dergleichen lebendige Vorstellung eher das harte Hertz schmeltzen würde, als wenn er 50 unkräfftige und hergeleyerte Predigten anhörete«.[26]

---

26 Triller, zit. nach Axmacher, »*Aus Liebe will mein Heyland sterben*« (s. Fußnote 12), S. 111.

ZUSAMMENSTELLUNG VON ENTWÜRFEN
UND REALISATIONEN EINER VISUALISIERUNG
BACHSCHER PASSIONSMUSIKEN

PLÄNE/ENTWÜRFE

1900/18   Edward Cordon Craig
          Verschiedene Pläne zu einer Inszenierung der Matthäus-Passion

1921/22   Ferruccio Busoni
          Entwurf einer szenischen Aufführung der Matthäus-Passion

1930   Max Eduard Liehburg
          Bachs Passionen als sakrale Dramen. Veröffentlicht in Form
          eines Regiebuchs

SZENISCHE REALISIERUNGEN

1931   Carl Orff, Konzeption und Musikalische Leitung
          Szenische Version der (unechten) Lukas-Passion BWV 246
          München (Berlin 1932)
          Münchner Bach-Chor

1943   George Balanchine
          The Crucifixion of Christ
          Szenisch-pantomimische Fassung der Matthäus-Passion[1]
          New York, Metropolitan Opera

---

1   John Neumeier, *Photographien und Texte zum Ballett der Matthäus-Passion von Johann Sebastian Bach. Ein Arbeitsbuch*, Hamburg 1983, S. 9: »Es handelte sich, scheint es, weniger um eine tänzerische als eine mimische oder pantomimische Interpretation im Stil eines Miracle Play, eines Mysterienspiels. Anlaß der Aufführung – es wird nur eine einzige erwähnt – war die Gründung eines Welthilfefonds für hungernde Kinder. Die Initiative ging vom Dirigenten Leopold Stokowski aus.«

1973   Charles Weidman
        Tanzfassung der Matthäus-Passion (Auszüge)[2]
        USA

1980   John Neumeier, Choreographie
        »Skizzen zur Matthäus-Passion«
        Hamburg, St. Michaelis

1981   John Neumeier
        Matthäus-Passion, »Erweiterte Skizzen-Version«
        Hamburg, St. Michaelis

1981   John Neumeier
        Matthäus-Passion, Gesamtfassung
        Hamburg, Staatsoper

1984   Pierluigi Pizzi
        Johannes-Passion als »Azione scenica sacra«[3]
        Venedig, Teatro Fenice

1985   Jurij Ljubimov
        Matthäus-Passion, szenisch-oratorisch[4]
        Mailand, Chiesa di San Marco
        Ensemble der Scala

1985   Vittorio Biagi
        Johannes-Passion, Choreographie
        Palermo, Teatro Massimo

2   Ebenda: »... nur die Arien und Chöre wurden getanzt. Die Rezitative wurden
    von einem Erzähler gleichzeitig zur Musik nachgesprochen. Die Handlung selbst
    wurde nicht tänzerisch gestaltet. Als einzige historische Person trat Petrus, von
    Charles Weidman selbst dargestellt, auf. Teile dieser Choreographie existieren
    noch als Film.«
3   Ein Versuch, Johann Sebastian Bach gewissermaßen in den Schoß der
    katholischen Kirche zurückzuholen. In einer – Bühne und Parkett des Theaters
    ausfüllenden – Kulisse eines hochbarocken (gegenreformatorischen) Kirchen-
    raums mit Kanzel, Hochaltar und zusätzlichen Priesterdarstellern hat der
    Regisseur die Passionsmusik szenisch mit Elementen des katholischen Kultus
    durchsetzt.
4   Den Berichten nach eine Aufführung in Art eines szenischen Oratoriums mit
    überwiegend statischen Tableaus.

1991   Bernd Schindowski
Johannes-Passion als Ballett
Gelsenkirchen, Musiktheater im Revier
nach Schallplattenaufnahmen Teldec 1965
Leitung: Nikolaus Harnoncourt

FILMISCHE VERSIONEN

1949   Ernst Marischka, Konzeption und Regie
Matthäus-Passion
Musikalische Ausführung: Wiener Philharmonisches Orchester
und Chor
Leitung: Herbert von Karajan

1978   François Reichenbach, Buch und Regie
La Passion selon le peuple mexicain
Deutscher Titel: Christus lebt – Kreuzwegstationen aus Mexiko
und Leipzig[5]
Johannes-Passion
Nach Schallplatteneinspielung Eterna 1975
Thomaner-Chor Leipzig
Leitung: Hans-Joachim Rotzsch

1991   Hugo Niebeling, Regie
Es wäre gut, wenn ein Mensch würde umbracht für das Volk
Johannes-Passion
Schauplatz: Dom zu Speyer
Nach Schallplatteneinspielung Deutsche Grammophon Archiv-
Produktion 1964: Münchner Bach-Chor
Leitung: Karl Richter

---

5 Reichenbach hat in Mexiko die Passionsspiele der Indios aufgenommen. Die
eindrucksvollen Darstellungen und Prozessionen bilden einen Gegensatz zur
Bachschen Musik. Dazwischen geschnitten Aufnahmen von Zuschauern, die mit
Anteilnahme und Begeisterung dem Spiel folgen.

2

BACH UNTER DEN DIKTATUREN

1933-1945 UND 1945-1989

VORBEMERKUNGEN

Von Christoph Wolff (Cambridge, Mass.)

Die Wissenschaften, insbesondere die Geisteswissenschaften tun sich oft schwer bei dem, was die Historiker Zeitgeschichte nennen, das heißt jener Geschichte, die ganz unmittelbar in unsere eigene Zeit hineinreicht und von der wir daher alle geprägt sind. Es gibt den Einwand, daß es uns an Abstand gerade gegenüber selbsterlebten Ereignissen mangelt und daß dies bei der wissenschaftlichen Behandlung eines solchen Themas zu Schwierigkeiten führt. Dieser Einwand kann jedoch mit dem Hinweis darauf entkräftet werden, daß es sich bei zeitgeschichtlichen Betrachtungen nicht um abschließende historische Beurteilungen handeln darf. So geht es uns heute eher um ein Bewußtmachen des Erlebten und Beobachteten; es geht vor allem um ein Befragen der Quellen, die in dem Moment zu schweigen beginnen, in dem wichtige Zeitzeugen nicht mehr da sind.

Ich kann das aus eigener Erfahrung nur bezeugen: Ich bin seit langer Zeit in den Vereinigten Staaten tätig und habe erst dort die Begegnung mit einem wesentlichen Zweig der engeren Fachgeschichte der Musikwissenschaft erfahren, und zwar dadurch, daß sich unter meinen Kollegen zahlreiche jüdische Gelehrte befanden, die in der Nazi-Zeit aus Deutschland vertrieben wurden, – ihre Kinder und Enkel sind heute in unseren Hörsälen anzutreffen. Es scheint mir daher wichtig, daß wir die Zeitzeugen bewußt in unsere Diskussion einbeziehen und auf diese Weise den Bezug zur Zeitgeschichte nicht verlieren.

In den Planungen für dieses Bach-Fest hat das Thema "Bach unter den Diktaturen" bereits seit dem Frühjahr 1990 eine Rolle gespielt. Es war uns von vornherein klar, daß vieles, was bis dahin nur in geschlossenen Räumen und hinter vorgehaltener Hand diskutiert werden konnte und durfte, an die Öffentlichkeit gebracht werden sollte. Daß wir dies heute tun können, ist – glaube ich – eine befreiende Erkenntnis. Und daß wir uns einem wirklich aktuellen Thema zuwenden, zeigt sich ja schon daran, daß der Besucherstrom heute Nachmittag gegenüber dem Vormittag noch einmal deutlich angewachsen ist.

Bei unseren Vorgesprächen stellten wir rasch fest, daß die Diskussion, die nach 1945 nicht stattgefunden hat, nach 1989 auf keinen Fall unterbleiben darf. Auch ergab es sich geradezu zwangsläufig, die Zeit von 1933 bis 1945 mit einzubeziehen – nicht, weil wir damit feststellen wollten, daß die Diktaturen 1933–1945 und 1945–1989 soviel Gemeinsames hätten – sie haben sehr viel und vielleicht mehr Trennendes. Dennoch liegt es nahe, diese beiden Zeiträume, die zeitlich ungleich sind – zwölf gegenüber mehr als vierzig Jahren –, zueinander in Beziehung zu setzen, insbesondere weil wir das Vorurteil abwehren wollen, das Verständnis der vierzig Jahre DDR sei eine Geschichte, die nur Bürger der DDR betrifft. Denn die Vorgeschichte dieser Diktatur, nämlich die zwölf Jahre Nazi-Zeit, hat die Geschicke in ganz Deutschland bestimmt. Hier müssen wir deutliche Parallelen ziehen. Aber selbst in der DDR-Zeit waren auch die Bürger Westdeutschlands von den politischen Verhältnissen jenseits der deutsch-deutschen Grenze betroffen, waren irgendwo immer mit einbezogen.

Es geht uns bei der Behandlung unseres Themas nicht um eine Gleichsetzung der Diktaturen, sondern um eine Beziehung, die historisch bestand und besteht und die daher aus der Diskussion keinesfalls ausgeklammert werden darf. Es geht aber nicht darum, hier jetzt die Gelegenheit zu persönlichen Abrechnungen zu nutzen; das wäre ganz falsch. Zwar müssen wir sorgfältig differenzieren zwischen Akteuren und Betroffenen – freilich ohne selbstgerecht mit dem Finger auf diesen oder jenen zu zeigen. Gefragt ist die Aufarbeitung des Faches Musikwissenschaft, der Bach-Forschung und der Auswirkungen, die sich auf das Musikleben und das Kunstleben insgesamt ergeben haben. Gefragt ist deren kritische Durchleuchtung, denn die ideologische Vereinnahmung kannte letztlich keine Grenzen. Diese blieb nicht bei der Sache Johann Sebastian Bach stehen, sondern sie schloß auch die Personen und die Personenkreise, die sich im thematischen Umfeld befanden, immer mit ein.

Ich möchte es bei diesen einleitenden Bemerkungen belassen und Ihnen gleich das Format des heutigen Nachmittags vorstellen. Neben einer Podiumsdiskussion haben wir zwei längere Einleitungsreferate. Es erschien uns nämlich notwendig, am Anfang größere Zusammenhänge darzustellen, zumal es an Vorarbeiten auf diesem Gebiet fehlt. Auch dürfte es für uns alle, glaube ich, nützlich sein, uns mit den breiteren Perspektiven dieser schwierigen Thematik konfrontiert zu sehen.

BACH-PFLEGE UND BACH-VERSTÄNDNIS
IN ZWEI DEUTSCHEN DIKTATUREN

Von Rudolf Eller (Rostock)

Die Formulierung des Themas mag zur allgemeinen Information dienlich sein; jedoch ist sie zu pauschal, als daß sie nicht sogleich eine Differenzierung erforderte.

Zwei deutsche Diktaturen – das heißt zugleich: zwei in vielerlei Hinsicht unterschiedliche Herrschaftssysteme, und ehe davon gesprochen werden kann, wie Bachs künstlerische Persönlichkeit in diesen Systemen gesehen und gewertet, wie seine Musik gepflegt worden ist, muß auf diese Unterschiede hingewiesen werden, schon deshalb, weil eben auch Pflege und Wertung dieser Musik von unterschiedlicher Art gewesen sind.

Was den beiden deutschen Diktaturen gemeinsam war, läßt sich weitgehend darauf reduzieren, *daß* sie Diktaturen waren: Herrschaftssysteme, die diejenigen der neuzeitlichen Demokratie entweder ausdrücklich verneinten – so im Nationalsozialismus – oder – so im SED-Staat – unterliefen und dies durch ein System scheindemokratischer Institutionen und Benennungen zu verschleiern suchten. Das demokratische Prinzip: dem Einzelmenschen so viele individuelle Rechte und Freiheiten zu ermöglichen, wie es die Stabilität und Sicherheit des staatlich geprägten Gemeinwesens – und damit auch die Sicherheit des Einzelnen selbst – gestatten, wurde in den deutschen Diktaturen ins Gegenteil verkehrt: fast alle Rechte und Freiheiten – praktiziert oftmals als einschüchternde Willkür – lagen bei den Herrschenden, einer Einzelperson oder Personengruppe; die Rechte der Beherrschten waren zum Teil aufs äußerste reduziert, und selbst dieser Rest von Rechten konnte jederzeit aufgehoben werden, bis zu Freiheitsberaubung, physischer und psychischer Drangsalierung oder gar Vernichtung.

Indes, gerade diese Aussage erfordert Differenzierungen, die erkennbar werden können, wenn grundsätzliche Unterschiede zwischen beiden Herrschaftssystemen benannt werden; diese Unterschiede betreffen zum einen ihre Voraussetzungen und Entstehung, ihren Verlauf und ihr Ende, zum anderen ihre weltanschaulichen Grundlagen. Die NS-Diktatur ist als Folgeerscheinung des Ersten Weltkrieges wohl erklärbar, war aber keineswegs eine zwangsläufige Folge des Krieges. Die Weimarer

Demokratie war zwar nicht, wie oft behauptet, eine »Republik ohne Republikaner« – die hat es schon gegeben. Aber die Verhältnisse zwischen denen, die diese Republik bejahten, denen, die sie – oft weit entschiedener – verneinten und bekämpften, und den allzuvielen, die weder das eine noch das andere taten und sich auf ihr apolitisches Verhalten noch etwas zugute hielten, waren fast von Anfang an ungünstig und wurden im Verlauf von nur zehn bis elf Jahren immer bedrohlicher. Innerhalb der zahllosen miteinander rivalisierenden und einander bekämpfenden Gegner der Republik kam schließlich ein Mann zum Zuge, der in seinem Beieinander von menschlicher Substanzarmut und grenzenlosem Machtwillen, von fanatischem Nationalismus und Verachtung der Menschen auch seiner Nation, von utopischem Zukunftsdenken und Versagen vor simpelsten Realitäten zumindest in der neueren europäischen Geschichte ohne Beispiel ist. Das, was der Nationalsozialismus bewirkt, was er an scheinbaren Erfolgen erreicht und an tatsächlichen Niederlagen erlitten, was er an Zerstörungen und Vernichtungen angerichtet, an Verbrechen begangen hat, geht letzten Endes auf diese eine Person Adolf Hitler zurück; fast alle seine Gefolgsleute und Mittäter haben sich bis zur Selbstaufgabe der hypnotischen Ausstrahlung seines Willens unterworfen – diese Göring, Goebbels, Himmler, Heß, Ley, Bormann und andere: die meisten ebenso wie Hitler Wurzellose oder durch den Krieg Entwurzelte, nicht fähig oder willens, sich einer gesellschaftlichen Ordnung einzufügen, menschliches Treibgut, das der Krieg hinterlassen hatte. Diesen Krieg wieder aufzunehmen, war Hitlers Ziel von Anfang an, einen Krieg allerdings, der – das war in seinem Wahnwitz etwas Neuartiges – keine eindeutig festgelegten Ziele hatte, im Grunde Krieg um des Krieges willen war;[1] und wenn er diesen Krieg von 1933 an sechs Jahre lang systematisch vorbereitete, so bedurfte es knapp weiterer sechs Jahre, um Europa vom Atlantik bis zur Wolga, vom Nordkap bis Sizilien zu destabilisieren, weite Teile davon – und nicht zuletzt Deutschland – zu zerstören, Millionen Menschenopfer zu hinterlassen und Flüchtlingsströme auszulösen, wie es sie seit der Völkerwanderung in Europa nicht gegeben hatte.

---

1 Wiederholt hat Hitler geäußert, der Krieg sei »das letzte Ziel der Politik«, so bereits 1919 vor dem Hamburger Nationalklub und u.a. in der Geheimrede vor Offizieren am 25. 1. 1939, s. Joachim C. Fest, *Hitler. Eine Biographie*, Berlin 1973 und Frankfurt/M.–Berlin 1987, dort S. 831 und 298. Vgl. auch die noch weitergehenden Aussagen, die Hermann Rauschning überliefert hat, zit. bei Fest, *Hitler*, S. 832.

Gemessen an dieser – kurz und notwendigerweise vereinfacht gegebenen – Charakterisierung der ersten deutschen Diktatur wird das Andersartige der zweiten, der kommunistischen, evident. Auch diese zweite Diktatur war nicht die einzig mögliche Folge dessen, was vorausgegangen war, des Zweiten Weltkrieges, aber sie war unter den Möglichkeiten, die 1945 bestanden, eine der wahrscheinlichsten, wenn nicht die wahrscheinlichste überhaupt. Daß die Sowjetunion, erst durch Hitlers Krieg zur Weltmacht geworden, nicht nur alles tun würde, um sich vor ihrer Westgrenze einen breiten Gürtel von Satelliten unter Einschluß eines Teils Deutschlands zu schaffen, war angesichts der Gefahren, in denen sie zeitweise gestanden hatte, absehbar; daß sie zugleich das Ziel der Weltrevolution – ein Ziel, das sie 1925 zeitweise zurückgestellt hatte – wieder aufgreifen würde, gebot das ideologische Gesetz, nach dem sie angetreten war. Auch daß den von den Nazis verfolgten Kommunisten, die in Deutschland eingekerkert oder aus Deutschland geflüchtet waren, nach ihrer Befreiung durch die Rote Armee oder ihrer Rückkehr aus der Emigration in dem sowjetisch besetzten Teil Deutschlands die Macht übertragen wurde, war zumindest verständlich – kaum weniger als der von den Westalliierten in den von ihnen besetzten Teilen unternommene hilflose Versuch einer »reeducation« der Deutschen.

Auch den in Ostdeutschland eingesetzten Machthabern ging es darum, die Menschen zu »erziehen« – allerdings nicht zu Demokraten im Sinne des neuzeitlichen Demokratieverständnisses, sondern zu Anhängern und Verfechtern einer Ideologie, deren Entstehung rund einhundert, deren systematischer Ausbau mehr als fünfzig Jahre zurücklagen und die zum ersten Male von 1917 an in Rußland als Grundlage einer Staats- und Gesellschaftsordnung praktiziert wurde. Die Frage, ob der Marxismus dazu überhaupt in der Lage ist, kann hier nicht erörtert werden; sie wird aber schon dadurch überdeckt, daß es in der Sowjetunion unter Stalin zu einer Dogmatisierung kam, die eine theoretische Weiterentwicklung, wie sie jede Wirtschafts- und Gesellschaftslehre und jedes philosophische System verlangt, blockierte und *den* Anhängern überließ, die außerhalb der Sowjetunion lebten und oftmals aus Aposteln zu Ketzern wurden. Ostdeutschland wurde – wie den anderen von der Sowjetunion besetzten Ländern – der Stalinismus aufoktroyiert; neben Bemühungen, Menschen zu überzeugen, traten von Anfang an und in zunehmendem Maße Propaganda und Terror, Mittel, die zum unverzichtbaren Arsenal jedes autoritären Regimes gehören. Wenn die SED jedoch ihre terroristischen Methoden vornehmlich von der Sowjetunion übernahm, so war sie andererseits durch die vorausgegangene NS-Diktatur belastet: Manche und zum Teil gerade die inhumansten – und deshalb wirkungsträchtigsten – Maßnahmen waren in Deutschland derart diskreditiert, daß sie entweder nicht oder nur auf indirekte, unerkennbare Weise, durch Täuschung, Irreführung und Lüge gehandhabt oder auch ersetzt werden mußten. Zudem wurde die DDR zwangsläufig zum Schaufenster für den Westen, und wenn die Bundesrepublik einerseits zum Klassenfeind Nummer Eins avancierte, so wurde deren Lebensstandard andererseits viele Jahre hindurch zum Maßstab für die eigenen Lebensverhältnisse.

Waren somit Gewalttätigkeit und Terror, die »kriminelle Energie« der Machthaber im NS-Staat weit größer und hemmungsloser als in der DDR, so ergibt sich ein eher umgekehrtes Bild, wenn man den Blick auf den Willen zur ideologischen Indoktrinierung richtet. Das hängt einmal mit den Unterschieden der staatlichen und gesellschaftlichen Strukturen, zum anderen mit denen der Ideologien, auf die die beiden Systeme sich gründeten, zusammen.

Von einer NS-Ideologie oder – wie ihre Verfechter sie selbst nannten – einer nationalsozialistischen Weltanschauung zu sprechen, ist kaum möglich. Das, was die Nazis in dieser Hinsicht boten, war ein Konglomerat von Vorstellungen, deren relativ faßlichste größtenteils Negationen waren, teils auf Hitler selbst zurückgingen, teils den verbreiteten Unmutsgefühlen der Nachkriegsjahre entsprachen, aber auch dann durch Hitler ihre Schärfung und propagandistische Wirksamkeit erhalten hatten: Antisemitimus, Antimarxismus, Antiliberalismus, Absage an Demokratie und Parlamentarismus, Absage an Vernunft und Humanität.[2] Demgegenüber waren die Zielvorstellungen vage, in ihrem Kult der Instinkte irrational. Im Zentrum stand auch hier – wie bei den Negationen – ein Rassegedanke,[3] der die Scheidung in höher- und minderwertige Rassen einschloß und als höchste, am meisten schöpferische und kulturfähige die sogenannte »arische« Rasse auswies – eine Fiktion, denn damit wurde ein Begriff der Sprachwissenschaft willkürlich auf die Biologie übertragen. Innerhalb dieser

---

2 Joseph Goebbels bereits 1933 in einer Rede im Berliner Sportpalast: »Die Menschenrechte sind abgeschafft«; vgl. Thomas Mann, *Deutsche Hörer*, in: Thomas Mann, Zeit und Werk, (Ost-)Berlin 1956, S. 601ff., Sendung vom Januar 1942, S. 645ff. – Thomas Mann ergänzt (S. 646): »… und zehntausend blöde arme Teufel brüllten ihm kläglich-widersinnigen Beifall«.

3 Ausgang der nationalsozialistischen Rassenlehre war das Hauptwerk des Grafen Joseph Arthur von Gobineau, *Essai sur l'inégalité des races humaines*, Paris 1853/55; von ihm ist sie vor allem über Richard Wagner und dessen Schwiegersohn Houston Stewart Chamberlain (*Die Grundlagen des 19. Jahrhunderts*, 1899) in die völkischen Bewegungen (vor und) nach dem Ersten Weltkrieg eingegangen.

arischen Rasse kam den nordischen Germanen, und unter diesen wiederum den Deutschen als »Herrenrasse« der höchste Wert zu; sie waren zur Herrschaft berufen über die weniger- und minderwertigen Völker, die zu gehorchen oder Sklavenarbeit zu verrichten hatten, zu dezimieren oder auch auszurotten waren.

Aber allen diesen Völkern und Rassen stand *ein* gemeinsamer Feind gegenüber: die jüdische Rasse, der als Ziel unterstellt wurde, die anderen Völker und Rassen, vorab die arische, im Innern – durch Blutsvermischung – zu zersetzen und von außen her zu vernichten. Wenn Thomas Mann in der Kommentierung einer Hitler-Rede während des Krieges von einer »judäo-pluto-kommunistischen Feindeswelt«[4] sprach, so war das keineswegs eine ironische Übertreibung; tatsächlich waren nach Hitlers Ansicht ebenso die kapitalistischen Staaten, allem voran die USA, wie das bolschewistische Rußland von Juden beherrscht; es bestand eine jüdische Weltverschwörung gegen die Germanen und ganz besonders – als deren edelste Rasse – gegen die Deutschen.

Dieses Ideologiegemisch war voller Unstimmigkeiten und Widersprüche; Hitler selbst hat vor allem in seinen Reden Begriffe wie Volk und Rasse, arisch und nordisch, germanisch und deutsch willkürlich, je nach propagandistischer Opportunität, verwendet; es ging ihm darum, mit diesen und anderen ebenso unklaren, weil undefinierten Begriffen zweierlei zu begründen: den Anspruch der Deutschen auf Vorherrschaft über andere Völker, gesteigert schließlich zur Weltherrschaft, und die Vernichtung – »Ausrottung« – des Hauptfeindes aller Völker, der Juden.

Wollte man – wie es oft geschehen ist und heute noch geschieht – den Ideologien des Nationalsozialismus und des Marxismus einen gleichen Stellenwert als Irrlehren deshalb zuschreiben, weil das Geschichts- und Weltverständnis der einen auf dem Gedanken des Rassenkampfes, das der anderen auf dem des Klassenkampfes beruht, so würde man es sich allerdings zu leicht machen. So wenig es möglich und zulässig ist, Geschichte aus einer einzigen Voraussetzung heraus zu interpretieren und alles andere, die zahllosen Faktoren, die sie, in unterschiedlichen Graden, mitbestimmen, außer acht zu lassen, so ist doch evident, daß die sozialen Verhältnisse, Spannungen und Auseinandersetzungen ein Agens sind, das geschichtliche Vorgänge mitbestimmt hat und nach wie vor mitbestimmt. Ist dieser grundlegende Gedanke des Marxismus zumindest eine Teilwahrheit und ist er von Marx, Engels und ihren Nachfolgern exakt definiert

---

4 Thomas Mann, *Deutsche Hörer* (s. Fußnote 2), Sendung vom 28. 3. 1943, S. 689.

worden, so gilt das von der marxistischen Ideologie generell. Ganz zum Unterschied von der aus Verdrängungen, Affekten, Haßgefühlen hervorgegangenen irrationalen Lehre des Nationalsozialismus, handelt es sich beim Marxismus um ein in sich schlüssiges System philosophischer, gesellschafts- und wirtschaftstheoretischer Elemente, das aus den Beobachtungen und Erfahrungen menschlicher Not – der des Proletariats des 19. Jahrhunderts – entscheidende Antriebe erhalten und sich zum Ziel gesetzt hatte, die gesellschaftlichen Verhältnisse grundlegend zu verändern. Daraus ergibt sich, daß der Marxismus, mochte er noch so sehr dogmatisiert, erstarrt und deformiert worden sein, von seinen Anhängern viel rationaler, eindeutiger verfochten, propagiert und gelehrt werden konnte als der Nationalsozialismus, dem außer ein paar Negationen fast jede klar durchdachte und definierte, gedanklich faßliche Zielvorstellung fehlte.

Denn dieses Gedankengemisch konnte, wenn nur sein Kern bedingungslos anerkannt und verfochten wurde, höchst unterschiedlich, fast beliebig interpretiert werden. Die Führerschaft der Nazis, von den obersten, Hitler unmittelbar unterstellten Personen bis hinunter zu Kreisleitern und Blockwarten, einte lediglich ihr uneingeschränkter Glaube an Hitler, ihre Aufnahme jedes seiner Gedanken und Worte – aber aus fast jedem dieser Gedanken und Worte ließ sich Unterschiedliches ableiten. – Beiläufig bemerkt: die faszinierende, hypnotisierende Wirkung, die von Hitlers Reden auf viele Zuhörer ausging, stand in keinem Verhältnis zum Gedankengehalt dieser Reden; jeder konnte das erkennen, wenn er sich der Mühe unterzog, eine Hitler-Rede, die er unmittelbar oder im Rundfunk gehört hatte, nachträglich im vollen Wortlaut zu lesen und dabei auf eine oftmals verblüffende Gedankenarmut zu stoßen – von einer leidlich logischen Gedankenfolge ganz zu schweigen.

Es ließen sich zahllose Beispiele für die Beliebigkeit anführen, mit der die NS-Ideologie interpretiert worden ist; sie reichen von einer Reduzierung auf den Willen zu purer Gewalt bei Hermann Göring, der bekennen konnte, er habe sich der Partei als Revolutionär und »nicht etwa wegen des ideologischen Krams« angeschlossen,[5] bis zu dem verworrenen, sentimentalen und verstiegenen Ideologiegebäude Heinrich Himmlers, der sich selbst als Nachfolger – im Sinne einer Reinkarnation – des deutschen Königs Heinrich I. begriff und deshalb die Grabstätte des Königs, den Dom zu Quedlin-

---

5   Douglas M. Kelley, *22 Männer um Hitler*, Olten-Bern 1947, S. 78.

burg, zur »Heilstatt« für die SS umfunktionierte.[6] Hans Frank, General-gouverneur des okkupierten Polen, hochgebildet (was unter den hohen Führern eine Ausnahme war) und blutbefleckt (was die Regel war), hat 1945 in Nürnberg rückblickend geäußert, es habe so viele »Nationalsozialis-men« gegeben, wie es führende Männer gab.[7] Das aber bedeutete, daß unterhalb der ideologischen Prämissen, die von Hitler immer erneut verkündet, dabei – je nach aktueller Situation – opportunistisch modifiziert, im Verlaufe der Jahre und namentlich der Kriegsjahre zunehmend radikalisiert wurden, eine ideologische Anarchie bestand, und zwar eine von Hitler nicht nur geduldete, sondern – von wenigen Ausnahmen abgese-hen – geförderte Anarchie.

Sie entsprach fast genau dem Zustand im innenpolitischen Bereich. Die Weimarer Verfassung von 1919 wurde zwar formell nie, faktisch jedoch Schritt für Schritt aufgehoben; der letzte dieser Schritte erfolgte am 2. August 1934 als, unmittelbar nach Hindenburgs Tod, Hitler sich selbst zum »Führer und Reichskanzler« ernannte. Von nun an war Deutschland ein »Führerstaat«, und das hieß: ein politisches Gebilde ohne feste staatliche Ordnung. Denn für Hitler war allein die Partei und ihre Führerschaft maßgebend; sie war für ihn das Instrument gewesen, die Macht in Deutsch-land zu gewinnen – sogleich nachdem, am 30. Januar 1933, dafür die Voraussetzungen entstanden waren, begann er, die staatlichen Strukturen aufzulösen, und im Sommer 1934 war dieser Prozeß fast völlig abgeschlossen.[8] Von da an gab es eine große Zahl von Institutionen und Organisationen, die – direkt oder indirekt – sämtlich Männern der obersten Führerschaft der Partei unterstanden, deren Kompetenzen jedoch nicht eindeutig festgelegt waren, sondern in vielen Fällen einander überschnitten. Auch das wurde von Hitler nicht nur geduldet, sondern sogar vorsätzlich betrieben, da er auf diese Weise jederzeit zur Entscheidung angerufen wer-den und seine alleinige Führerschaft bestätigt und gefestigt sehen konnte.

---

6 Joachim C. Fest, *Das Gesicht des Dritten Reiches*, München 1963, Neuausgabe München 1993, S. 158, 163, 407; vgl. auch Henry Picker, *Hitlers Tischgespräche im Führerhauptquartier*, Stuttgart 1951, Neuausgabe Frankfurt/M.-Berlin 1989, dort S. 165.
7 Hans Frank, *Im Angesicht des Galgens*, Neuhaus bei Schliersee, 2. Auflage 1955, S. 176.
8 Die Zerstörung des Staates und die Absichten, die Hitler damit verfolgte, sind zusammenfassend bündig dargestellt in: Sebastian Haffner, *Anmerkungen zu Hitler*, München 1978 und Frankfurt/M. 1981 u.ö., S. 46–48. »Das Deutsche Reich mußte aufhören, Staat zu sein, um ganz Eroberungsinstrument werden zu können«, S. 48.

Was der Bevölkerung als eine geschlossene, in ihrer Machtausübung einander ergänzende Führungsgruppe von Männern erschien und was als solche immer erneut – am eindrucksvollsten auf den Parteitagen – präsentiert wurde, war tatsächlich eine Anzahl miteinander konkurrierender, rivalisierender, oftmals einander bekämpfender und verdrängender Funktionäre.[9] Das Wort Goebbels' über seinen Erzfeind Göring vom Februar 1945, man müsse diesen feigen und nichtsnutzigen Reichsmarschall vor ein Volksgericht stellen,[10] zeigt, wie weit diese Feindschaften gehen konnten, läßt aber zugleich die unbedingte Loyalität gegenüber Hitler erkennen: Auch in seiner totalen Verachtung Görings sprach Goebbels vom »Reichsmarschall« – diesen Titel hatte ja der Führer verliehen.

Eine derart absolute Machtstellung einer Person und die dadurch bedingten anarchen Verhältnisse in fast allen Bereichen des politischen, gesellschaftlichen und kulturellen Lebens hat es in keinem Lande des Europa unseres Jahrhunderts gegeben, auch nicht in der DDR. Selbst wenn man alle demokratischen Tarnungen – von der Benennung des Staates bis zu den in den Verfassungen stehenden Rechten, von der Existenz der Volkskammer bis zu der mehrerer Parteien – berücksichtigt, auch wenn man bedenkt, daß Partei- und Staatsinstanzen eng miteinander verflochten waren und der Partei dabei eindeutig die Prioritäten zukamen, so bleibt doch bestehen, daß die Macht in Händen einer Gruppe von Personen lag, in der zwar *eine* Person weitreichende, jedoch nicht unbegrenzte Vollmachten innehatte. Wollte sie sich in kritischen Situationen ihre Macht erhalten, so mußte sie – wie im Juni 1953 – alle Anstrengungen – nicht nur auf dem Wege der Überzeugung, sondern auch mittels Tricks und Täuschung – unternehmen, um die Mehrheit innerhalb dieser Führungsgruppe für sich zu gewinnen. Dem Prinzip nach konnte sie abgesetzt werden; das ist, auf indirekte Weise, 1971 mit Ulbricht und, auf direkte Weise, 1989 mit Honecker geschehen.

* * *

---

9 Vgl. Joachim C. Fest, *Das Gesicht des Dritten Reiches* (s. Fußnote 6), passim; s. auch Werner Maser, *Das Regime. Alltag in Deutschland 1933–1945*, Berlin 1990, S. 264f.

10 Rudolf Semmler, *Goebbels – the man next to Hitler*, London 1947, S. 181. – Semmler gibt, eingetragen unter dem 16. Februar, die Aussage Goebbels' folgendermaßen wieder: »If I had the authority, ... I would have this cowardly and good-for-nothing Reichsmarschall tried. He should be put before a People's Court.«

Auf Pflege und Förderung von Kunst und Kunstleben kann kein heutiger Staat verzichten; persönliche Anliegen und Staatsinteresse treffen hier, in jeweils unterschiedlichen Relationen, zusammen. Stärker jedoch als demokratische haben autoritär regierte Staaten Kunstpflege nötig, einmal für ihre Repräsentation nach außen: Je intoleranter, diktatorischer sie im Inneren verfahren, desto mehr sind sie gezwungen, dies nach außen hin zu bemänteln, und kultureller Glanz hat sich dafür überall – so auch in beiden deutschen Diktaturen – als eines der wirksamsten Mittel erwiesen. Aber auch im Innern haben Künste und Kunstpflege Aufgaben zu erfüllen, die dringlicher sind als in demokratischen Staaten. Zum einen müssen dem Volk – dem in vielem bevormundeten, in der Ausübung elementarer Rechte beraubten Volk – nicht nur Brot, sondern auch Spiele geboten werden; zum anderen ist die Kunst ein unverzichtbarer Teilbereich des Apparates ideologischer Propaganda und Reglementierung.

Wenn in der Bundesrepublik Deutschland ein Minister Horst Wessel und Bert Brecht gleichsetzte, so wies er sich damit als Ignorant aus; Auswirkungen auf das Kunstleben konnte das allenfalls insofern haben, als das Interesse für Brecht auch dort geweckt wurde, wo es zuvor nicht bestand. Wenn hingegen Joseph Goebbels, Minister für Volksaufklärung und Propaganda, Paul Hindemith als Schöpfer »rein motorischer, inhaltsloser Bewegungsmusik«,[11] wenn ein einflußreicher Musiker und Musikfunktionär, Ernst Hermann Meyer, der stalinistischen Kulturpolitik der DDR folgend, die Musik des späteren Strawinsky als »seelenlosen Formalismus« brandmarkte oder den Werken Schönbergs eine »sonderbare Mischung von neurotischen und konstruktivistisch-formalistischen Zügen«[12] zuschrieb, so konnte das weitreichende Folgen haben, im allgemeinen bis zu Verboten führen. In beiden Diktaturen – in der ersten alle zwölf Jahre hindurch, in der zweiten bis in die siebziger Jahre – war avantgardistische Kunst suspekt und ständigen Reglementierungen und Verdikten seitens der Machthaber ausgesetzt; die diese Kunst denunzierenden Vokabeln »entartet« im Nationalsozialismus und »formalistisch« im Stalinismus waren nur unterschiedliche Benennungen ein und derselben Sache. Dafür kam es jedesmal zu einer Blüte von Epigonentum, in der dritt- und viertrangige Komponisten – oftmals als bisher Verkannte ausgewiesen – zum Zuge kamen und als Repräsentanten einer wahrhaft deutschen,

---

11 Joseph Wulf, *Musik im Dritten Reich*, Gütersloh 1963, Neuausgabe Frankfurt/M.-Berlin 1989, dort S. 377.
12 Ernst Hermann Meyer, *Musik im Zeitgeschehen*, (Ost-)Berlin 1952, S. 150.

arteigenen oder wahrhaft fortschrittlichen, sozialistischen Musik anerkannt, geehrt und gefördert wurden. Das allerdings führte häufig zu Mißständen, die von ganz anderer, entgegengesetzter Art waren, als diejenigen, die Schöpfungen unerwünschter oder verbotener Komponisten hervorriefen. Die Aufforderungen, neu entstandene oder aus ihrer Versenkung hervorgeholte systemkonforme Werke nach ihrer Uraufführung auch andernorts und möglichst häufig darzubieten, sie gar in den Rang von Repertoirestücken zu heben, blieben meistens ergebnislos, wurden allenfalls von Interpreten befolgt, die ihre Systemtreue dadurch zu erweisen suchten.

War somit die Situation der zeitgenössischen Musik, auch in den Augen der Machthaber, aufs Ganze gesehen unbefriedigend, so gewann das, was als »Erbe« verstanden wurde, um so größere Bedeutung. Mit diesem Erbe, der Kunst allgemein und der Musik speziell, wurde ein Kult getrieben, der über das Selbstverständliche einer Pflege der Tradition weit hinausging. Abstriche gab es vor allem im NS-Staat: dadurch, daß alle jüdischen, als »artfremd« verstandenen Komponisten ausgeschlossen wurden, und zwar nicht allein mit der Begründung, daß sie ihrer Abstammung nach Juden waren, sondern auch damit, daß ihrer Musik typisch jüdische Züge anhaften, was zu definieren namentlich bei Mendelssohn Bartholdy nicht geringe Mühe machte. Das hinderte die Machthaber nicht daran – wie auch bei einzelnen ihrer hochrangigen Vertreter –, Stammbäume, in die sich irgendwann ein »Nichtarier« eingeschlichen hatte, zu vernichten oder zu sekretieren, so etwa den der Walzerdynastie Strauß, auf deren Musik zu verzichten man weder sich selbst noch der Bevölkerung zumuten wollte.[13] Weit geringer und folgenloser waren die Verdikte innerhalb des Erbes in der DDR; sie richteten sich gegen »formalistische Tendenzen« in »katholischen Kirchenmotetten und -messen des 15. und 16. Jahrhunderts« und gegen »zahlreiche inhaltlose Koleraturarien« des 18. Jahrhunderts; in beiden Fällen wurden diese Erscheinungen den jeweiligen gesellschaftlichen Verhältnissen angelastet: zum einen dem »niedergehenden klerikalen

---

13 Fred K. Prieberg, *Musik im NS-Staat*, Frankfurt/M. 1982, S. 56f. – 1933/34 kursierte in Theaterkreisen ein Ausspruch Görings, den er nach einem Hinweis, an der (ihm unterstehenden) Berliner Staatsoper seien noch Juden beschäftigt, gemacht hatte: »Wer Jude ist, bestimme ich«. Fast mit den gleichen Worten reagierte Göring auf den von der SS geführten Nachweis, daß Generalfeldmarschall Erhard Milch (u. a. Generalinspekteur der Luftwaffe) zwei jüdische Großeltern gehabt habe, also »Mischling« sei. Daß es in der Wehrmacht eine größere Anzahl »Halbjuden« gab, wußte auch Hitler; vgl. Picker, *Hitlers Tischgespräche im Führerhauptquartier* (s. Fußnote 6), S. 277.

Feudalismus«, zum anderen der Situation des »vorrevolutionären 18. Jahrhunderts«.[14]

Die für den NS-Staat bezeichnenden anarchen Verhältnisse unterhalb der obersten Führungsspitze, Adolf Hitlers, wirkten sich auch in den Bereichen der Kunstpflege und des Kunstverständnisses aus. Da es auch hier mehrere Zuständigkeitsgremien gab, deren Kompetenzen nicht eindeutig gegeneinander abgegrenzt waren, kam es fortlaufend zu oftmals heftigen Fehden zwischen Funktionären, Publizisten, Künstlern und Wissenschaftlern. Da Goebbels als Propagandaminister die größten Machtbefugnisse innehatte, blieben er und die ihm unterstellten Instanzen zumeist Sieger; bisweilen konnte jedoch auch das Machtwort Hitlers einer anderen Seite recht geben.

Wenn Goebbels den Schriftleitern der Tagespresse alltäglich eine verbindliche »Sprachregelung« verordnete, so betraf diese vornehmlich die Bereiche der Innen- und Außenpolitik, seltener solche der Ideologie und nur vereinzelt Fragen der Künste. Beachtete ein Kulturredakteur, ein Kunstrezensent oder -schriftsteller die allgemeinen und unverrückbaren Vorgaben – den Antisemitismus, die Absage an unerwünschte oder verbotene Künstler –, so hatte er relativ großen Spielraum, und dies um so mehr, als andere dieser Vorgaben: Begriffe, wie »volksfremd«, »zersetzend«, »arteigen«, sich jeder präzisen Bestimmung entzogen. Bedenkt man dies, so wird erkennbar, in welchen Maßen bei denen, die sich öffentlich äußern konnten, Willfährigkeit, Liebedienerei, Jagd nach Ämtern und Pfründen vorherrschten, wie wenig die bestehenden Freiräume genutzt wurden. Die relativ wenigen Haltungen und Äußerungen, die im Rückblick als mutig oder gar oppositionell erscheinen, bezeugen dies: Die meisten von ihnen blieben unwidersprochen, und nur vereinzelte haben zu persönlichen Konsequenzen geführt.

* * *

Bach wurde zunächst allgemein als eine der großen Erscheinungen der deutschen Musik gewürdigt, zumeist summarisch, etwa in der Folge: Bach, Händel, Mozart, Beethoven, Wagner, Bruckner. In der musikalischen Rasseforschung, maßgebend betrieben von dem Studienrat Richard Eichenauer, wurde Bach allerdings als »höchste Verkörperung nordischer Tonkunst«[15] ausgewiesen und damit, vom sogenannten »Rassestandpunkt«

---

14 Meyer, *Musik im Zeitgeschehen* (s. Fußnote 12), S. 149.
15 Richard Eichenauer, *Musik und Rasse*, 2. Auflage, München 1937, S. 170.

aus gesehen, gegen andere deutsche Meister, auch und sogar besonders gegen Wagner, hervorgehoben. Ob Hitler, der Wagner von seiner Jugend an geradezu verfallen war, dies zur Kenntnis genommen hat, ist unwahrscheinlich. Während er regelmäßig die Bayreuther Festspiele besuchte, während er, seltsam genug, wiederholt Bruckner ehrte und 1937 dessen Büste – als einzige während des Regimes – in einem Festakt in der Walhalla zu Regensburg aufstellen ließ, nahm er nur einmal öffentlich von Bach Notiz, dies aber wohl, weil es die Repräsentationspflicht gebot.

Beim »Reichs-Bach-Fest« 1935, das fünf Tage hindurch von der Stadt Leipzig und an den darauffolgenden vier Tagen von der Neuen Bachgesellschaft – als 22. Deutsches Bach-Fest – ausgetragen wurde, stand in der Mitte, am 21. Juni, eine »Hauptfeier« im Gewandhaus. Wenn Hitler zwar das am Abend dieses Tages stattfindende Orchesterkonzert besuchte, offenbar jedoch nicht am Staatsakt mittags teilnahm, so dürfte sich das daraus erklären, daß er nur solche Reden und Ansprachen anhören mochte, die er selbst hielt – allenfalls die demagogischen Meisterstücke seines Propagandaministers vermochten es, ihn zu interessieren. Auf der »Hauptfeier« jedoch sprachen, abgesehen von einem hohen Staats- und Parteifunktionär, zwei Männer, von denen ihm der eine, Oberbürgermeister Carl Goerdeler, höchst suspekt, der andere, der Vorsitzende der NBG, Walther Simons, völlig gleichgültig war; bei beiden handelte es sich um hochgebildete Menschen – geistige Bildung war für Hitler jedoch gleichbedeutend mit verachtenswerter Schwachheit.[16] Wenn sich vor dem abendlichen Konzert, im Empfangsraum des Gewandhauses, eine Zusammenkunft mit Goerdeler dennoch nicht vermeiden ließ, so ist diese merkwürdig genug verlaufen, da dem hohen Gast, allen Bemühungen des Gastgebers zum Trotz, kaum ein Wort zu entlocken war.[17]

Dieses Bach-Fest hob sich durch seine Länge und die Zahl der Veranstaltungen von allen bisherigen, aber auch den bis zum Kriegsbeginn folgenden hervor, nicht aber durch die Anlage seines Programms. Geistliches und weltliches Schaffen hatten etwa die gleichen Anteile wie bei früheren Bach-Festen; daß neben den beiden Passionen und der h-Moll-Messe insgesamt 16 Kirchenkantaten aufgeführt wurden, bezeugt diese Kontinuität. Nicht anders war es bei den folgenden vier Bach-Festen. Zu einer anscheinend

---

16 Die drei Ansprachen sind, zusammen mit der Predigt, die Pfarrer Friedrich Ostarhild zur Eröffnung des Reichsbachfestes am 16. 6. gehalten hatte, veröffentlicht worden: *Reden zum Reichs-Bach-Fest 1935 in Leipzig. Eine Erinnerungsgabe der Stadt Leipzig, o. J.*

17 Mitteilung von Eckard Kiessig, Leipzig.

weniger auffälligen, jedoch bedeutungsvollen Änderung war es allerdings schon 1933 gekommen. Seit dem zweiten Bach-Fest, Leipzig 1904, wurden die Teilnehmer in Vorträgen mit Erkenntnissen der Bach-Forschung, Problemen der Aufführungspraxis bekannt gemacht, wurden auch Stellung und Bedeutung Bachs für die Gegenwart unter verschiedenartigen Aspekten erörtert. Diese Vorträge, fast durchweg von kompetenten Sachkennern geboten, erwiesen sich von Anbeginn an als ein fruchtbares Bindeglied zwischen Bach-Aufführungen und Bach-Forschung, deren Ergebnisse, je spezieller sie wurden, für manche Mitglieder nicht leicht auffaßbar waren.

1933 änderte sich das mit einem Schlag: An die Stelle der allgemeinverständlich dargebotenen Bach-Forschung trat die mehr oder minder hymnisch verkündete Bach-Deutung, und zwar im Sinne der neuen Ideologie. Beispielhaft dafür sind die Vorträge des Dichters Wilhelm Schäfer 1934[18] und des Schriftstellers Richard Benz 1935[19] – ob dies auch auf den ersten, 1933 von Ernst Bertram gehaltenen, zutrifft, wäre einer Nachprüfung wert.[20] Denn Bertram, Lyriker und Literarhistoriker, seit 1922 Professor an der Universität Köln, Anhänger des George-Kreises, war unter den konservativen Intellektuellen einer der herausragenden und einflußreichsten seiner Zeit. Sein langjähriger Freund Thomas Mann hat aus dem Exil mit Kritik und zunehmender Verbitterung Bertrams Zuwendung zum Regime verfolgt; 1935 schrieb er ihm, mit Bezug auf eine kurz zuvor erschienene Erzählung Bertrams:

»...welchen Aufwand an seelischer Tiefen-Arbeit muß es Sie kosten, all diese Zartheit, Sinnigkeit, Reinheit, Frömmigkeit in notdürftig-scheinbaren Einklang zu bringen mit dem, was ist!«[21]

– Worte, die exemplarisch für den Zwiespalt sind, in den sich viele deutsche Intellektuelle begeben hatten, ohne dazu genötigt worden zu sein.

---

18 Wilhelm Schäfer, *Johann Sebastian Bach. Eine Rede, gehalten auf dem Einundzwanzigsten Deutschen Bachfest in Bremen am 8. Oktober 1934. Den Mitgliedern der Neuen Bachgesellschaft überreicht*, o. O. und o. J. – Vgl. die Abhandlung darüber im Bach-Fest-Buch 1994, Leipzig 1994, S. 75–80.

19 Richard Benz, *Bachs geistiges Reich*, München 1935.

20 Wie erst nachträglich ermittelt werden konnte, ist die Rede veröffentlicht worden in: Ernst Bertram, *Deutsche Gestalten*, Leipzig 1934.

21 *Thomas Mann an Ernst Bertram. Briefe aus den Jahren 1910–1955*, hrsg., kommentiert und mit einem Nachwort von Inge Jens, Pfullingen 1960, S. 189.

Daß diese Redner der NBG nicht verordnet worden waren, ist zu vermuten;[22] jedoch scheint es in der Gesellschaft oder ihren Leitungsgremien zu Unsicherheiten, vielleicht sogar zu Protesten gekommen zu sein. 1936 verzichtete man auf einen Vortrag, 1937 ließ man einen Theologen, Friedrich Haufe, zu Worte kommen, dessen Ausführungen – unter dem Titel: »Bachs christliche Deutschheit« – der Position der »Deutschen Christen« allerdings sehr nahekamen. Zugleich – und das war kein Widerspruch – bezog er sich auf Schäfers Vortrag von 1934 mit dessen bedingungsloser Absage an die Individualisierung der Kunst; Bachs Musik, so hieß es,

> »hält die wütig bellenden, gierigen Hunde in den Kellern des Seelenlebens in Banden, die von der Ausdrucksmusik des 19. und 20. Jahrhunderts einer nach dem anderen entfesselt worden sind.«[23]

Wenn es schon in der Bachgesellschaft zu derartigen Verdeutungen kommen konnte, so mußte dies in der breiteren Öffentlichkeit in noch größeren Ausmaßen und auch auf eindeutigere Weise geschehen. So interpretierte 1943 ein Danziger Musikpädagoge – sein geistiger Ziehvater wird noch genannt werden – in Bachs Johannes-Passion »Ansätze zu einer Charakterisierung, wenn auch nicht Karikierung des Jüdischen« hinein:

> »Betrachtet man die Volkschöre ..., und zumal diejenigen, in denen die Juden die Akteure sind (Nr. 38 'Wir haben ein Gesetz' und Nr. 42 'Lässest du diesen los, so bist du des Kaisers Freund nicht'), dann wird man feststellen dürfen, daß Bach durch eine besonders erregte Rhythmik und durch Häufung von Synkopen jüdisches Wesen hat ausdrücken wollen.«[24]

Bach als Vorläufer des Antisemitismus – ein atheistisches, zumindest antiklerikales Gegenstück dazu lieferte die sowjetische Presse anläßlich einer Reise der Thomaner 1953, des – so hieß es eingangs – »berühmte[n] Leipziger Chor[s], der früher mit der Thomaskirche verbunden war und darum Thomanerchor genannt wird.« Auch hier ging es um die Johannes-Passion:

---

22 Diese Vermutung stützt sich u. a. auf den (ideologiefreien) Vortrag *Der Kontrapunkt in der musikalischen Kunst*, den Johann Nepomuk David auf dem 26. Deutschen Bach-Fest in Bremen 1939 gehalten hat (s. BJ 1939, S. 50–61).
23 Friedrich Haufe, *Bachs christliche Deutschheit*, in: Der Kirchenchor 49 (1938), Nr. 1; veröffentlicht auch als Sonderdruck: *Festgabe des Landeskirchenchorverbandes Sachsen ... zum 25. Deutschen Bachfest ...* , dort S. 3f.
24 Wulf (s. Fußnote 11), S. 434.

»Mit hervorragendem Realismus schildert die Musik in diesen Szenen die bösen Gestalten der Geistlichen und die bald wütenden, bald spottenden Rufe aus der Menge.«[25]

Von da her war es nicht weit zu der Frage, ob die biblischen, vor allem die alttestamentarischen Texte der Werke Bachs (und Händels) akzeptabel seien. Bei Händels Oratorien, die sich durch ihre lapidare, eingängige Tonsprache als besonders geeignet für Staatsfeiern erwiesen, ist es zu zahlreichen Neutextierungen gekommen, von denen vor allem »Judas Makkabäus« betroffen war; Bachs Kantatentexte erfuhren Retuschen derart, daß besonders verfänglich erscheinende Worte, wie »Zion«, »Israel«, »Jehova« durch andere, zumeist nichtssagende, ersetzt wurden. Allerdings blieb das auf einzelne Aufführungsorte beschränkt, auf solche, in denen Musiker, die den »Deutschen Christen« nahestanden, führende Positionen einnahmen.

Schirmherr für derartige Eingriffe war namentlich Alfred Rosenberg, der in der obersten Ebene der Parteihierarchie insofern eine Sonderrolle spielte, als die hohen Ämter, die er bekleidete, und die Titel, die Hitler ihm verliehen hatte, in keinem Verhältnis zu seinen tatsächlichen Befugnissen standen.[26] Sein *Mythos des 20. Jahrhunderts*, von vielen Deutschen als eine Art NS-Bibel angesehen,[27] gleich hinter Hitlers *Mein Kampf* rangierend, wurde von Männern wie Goebbels, Göring, Ribbentrop, Ley mit einem Gemisch von Verachtung und Spott angesehen; Hitler selbst bewertete es als »abgeschriebenes, zusammengekleistertes, ungereimtes Zeug! Schlechter Chamberlain mit einigen Zutaten!«,[28] Goebbels tat es als »weltan-

---

25 Charlotte Ramin, *Günther Ramin*, Freiburg i. Br. 1958, 154ff.
26 Rosenberg war 1923–1938 Hauptschriftleiter des »Völkischen Beobachters«, gründete 1929 den »Kampfbund für deutsche Kultur«, wurde 1933 Leiter des Außenpolitischen Amtes der NSDAP, 1934 »Beauftragter des Führers für die Überwachung der gesamten geistigen und weltanschaulichen Schulung und Erziehung der NSDAP«, 1941 Reichsminister für die besetzten Ostgebiete.
27 München 1930; Gesamtauflage bis 1944: 1,1 Millionen.
28 Albert Krebs, *Tendenzen und Gestalten der NSDAP. Erinnerungen an die Frühzeit der Partei*, Stuttgart 1959, S. 179. – Zudem hielt Hitler Rosenbergs Buch wegen dessen antichristlicher Haltung für taktisch schädlich; die »Entchristlichung« Deutschlands sollte erst nach dem Kriege beginnen. Erfolgreicher war Rosenberg in seinem Kampf gegen den »Kulturbolschewismus« der modernen Kunst; sein »Kampfbund für deutsche Kultur« wurde im Mai 1933 als Kulturorganisation der NSDAP anerkannt und dem Staatskommissar im Preußischen Ministerium für Wissenschaft, Kunst und Volksbildung, Hans Hinkel, unterstellt.

schaulichen Rülpser« ab – in Nürnberg 1945 versicherten alle Angeklagten, sie hätten das Buch nie gelesen[29].

Gravierendere Probleme ergaben sich aus dem Verhältnis des Nationalsozialismus zum Christentum überhaupt. Im Programm der NSDAP vom 20. Februar 1920 hieß es:

> »Die Partei als solche vertritt den Standpunkt eines positiven Christentums, ohne sich konfessionell an ein bestimmtes Bekenntnis zu binden.«[30]

Dieses Programm war das ideologische Kernstück der Partei während der von ihr so genannten Kampfzeit, als es um die Eroberung der Macht in Deutschland ging. Danach hatte es seine propagandistische Aufgabe erfüllt; wer sich nun auf einzelne seiner Postulate, etwa das sozialistische, berief, konnte rasch zum Dissidenten werden, so Ernst Röhm und seine SA-Führung im Sommer 1934. Vorher jedoch hatten sich viele Menschen dieser Partei, aus deren Programm beinahe jeder etwas ihm Zusagendes herauslesen konnte, zugewandt, darunter Menschen von christlicher Überzeugung, die die genannte Formulierung so verstanden, wie sie auf den ersten Blick hin erschien: als nachdrückliche Bejahung des Christlichen. Tatsächlich jedoch hatte das Wort »positiv« vor »Christentum« die Funktion einer Einschränkung, wenn nicht Negierung. Denn für Hitler und die meisten seiner unmittelbaren Gefolgsleute waren zentrale christliche Wertkategorien: Nächstenliebe, Achtung vor Wert und Würde des Menschen, Heiligkeit des Gewissens, Demut, Mitleid, alles andere als »positiv«. Wenn Hitler sich in seinen Reden der Kampfjahre fast stets noch auf den »Herrgott« berief,[31] so sprach er später nur noch von der »Vorsehung«, und zwar zunehmend in einem Sinne, der einer Selbstvergottung nahekam. Wie er sich aber schon früher, im privaten Gespräch, über das ihm

---

29 Fest (s. Fußnote 6), S. 232.
30 Vollständig veröffentlicht u. a. in: Walther Hofer, *Der Nationalsozialismus. Dokumente 1933–1945*, Frankfurt/M. 1957, 5. Auflage 1960, hier S. 28–31. In dem betreffenden Punkt 24 des Programms heißt es bereits vor dem zitierten Satz: »Wir fordern die Freiheit aller religiösen Bekenntnisse im Staat, soweit sie nicht dessen Bestand gefährden oder gegen das Sittlichkeits- und Moralgefühl der germanischen Rasse verstoßen«.
31 Eine Rede im Berliner Sportpalast am 10. 2. 1933 beendete Hitler, nach der üblichen pathetischen Schlußsteigerung, mit dem Wort »Amen!«. – Goebbels kommentierte dies in seinem Tagebuch: »Das hat Kraft und haut hin. Ganz Deutschland wird Kopf stehen. Massen in sinnlosem Taumel.« (s. Joseph Goebbels, *Tagebücher 1924–1945*, hrsg. von Ralf Georg Reuth, Bd. 2, München-Zürich 1992, S. 763).

vorschwebende Bild des deutschen Menschen äußerte, hat Hermann Rauschning überliefert:

»In meinen Ordensburgen wird eine Jugend heranwachsen, vor der sich die Welt erschrecken wird. Eine gewalttätige, herrische, unerschrockene, grausame Jugend will ich. ... Es darf nichts Schwaches und Zärtliches an ihr sein. Das freie, herrliche Raubtier muß erst wieder aus ihren Augen blitzen.«[32]

Derart nihilistische Visionen konnten, zumal sie in Deutschland kaum bekannt wurden, wenig ausrichten. Andererseits wurden schon früh Tendenzen erkennbar, in den Protestantismus Elemente der NS-Ideologie einzuschleusen. Hauptträger dieser Bestrebungen war die »Glaubensgemeinschaft Deutscher Christen«, 1932 unter unmittelbarem Einfluß der NSDAP entstanden, die 1933 rasch an Boden gewann, auch deshalb, weil der große konservative Überhang aus der Monarchie in Teilen des Katholizismus, mehr aber noch im deutschen Protestantismus beheimatet war. Daß die politisch Konservativen – von der Deutschnationalen Volkspartei bis zum rechten Flügel des Zentrums reichend – Hitler mit zur Macht verholfen hatten, ist eine Tatsache; daß viele Menschen, die sich selbst als unpolitisch ansahen, jedoch als »gute Deutsche« wie selbstverständlich konservativ dachten, brachte sie bald in innere Widersprüche. Davon waren kirchliche Amtsträger, Geistliche wie Kirchenmusiker keineswegs ausgeschlossen.

Vor diesem Hintergrund muß ein Dokument bewertet werden, das diese zwiespältige Situation besser bezeichnet als viele andere Zeugnisse der Zeit. Die »Erklärung der deutschen Orgelbewegung«[33] vom 18. Mai 1933, unterzeichnet von Karl Straube und weiteren 22 führenden Kirchenmusikern, Theologen und Orgelbauern, denen sich bald darauf noch fast 50 Persönlichkeiten anschlossen – fast durchweg Menschen, die mit Bach-Pflege und Bach-Forschung eng verbunden waren – wird in fast allen Veröffentlichungen über die Musik im Nationalsozialismus, zumeist auszugsweise oder nur

---

32 Hermann Rauschning, *Gespräche mit Hitler*, 4. Auflage, Zürich usw., 1940, S. 237, zit. nach Hofer (s. Fußnote 30), S. 88. – Rauschning war 1933–1934 nationalsozialistischer Senatspräsident von Danzig, flüchtete als Hitler-Gegner 1936 über Polen in die Schweiz. Bei seinen »Gesprächen mit Hitler« handelt es sich um Gedächtnisprotokolle; jedoch besteht kein Anlaß, ihre Authentizität zu bezweifeln; viele der von ihm wiedergegebenen Aussagen Hitlers werden inhaltlich durch andere, völlig gesicherte Dokumente bestätigt. Eine differenzierende Beurteilung des Buches gibt Theodor Schieder, *Hermann Rauschnings »Gespräche mit Hitler« als Geschichtsquelle*, Opladen 1972.

33 ZfM 100 (1933), S. 599f.

mit ein paar Sätzen, zitiert und als Beleg der Zustimmung zum oder Anpassung an das Regime ausgegeben.

Das Irritierende der »Erklärung« besteht darin, daß einerseits Bekenntnisse zur »kultischen Verwurzelung aller Kirchenmusik«, deren »evangelische Aufgabe ... Verkündigung, Bekenntnis, Anbetung und Lobpreis« sei; Bekenntnisse zur »gemeinschaftsgebundenen Kraft aller Kirchenmusik, wie wir sie vor allem in der Musik unserer evangelischen Kirche von Luther über Schütz bis Bach und an den Meisterorgeln dieser Zeit erlebt haben«; Bekenntnisse zur »volkhaften[34] Grundlage aller Kirchenmusik« und »zu einer gegenwartsgemäßen Kirchenmusik auf der Grundlage der vorstehenden Sätze« abgelegt werden – daß jedoch jedem dieser Bekenntnisse eine entschiedene Absage folgt: an eine Kunst in der Kirche, »die im Konzertsaal beheimatet ist«, an »eine bürgerlich-liberale Kunst als Kirchenmusik, ... die nicht aus der Gemeinschaft heraus geboren ist«, an »eine nicht bodenständige, kosmopolitische« und schließlich »eine geistig-reaktionäre Kunst als Kirchenmusik«.

Auch wenn in dieser »Erklärung« die nationalen Komponenten nicht zu übersehen sind, kann sie nicht als Dokument purer Anpassung verstanden werden, nämlich im Sinne der Ziele der »Deutschen Christen« – deren programmatische Auslassungen bedienten sich einer ganz anderen Sprache, und nie fehlten darin eindeutige Bekenntnisse zum Führer Adolf Hitler und zum nationalsozialistischen Staat. Man wird dem Dokument wohl am ehesten gerecht, wenn man es einerseits als Versuch einer Selbstverständigung über Funktion und Aufgaben evangelischer Kirchenmusik versteht – gerade in dieser Hinsicht bestanden damals und schon zuvor erhebliche Unsicherheiten und Unstimmigkeiten. Zum anderen jedoch wird mit Worten wie »reaktionär«, »nicht bodenständig«, »kosmopolitisch« eine Absage an die Musik der Avantgarde und mit den Worten »bürgerlich-liberal« eine Absage an die des 19. und frühen 20. Jahrhunderts erteilt. Die Berufung auf die »Musik unserer evangelischen Kirche von Luther über Schütz bis Bach« und auf die »Meisterorgeln dieser Zeit« bedeutete nichts anderes, als daß diese Musik fast gegen alles, was später geschaffen worden war – Kompositionen wie Orgeln – ausgespielt wurde: eine Position, die einer Verabsolutierung der Bestrebungen der Orgelbewegung gleich- und den Geschichtsbildern der Vorträge von Schäfer, Benz und Haufe immerhin nahekam.

---

34 Die Vokabel »volkhaft« gehörte nicht zum Wortschatz der Nazis, war jedoch in konservativen Kreisen gebräuchlich. Die Nazis, wie ihre antisemitischen Wegbereiter, sprachen stets von »völkisch«.

Den Nazis unter den Kirchenmusikern genügte diese »Erklärung« freilich nicht. In einer Erwiderung, die Karl Hasse, damals Universitätsmusikdirektor und Professor an der Universität Tübingen, veröffentlichte,[35] hieß es, die Erklärung sei zu allgemein gehalten und gehe nicht auf die Betätigung einzelner Persönlichkeiten ein. »Namen nennen!« – also denunzieren – forderte er und führte selbst als Beispiel eines »Kulturbolschewisten« den norddeutschen Protagonisten der Orgelbewegung, Hans Henny Jahnn, an.

Diese Erwiderung hatte Hasse auf Ersuchen des Berliner Kultusministeriums, übermittelt durch Hasses Gesinnungsgenossen Fritz Stein, seit 1933 Direktor der Hochschule für Musik in Berlin, verfaßt; in einem Antwortschreiben Hasses an den zuständigen Staatskommissar hieß es: »Die Glaubensbewegung der deutschen Christen hat ohne Zweifel noch nicht die geeignetsten Vertreter der Kirchenmusik in ihren Reihen. Die kirchenmusikalischen Erklärungen kranken daran«,[36] und in einem weiteren Brief ergänzte Stein hämisch, wenn die Erwiderung demnächst veröffentlicht werde, könnten ja »die frommen Kirchenmusiker bonae voluntatis darüber diskutieren«.[37]

Hasse gehörte auch zu denen, die Bach im Sinne der NS-Ideologie zu deuten suchten; vermutlich ging er darin am weitesten, und jedenfalls machte er – wie bereits an einem Beispiel gezeigt – Schule. In seinem 1941 erschienenen Bach-Buch ging er ausführlich auf die in der einstigen Bibliothek Bachs enthaltene Schrift des Hamburger Pastors Johannes Müller, *Judaismus oder Jüdenthum* (1644), ein und verband dies mit Beobachtungen, die von anderer Seite willig aufgenommen wurden:

> »Bach, der in seinen Passionen die Juden bereits so scharf und abschließend charakterisiert hatte, daß seine Stellung ihnen gegenüber unzweideutig ist, hat sich offenbar noch gedrungen gefühlt, ihren Anmaßungen auch weiterhin auf die Spur zu kommen.«[38]

Daß Hasse anschließend das Deutsche in Bachs Persönlichkeit wie in seiner Musik penetrant herausstellte, daß er Mendelssohn, Moscheles, Ernst Kurth, den »Halbjuden«, schmähte,[39] ergänzt dieses Bild, ist aber kaum von Interesse.

---

35 ZfM 100 (1933), S. 712–717.
36 Wulf (s. Fußnote 11), S. 67.
37 Ebenda, S. 69.
38 Karl Hasse, *Johann Sebastian Bach*, Köln 1941, S. 158.
39 Ebenda, vor allem S. 177, 184–189 (Mendelssohn), 196 (Kurth, Moscheles).

Denn für derartige Auslassungen bestand keinerlei Zwang – das belegen andere Veröffentlichungen, die davon völlig frei sind. Die Bach-Forschung, soweit sie sich selbst ernst nahm, ging ihre Wege fast so, als ob es das Regime nicht gegeben hätte. Das bezeugen die Bach-Jahrbücher, deren vorerst letztes 1939 erschien; das bezeugt die einzige größere in diesen Jahren erschienene Monographie, diejenige von Rudolf Steglich (1935), und das bezeugt der große, die Musikgeschichte Leipzigs abschließende Band Arnold Scherings, der 1941 unter dem Titel *Johann Sebastian Bach und das Musikleben Leipzigs im 18. Jahrhundert* erschien.

Wo es in der Bach-Pflege und in Veröffentlichungen über Bach zu Eingriffen und Verfälschungen, zu Um- und Verdeutungen kam, war dies das Werk fanatischer Anhänger, die mittlere oder kleine Posten innehatten, von Opportunisten, die ihre Blicke auf solche Posten richteten, von Willfährigen oder solchen, die den Einschüchterungsversuchen – und die gab es freilich übergenug – nicht zu widerstehen vermochten. Für Hitler und seine obersten Gefolgsleute erfüllte Bachs Musik ihren Zweck als große deutsche Kunst, wenn sie aufgeführt wurde, und die Wissenschaftsfeindschaft fast aller hohen Führer und allen voran Hitlers selbst taten das ihre, daß die Bach-Forschung so gut wie ungeschoren blieb. So zynisch es klingen mag: Im Schatten des Terrors nach innen und der Macht-, Eroberungs- und Vernichtungspolitik nach außen, begünstigt aber auch durch eine verschwommene, irrationale Ideologie, konnten Bach-Pflege und Bach-Forschung in Hitlerdeutschland fast ungehindert gedeihen.

* * *

Weder von einer vergleichbaren machtpolitischen Situation noch von ideologischen Unklarheiten und Unsicherheiten konnte in den nach Kriegsende von der Roten Armee besetzten Ostgebieten Deutschlands die Rede sein. Die Sowjets und ihre deutschen Gefolgsleute waren nicht nur um den Aufbau einer staatlichen Ordnung, um allmähliche Besserung der Lebensverhältnisse bemüht, sondern ebensosehr um Propagierung, Verbreitung und Indoktrinierung ihrer Ideologie. Und da diese Ideologie, der Marxismus, in der Sowjetunion zu einem Dogma erstarrt war, das jedes schöpferische Weiterdenken als Ketzerei auswies und ausschloß, konnte jeder Funktionär – ganz gleich, welche Position er einnahm, fast gleich auch, wie es um sein intellektuelles Vermögen bestellt war – dieses Instrumentarium mit einiger Sicherheit handhaben. Die Indoktrinierung und Propagierung richteten sich – von relativ wenigen, als inopportun geltenden Ausnahmen abgesehen – auf alle Lebensbereiche: neben Erziehung, Lehre und Forschung besonders auch auf den der Kultur und des Kulturverständnisses.

Die erste große Möglichkeit, die Ideologie im Bereich der Musik darzulegen und mit dem überlieferten, als »bürgerlich« bezeichneten (und zugleich abgewerteten) Verständnis zu konfrontieren, bot das Bach-Gedenkjahr 1950. Die »Deutsche Bach-Feier«, in Verbindung mit dem 27. Deutschen Bach-Fest, dem ersten nach dem Kriege, war mit acht Tagen Dauer auf vergleichbare Weise groß angelegt wie das Reichs-Bach-Fest 1935. Wie dieses, bestand es aus zwei Teilen; der erste, dreitägige, war jedoch eine »Wissenschaftliche Bach-Tagung«, als deren Träger die Gesellschaft für Musikforschung ausgewiesen war. Der Bericht über diese Tagung[40] enthält außer den Vorträgen und Referaten, wenn auch nur auszugsweise, die Diskussionen – auszugsweise wohl auch deshalb, weil dadurch zwei skandalöse persönliche Angriffe auf den prominentesten Teilnehmer, Wilibald Gurlitt, nicht dokumentiert werden mußten.

Dieser Bericht überliefert wesentliche Aspekte des marxistischen Bach-Verständnisses, die nicht nur für die Situation von 1950, sondern auch für die folgenden Jahre kennzeichnend waren. Bei der Mehrzahl der aktiven Teilnehmer handelte es sich nicht um Marxisten; das galt auch für die Ostdeutschen. So kam es zu einem merkwürdigen, in weiten Teilen beziehungslosen Nebeneinander von »bürgerlicher« Bach-Forschung und marxistischer Bach-Interpretation. Das ist fast die gesamte Zeit der Existenz der DDR über so geblieben, auch wenn sich dabei die quantitativen Relationen allmählich veränderten und die Vertreter des Marxismus Ergebnisse der bürgerlichen Bach-Forschung mehr und mehr zu nutzen suchten. 1950 war es nur eine kleine Gruppe, die den Marxismus vertrat; aber diese vier oder fünf Männer waren außerordentlich aktiv, ganz besonders in den Diskussionen.

---

40 *Bericht über die Wissenschaftliche Bachtagung der Gesellschaft für Musikforschung Leipzig 23. bis 26. Juli 1950*, hrsg. von Walther Vetter und Ernst Hermann Meyer, bearbeitet von Hans Heinrich Eggebrecht, Leipzig 1951.

Faßt man ihre Aussagen, die sie in Vorträgen, Referaten und Diskussionsbeiträgen machten, zusammen, so ergibt sich etwa folgendes Bild:[41]

1. (Bachs Umwelt:) Die Welt, in die Bach hineinwuchs, war zum einen durch die Herrschaft der Kirche und der Höfe bestimmt, zum anderen durch ein städtisches Bürgertum, das sich »gegen die fürstliche Lehre vom Gottesgnadentum ... und gegen die geistige Bevormundung durch den Feudalismus« wandte. »Die entschiedenste theoretische Waffe des frühen deutschen Bürgertums war die Aufklärung, die in Städten wie Leipzig verfochten wurde«. Bach hatte jedoch nicht erst dort, sondern schon »in Arnstadt und Mühlhausen, in Weimar und Köthen ... beständig Berührung mit diesem neuen bürgerlichen Geist«. Daß Bach von diesem »neuen bürgerlichen Selbstbewußtsein erfüllt« war, »sein ganzes Auftreten ... das eines frühbürgerlichen Menschen« war, hängt mit seiner Herkunft zusammen.

2. (Bachs Herkunft:) Bach war, wie fast alle »wahrhaft Großen im Reiche der Tonkunst ... ein Sohn des werktätigen Volkes«, aus dessen Geist heraus er auch dann schuf, »wenn er unmittelbar für fürstliche Auftraggeber zu schreiben hatte«. Er »war mit dem Volk und mit seinem Lied aufgewachsen«; deshalb hat er auch »in viel höherem Maße auf dem deutschen Volkslied und Volkstanz aufgebaut, als das bisher allgemein angenommen wurde«; in seinem gesamten Schaffen lassen sich »die stärksten Einflüsse deutscher Volksmelodien nachweisen«; dazu gehört auch »die Verwendung von Chorälen in seinen Kantaten und Passionen«.

3. (Der Lutherchoral bis Bach:) Luther hat, nach Friedrich Engels, »den Text und die Melodie des vom Siegesgefühl durchtränkten Chorals geschaffen, der zur Marseillaise des 16. Jahrhunderts geworden ist«. Jedoch war »die Reformation, die bei der Schaffung von Chorälen aus dem Volkslied schöpfte, bestrebt, damit das weltliche Lied, das Volkslied zu beseitigen«. Der protestantische Choral selbst, der einst »die verknöcherte Thematik des

---

41 Die Zitate werden nachfolgend, gruppiert nach den fünf Abschnitten der Darstellung, ausgewiesen. Von wem die jeweiligen Äußerungen stammen, wird nicht angegeben, mit Ausnahme derjenigen des Sowjetrussen Georgij N. Chubow (Ch). Jedoch wird auf Wiedergabe der besonders grobschlächtigen Äußerungen Chubows, der u. a. die Vertreter der Kirche und des Adels der Bach-Zeit regelrecht beschimpfte, verzichtet; auch wenn sich seine deutschen Gesinnungsgenossen bisweilen auf seinen Vortrag beriefen, taten sie es doch auf moderatere Weise.
1. S. 34, 35, 35, 36, 36;
2. S. 30, 31, 31, 42, 43, 43;
3. S. 85 (Ch), 88 (Ch), 88 (Ch), 88 (Ch), 89 (Ch);
4. S. 89 (Ch), 89 (Ch), 184, 444, 444, 39, 41;
5. S. 32, 32, 32, 32, 31, 31.

katholischen Gesanges mit seiner fremden toten Sprache und seinen fremden versteinerten Melodien gesprengt« hatte, befand sich »im 17. und 18. Jahrhundert ... im Verfall«; die »orthodoxe kultische Musik zur Zeit Bachs« war eine »altersschwache, tote, melodisch arme und monotone Musik«.

4. (Bachs fortschrittliche Leistungen:) Bach vermochte es, »erneut im Choral wieder das Leben zu erwecken, das in ihm bereits begraben war: den siegreichen Ruf der 'Marseillaise des 16. Jahrhunderts', den wohltönenden und kräftigen Bauerngesang, Freud und Leid des Volkslebens, den mächtigen, noch gefesselten Kampfwillen«. »Die kultischen Formen der Bachschen Musik waren im wesentlichen lediglich ein religiöser Deckmantel, der einen neuen humanistischen Inhalt, etwas Lebendiges und Wirkliches verhüllte«. – Dieser Gedanke wurde im Verlaufe der Tagung wiederholt aufgegriffen und noch erweitert: die »gesellschaftlichen Auseinandersetzungen«, ja »alles Denken und Empfinden« jener Zeit konnte sich »nicht anders als in religiösem Gewande abspielen«. Wenn Bachs Musik in ihrer »intensiven Gefühlssprache ... ein Element der Menschlichkeit und Diesseitigkeit, nicht aber der Weltabgewandtheit und Mystik« darstellt, so äußert sich darin Bachs Fortschrittlichkeit und die zukunftsweisende Rolle seiner Musik. Bach ist deshalb nicht nur »das Ende einer Entwicklung« – wie Albert Schweitzer behauptet hatte –, sondern »vor allem ein Anfang; er hat fortschrittlich und zukunftsweisend in seiner Gesellschaft gewirkt«.

5. (Bach-Forschung und Bach-Pflege:) Die bisherige Bach-Forschung hat Bachs Fortschrittlichkeit nicht erkannt, sie hat danach getrachtet, Bach »als einen Menschen zu erklären, dessen Geist nur im Jenseits beheimatet war«, hat versucht, »sein Werk zu einem Hort der Mystik und Weltflucht zu machen«. Andere waren bestrebt, »Bach als einen abstrakten Konstrukteur, einen Mathematiker, hinzustellen«; wieder andere haben sich »in ästhetische Spekulationen« verloren und »das Bachbild durch allerlei unsinnige Geheimnisse und verzückte Schwärmereien getrübt«. – Und was die Bach-Pflege betrifft, so konnten bisher »die breiten Volksmassen in Deutschland nur geringen Anteil« daran haben. Heute jedoch »bestehen in unserer Deutschen Demokratischen Republik die Voraussetzungen für eine solche Bachpflege für das Volk, durch das Volk und mit dem Volk ... diese Voraussetzungen, diese Möglichkeiten werden im Rahmen unseres Fünfjahrplanes voll ausgenutzt werden«.

Unter den zahlreichen Einzelheiten, die zur Erhärtung dieser Bach-Auffassung herangezogen wurden, zeugten nicht wenige von derart horrendem Mangel an Kenntnissen und historischem Verständnis, daß sie sogleich widerlegt werden konnten. So erwiderte Gurlitt auf die Behauptung, Bachs »Verbindung von Gottes Ehre und Rekreation des Gemüts« sei eine »rebellische, absolut unzulässige Formulierung gewesen« – dies sei »eine alte mittelalterliche Verbindung, die sich schon bei Augustinus«[42] finde. Oder wenn die Viertaktperiodik in Themen des Wohltemperierten Klaviers oder des Schlußchors der Matthäus-Passion als Zeichen der »Volksliedverbundenheit« Bachs und diese wiederum als »ein Zug der Aufklärung« gedeutet wurde, so konnte Gurlitt darauf hinweisen, »liedhafte Periodik« gebe es auch »schon vor Bach«, sie durchlaufe »das ganze 17. Jahrhundert«, und »wenn mit dem 'Aufklärer Bach' gemeint« sei, »daß er dem Volkslied verbunden« sei und »dies als Moment der Aufklärung zu gelten« habe, ... »die Aufklärung sehr weit zurückverlegt werden« müsse.[43] Gurlitt hatte die Tagung mit einem Vortrag, »Bach in seiner Zeit und heute«, eröffnet[44] und war daraufhin sogleich – sogar programmwidrig[45] – heftig attackiert worden, da er das Bild »eines Mannes entworfen (habe), der in erster Linie dem Mittelalter und der religiösen Musikübung verhaftet« gewesen sei. Gurlitts Replik begann mit den Worten: »Ich habe den Eindruck, daß es Menschen gibt, denen es kalt über den Rücken läuft, wenn das Wort Mittelalter ausgesprochen wird – als sei damit nur die Kirche gemeint«.[46]

Im Grunde war mit diesem Disput der hauptsächliche Tenor der folgenden Auseinandersetzungen gegeben, und aufschlußreich war, daß wiederholt – zuletzt noch in der großen Abschlußdiskussion – alle Bemühungen namentlich westdeutscher Teilnehmer, aus den gegensätzlichen Aussagen gemeinsame Punkte herauszufinden und dadurch eine partielle Verständigung zu erreichen, seitens der Marxisten zurückgewiesen wurden.[47] Sie

---

42 Bericht 1950, S. 180, 181.
43 Bericht 1950, S. 182f.
44 Bericht 1950, S. 51–80.
45 Im *Bachfestbuch* 1950, S. 7, wie auch im Programmheft der Wissenschaftlichen Bach-Tagung war für den 23. Juli nachmittags als »Eröffnung (bzw. Beginn) der musikwissenschaftlichen Bachtagung« lediglich der Vortrag Gurlitts angekündigt; eine Diskussion war nicht vorgesehen. Der Vortrag Chubows ist im Programm nicht enthalten; offenbar wurde er kurzfristig eingesetzt, möglicherweise, um von Anfang an eine Gegenposition zu der vornehmlich von Gurlitt vertretenen »bürgerlichen« Bach-Auffassung zu bieten. Dieses Ziel wurde weitgehend verfehlt; die Ausführungen Chubows waren in weiten Teilen ebenso gedanklich primitiv und verbal unflätig wie die berüchtigte Rede Alexandr A. Fadejews auf dem Europäischen Kulturkongreß in Wroclav/Breslau im August 1948.
46 Bericht 1950, S. 180f.
47 Bericht 1950, S. 319, insbesondere S. 446.

duldeten weder Abstriche an ihrer Auffassung, noch waren sie bereit, ihren ideologischen Gegnern auch nur Teilwahrheiten zu konzedieren.

Das marxistische Bach-Verständnis, wie es auf der Leipziger Tagung dargelegt, behauptet und verteidigt worden war, wurde innerhalb der DDR in Aufsätzen und Broschüren, in der Presse und im Rundfunk[48] verbreitet; es bestimmte in seinen Grundzügen den Lehrstoff an den Universitäten – zunächst in Berlin, später in Halle und Greifswald, schließlich auch in Leipzig – und ging verkürzt in die Lehrbücher der Schulen ein; dort wurde Bachs Schaffen bisweilen bis auf die Bauernkantate, und auch dies in höchst vordergründiger Interpretation, reduziert.

Anders war es bei den Bach-Festen der Neuen Bachgesellschaft, die, von wenigen Ausnahmen abgesehen, regelmäßig in West- und Ostdeutschland stattfanden, die weitaus meisten ostdeutschen in Leipzig, und dort sechsmal zugleich als Internationale Bach-Feste deklariert. Wer jedoch vermutet hatte, daß auf diesen Bach-Festen auf ebenso apodiktische Weise wie 1950 das marxistische Bach-Verständnis dargeboten, möglicherweise argumentativ besser abgesichert oder gar weiterentwickelt werde, sah sich enttäuscht oder auch erleichtert. Das hatte vermutlich mehrere Ursachen: Einmal mußten die wenigen, die damals den Marxismus in der Musikwissenschaft vertraten, sich anderen Aufgaben zuwenden; sie bildeten eine Art von Stoßtrupp, dem die Aufgabe zufiel, die Ideologie in viele, wenn möglich alle Bereiche des Musiklebens hineinzutragen. Zum anderen gingen sie, im Sinne dieses planvollen Vorgehens, wohl davon aus, in Sachen »Bach« zumindest für längere Zeit das Ihre getan zu haben, und waren davon überzeugt, daß das, was sie 1950 vorgestellt hatten, von selbst weiterwirken würde. Trotzdem bleibt es verwunderlich, daß bei den folgenden Bach-Festen zunächst durchweg »Bürgerliche« – 1955 sogar Wilibald Gurlitt –

---

48 Wie weit das gehen konnte, verdeutlichte eine Veranstaltung von Radio DDR – UKW Leipzig vom 11. April 1970 unter dem Titel »W. I. Lenin – J. S. Bach«. Das Programm führt im Wechsel je sieben Texte – je einen von Brecht und Johannes R. Becher, alle übrigen von Lenin – und Instrumentalsätze von Bach auf. Wer, auch angesichts des opulent ausgestatteten Beihefts, vermutet hatte, Lenin sei ein Verehrer (oder wenigstens Kenner) der Musik Bachs gewesen, wurde enttäuscht; bereits der umfangreiche Essay, der das Heft eröffnet – Überschrift: »Lenin und Bach« – beginnt mit den Worten: »Wladimir Iljitsch Lenin hat sich, soweit meine Quellenkenntnis reicht, nirgends über die Musik Johann Sebastian Bachs geäußert. Und ob Lenin jemals Tonschöpfungen aus der Feder des Leipziger Thomaskantors zu Ohren gekommen sind, ist auch nicht bekannt … .«

und erst von 1959 an daneben auch, und vorerst vereinzelt, Marxisten zu Worte kamen.

Um so gravierender waren die Eingriffe in die Programmstrukturen der Bach-Feste. Das Zurückdrängen der geistlichen Werke äußerte sich am deutlichsten im geringen Anteil der Kirchenkantaten; 1962 in Leipzig und 1968 in Dresden erklang sogar nur jeweils eine einzige, und zwar im Festgottesdienst, also in einer Veranstaltung der Kirche. Daß dies inkonsequent war – hatte man 1950 doch Bachs Fortschrittlichkeit auch mit der Humanisierung seines geistlichen Schaffens zu begründen gesucht –, mag den Verantwortlichen kaum bewußt geworden sein, ebensowenig, wie lächerlich es wirken mußte, wenn die Festgottesdienste, die am jeweiligen Sonntagvormittag stattfanden, lediglich am Schluß des Programmbuches unter der Rubrik »Weitere Hinweise« und zumeist unter Vermeidung des Wortes »Gottesdienst« angeführt wurden, in einigen Fällen jedoch selbst das unterblieb, so daß sich wiederholt die kuriose Situation ergab, daß ein westdeutsches Vorstandsmitglied bei passender Gelegenheit – etwa in der Mitgliederversammlung – auf diesen Gottesdienst hinweisen mußte, was seitens vieler Mitglieder mit beifälliger Schadenfreude quittiert wurde.

Vor allem aber versuchte man, Bach-Forschung und Bach-Pflege organisatorisch fester in den Griff zu bekommen. Die NBG konnte der Spaltung – von der nach einem Parteibeschluß vom April 1967 fast sämtliche gesamtdeutschen Gesellschaften betroffen waren[49] – entgehen, vor allem wohl durch die Kompromißbereitschaft und das Verhandlungsgeschick ihres Vorsitzenden Christhard Mahrenholz. Der Preis war, behält man den gesamtdeutschen Aspekt im Auge, verhältnismäßig gering: Die Gesellschaft erhielt die zusätzliche Bezeichnung »Internationale Vereinigung« – was sie, ihrer Mitgliederschaft nach, seit jeher gewesen war –, und in der neuen Satzung wurde die Bildung von Ländersektionen vorgesehen. Tatsächlich entstand von 1972 an eine Reihe solcher »Sektionen«; wie viele es schließlich geworden sind, läßt sich deshalb nicht genau ermitteln, weil sich zumindest eine (die österreichische) jahrelang im Vorbereitungsstadium befand, eine andere (die japanische) mehrmals und unter persönlichem Einsatz von Vertretern der DDR gegründet werden mußte, um nach mehr als zehnjährigem Existenzkampf schließlich einzugehen.[50]

---

49 Wortlaut der entscheidenden Passagen in: *Einheit und Spaltung der Gesellschaft für Musikforschung. Zur Wissenschaftsgeschichte im geteilten Deutschland. Eine Dokumentation*, Kassel etc. 1993, S. 35.
50 Vgl. die diesbezüglichen Berichte in den Mitteilungsblättern der NBG.

Die einzige Sektion, die von ihren Leitern – identisch mit den ostdeutschen Leitungsmitgliedern der Gesellschaft – ernst genommen wurde, war die der DDR. Sie veranstaltete von 1979 an mehrmals sogenannte »Bachtage«, die namentlich in den Jahren, da das Bach-Fest in der Bundesrepublik oder, wie 1983, in Österreich stattfand, die DDR-Mitglieder darüber hinwegtrösten sollten, daß ihnen die Teilnahme am Bach-Fest selbst verwehrt blieb. Welchen Wert die DDR-Funktionäre auf das Eigenständige ihrer Sektion legten, äußerte sich auch darin, daß während derjenigen Bach-Feste, die in der DDR stattfanden, stets zwei Mitgliederversammlungen abgehalten wurden: eine der »Sektion DDR« und eine der Gesamtgesellschaft. Das war zwar eine Farce – nach Verlauf und Inhalt unterschieden sich beide Versammlungen so gut wie nicht –, wurde aber von offizieller Seite als Behauptung der Eigenständigkeit gegenüber der Bundesrepublik völlig ernst genommen.

Die gleiche Absicht dürfte die Gründung des Johann-Sebastian-Bach-Komitees 1962 zumindest mitbestimmt haben – eine relativ lockere Vereinigung, in die eine Reihe führender Wissenschaftler und Interpreten berufen wurde. Bewirkt hat dieses Komitee wenig; dazu war seine Aufgabenstellung – Beratung auf dem Gebiet der Bach-Pflege in der DDR – zu allgemein, zudem weitgehend überflüssig. Die Praktiker unterhielten ohnehin untereinander, aber auch mit einzelnen Wissenschaftlern, diesbezügliche Kontakte, die für Fragen der Werkauswahl oder der Aufführungspraxis weit ergiebiger waren, als es eine von Funktionären gesteuerte Organisation zu leisten vermochte.

Eine weit fatalere, wenn auch lediglich formelle Aufgabe wurde diesem Komitee 1979 zugewiesen: auf einer eigens dafür einberufenen Sitzung hatte es die Gründung der »Nationalen Forschungs- und Gedenkstätten Johann Sebastian Bach der DDR« zur Kenntnis zu nehmen, als deren Leiter – mit dem Titel »Generaldirektor« – sich der Vorsitzende des Komitees sogleich selbst vorstellte und zu dessen Subdirektoren er Leute ernannte, von denen man zumindest einige wohl am treffendsten als Lehrlinge in Sachen Bach ansehen konnte. Für diese Neugründung erscheint, zumindest unter einem Aspekt, die Bezeichnung »Machtergreifung« angemessen: Das von Werner Neumann 1950 gegründete Bach-Archiv, das nach Neumanns Ausscheiden von dessen engstem Mitarbeiter geleitet wurde, ging als eine der vier Abteilungen in das »Kombinat« ein und wurde einem dieser Neulinge unterstellt. Wie durchsichtig das war, wird dadurch erhellt, daß einer anderen Abteilung die Forschung zugewiesen wurde – aber gerade die Bach-Forschung war ja bisher im Bach-Archiv beheimatet gewesen und hatte dort imponierende und für die internationale Forschung bald unentbehrlich werdende Leistungen – so die vier Bände der Bach-Dokumente – erbracht.

Kurz, der organisatorische Aufwand, den man der Bach-Pflege und -Forschung angedeihen ließ, war groß; offenbar ging man davon aus, daß man, wenn ideologische Beeinflussung und Überzeugungsversuche zu wenig bewirken konnten, durch organisierte Reglementierung besser weiterkam. Jedoch konnte auch dies nur partiell erfolgreich sein, weil vielerorts unabhängig von der Leipziger Zentrale Bachs Musik aufgeführt wurde; in manchen Fällen – etwa bei den »Greifswalder Bach-Wochen« – ging das auf die ersten Nachkriegsjahre zurück, nahm aber immer größere Ausmaße an und war oft von erstaunlicher Kontinuität. Eine in mehrerlei Hinsicht bedeutende Rolle spielten dabei die Kirchenmusiker, deren Wirken dadurch, daß der Akzent auf dem geistlichen Schaffen lag, ein Gegengewicht bildete zur Einschränkung eben dieses Bereichs überall dort, wo Staats- und Parteiinstanzen das Sagen hatten. Die Schwierigkeiten und Behinderungen, denen sich die Kirchenmusiker ausgesetzt sahen, waren allerdings oftmals beträchtlich; sie konnten so weit gehen, daß ihnen für ihre Aufführungen die Mitwirkung ortsansässiger Orchester verweigert wurde – bei mancher Aufführung der h-Moll-Messe oder einer der Passionen war es fast bis zuletzt fraglich, ob sie zustandekommen würde.

Wohl ebenso groß wie das Bestreben, Bach-Pflege und -Forschung zu reglementieren, dürfte der propagandistische Effekt gewesen sein, der mit der Gründung der Forschungs- und Gedenkstätten beabsichtigt war. Und das blieb nicht ohne Erfolg: Wenn der Generaldirektor auf einer westdeutschen Veranstaltung verkündete, die Leipziger Institution verfüge über mehr als dreißig Mitarbeiter – bis 1989 sind es rund 60 geworden –, so konnte das auf westdeutsche und ausländische Teilnehmer einen nicht geringen Eindruck machen und sogar, von Worten der Bewunderung begleitet, in die Presse gelangen.[51] Daß nur ein Teil dieser Mitarbeiter – und zwar vorrangig gerade diejenigen, die als »bürgerliche« abgewertet und deklassiert waren – zumindest sinnvolle, zum Teil hervorragende Arbeit leisteten, erfuhren nur wenige Außenstehende, vor allem solche, die mit ihren Ostkollegen persönliche Kontakte zu unterhalten suchten – Kontakte, die freilich, wo immer nur möglich, behindert wurden.

In diesem Zusammenhang ist auf ein Dilemma hinzuweisen, in das viele Menschen in der DDR gestellt waren und unter dem nicht wenige – auch und in besonderen Maßen Wissenschafter und Künstler – fortwährend

---

51 Mitteilung von Walter Blankenburg.

gelitten haben. Nicht nur von Mitarbeitern der Forschungs- und Gedenkstätten, sondern auch von Angehörigen anderer Institute sowie von einzelnen Freischaffenden sind bedeutende wissenschaftliche Leistungen erbracht worden. Aber diese Menschen – und gemeint sind diejenigen, die zum Regime in Distanz standen oder sich zu verweigern suchten – haben damit, ohne es zu wollen, dazu beigetragen, das Ansehen des Staates und seines Regimes zu heben. Denn viele in der Bundesrepublik und mehr noch in anderen Ländern, die die wahren Verhältnisse nicht oder nur unzureichend kannten, haben ihre Leistungen zumindest auch der Leistungsfähigkeit des Regimes zugeschrieben – unter welchen oft unsäglichen Schwierigkeiten, Behinderungen und Schikanen, bisweilen aber auch unter welchen persönlichen Skrupeln sie erbracht worden waren, haben nur ganz wenige gewußt.

Aber auch in einem anderen Bereich, dem ideologischen, wurde ungewollt Wasser auf die Mühlen der Machthaber gegossen. Schon auf der Bach-Tagung 1950 war der Vortrag Heinrich Besselers,[52] damals Ordinarius in Jena, von den Marxisten zumindest indirekt als Bestätigung ihres Bach-Verständnisses gewertet worden. Besseler hatte zwei hochbedeutende Erscheinungen der Musikgeschichte, Perotinus und Dufay, anhand vergleichbarer musikalischer Merkmale als Repräsentanten geschichtlicher »Anfangssituationen« auszuweisen gesucht, hatte Bach, dessen Musik die gleichen Merkmale – »Einheitsablauf« und »einheitlichen Gesamtstil« für geistliches und weltliches Schaffen – aufweise, dazu in Parallele gesetzt und daraus gefolgert, daß auch Bach den Anfang einer Epoche bezeichne. Die damals nahezu unumstrittene Autorität, die Besseler namentlich als Mediävist genoß, hatte diesem großräumigen Geschichtsbild – das seinem Denkansatz nach demjenigen Oswald Spenglers vergleichbar ist – zu großem Nachdruck verholfen. Die marxistischen Interpreten haben sich nicht nur damals, sondern auch später immer wieder auf Besselers These berufen; ihnen konnte nichts willkommener sein, als daß ein »bürgerlicher«, weltweit anerkannter Forscher ihrem Bach-Verständnis ein geschichtliches Fundament zu liefern schien, das sie selbst nicht zu geben vermochten.

Auf ganz andere Weise hat die grundlegende Revision der von Spitta aufgestellten Chronologie des Leipziger Kantatenschaffens Bachs, wie sie durch Georg von Dadelsen und Alfred Dürr vorgenommen und 1957/58

---

52 Heinrich Besseler, *Bach und das Mittelalter*, in: Bericht 1950 (s. Fußnote 40), S. 108–130.

veröffentlicht wurde, das marxistische Bach-Verständnis anscheinend zu bestätigen vermocht. Allerdings wurde die Chance, die sich hier zu bieten schien, zunächst kaum genutzt, da bei denen, die dies von ihrer Ideologie her hätten tun können, weder Sinn noch Interesse für philologische Forschungen bestand. Erst Friedrich Blumes Mainzer Bach-Vortrag von 1962, »Umrisse eines neuen Bachbildes«,[53] wurde, mit allen seinen Vereinfachungen und Überspitzungen, als weiterer Beleg für Richtigkeit und Relevanz der eigenen Positionen gewertet; noch auf der Leipziger Bach-Konferenz 1975 konnten im Hauptreferat Blumes Darlegungen zusammenfassend mit den Worten apostrophiert werden: »Das war eine große Tat«.[54]

Diese Bach-Konferenz von 1975, die erste großangelegte seit der Tagung von 1950, brachte in ihrem ersten Teil – und nur dieser ist im Blick auf das marxistische Bach-Verständnis von Interesse – erkennbare Rücknahmen einzelner Behauptungen, jedoch mit dem Ziel, Grundsätzliches der marxistischen Position abzusichern. So hieß es jetzt unter anderem:

> »...die Diskussion von 1950 (habe) noch in der Gefahr einer überflüssigen (sic!) Vereinfachung gestanden ... zum Beispiel in der Polemik um Bachs Mittelalterbeziehung«.[55]

Wenn jedoch auch rückblickend festgestellt wurde, die damaligen Diskussionen seien »verständlicherweise in unversöhnlichen Bahnen verlaufen«,[56] so muß konstatiert werden, daß diese »Bahnen« nun, 1975, reichlich ausgetreten und für ein Voranschreiten kaum noch verwendbar erschienen.

Die im Einleitungsreferat aufgestellte Behauptung – ihrer Wortwahl nach charakteristisch für die Denkweise eines mit allen marxistischen Wassern gewaschenen Funktionärs –, Bach habe »nicht nur Aufklärung konsumiert«, sondern »vielmehr in seiner Musik vor allem produziert«,[57] stand wie ein Motto über dem anschließenden interdisziplinären Kolloquium. Der Begriff Aufklärung und Bachs uneingeschränkte Zuordnung zur Aufklärung wurde unter musikalischen, historischen, literarischen, philosophischen und geistesgeschichtlichen Aspekten erörtert; die sechs

---

53 Friedrich Blume, *Umrisse eines neuen Bachbildes*, in: Musica 16 (1962), S. 169–176; wieder veröffentlicht in: Friedrich Blume, *Syntagma Musicologicum*, Bd. 1, hrsg. von Martin Ruhnke, Kassel etc. 1963, S. 466–479.
54 *Bericht über die Wissenschaftliche Konferenz zum III. Internationalen Bach-Fest der DDR. Leipzig 18./19. September 1975*, hrsg. von Werner Felix, Winfried Hoffmann und Armin Schneiderheinze, Leipzig 1977, S. 23.
55 Ebenda, S. 24.
56 Ebenda, S. 23.
57 Ebenda, S. 27.

Teilnehmer warfen einander ein und denselben ideologischen Ball zu, so daß am Ende aus dem Publikum heraus beanstandet wurde, man habe doch nur eine Auseinandersetzung innerhalb einer »ganz bestimmten Musikauffassung« gehört und »ein Korreferat mit einer anderen Musikauffassung, die es ja bekanntlich auch gibt, vermißt«.[58] Aber darum ging es wohl gerade: anders als 1950, wollte man diesmal unter sich bleiben, eine echte Auseinandersetzung vermeiden. Fast konnte es scheinen, als ob die Teilnehmer davon ausgingen, daß für Fragen der Aufklärung allein Marxisten zuständig seien.

Andererseits war man, wie oft zuvor, auf internationale Repräsentation bedacht. Wenn im Bericht vermerkt wurde, es hätten sich »45 Wissenschaftler aus 13 Ländern aktiv an der Konferenz« beteiligt,[59] so gab diese statistische Größe zwar ein schiefes Bild; denn von den 38 Teilnehmern, die in Referaten zu Worte kamen, gehörte genau die Hälfte der DDR an, und unter den auswärtigen bestand ein minutiös ausgewogenes Verhältnis 1 : 1 zwischen Ost und West. Das war damals allgemeine, von oben verordnete Praxis: Für jeden Referenten, den man aus der Bundesrepublik, den USA oder einem anderen westlichen Land einlud, mußte einer aus einem sozialistischen Staat gewonnen werden. Trotzdem, die Zahl der »Bürgerlichen« überwog bei weitem, und das Thema »Aufklärung« wurde nur von wenigen angesprochen. Das gilt auch von den zahlreichen Referenten aus der DDR: hier zeigte sich, daß der Versuch, die gesamte Bach-Forschung auf den Marxismus einzuschwören, gescheitert war.

Noch evidenter wurde das bei der zehn Jahre später, im Bach-Händel-Schütz-Gedenkjahr, stattfindenden Konferenz. Hier kam es sogar im Hauptreferat, also von offizieller Seite her, zu Rücknahmen auch im Grundsätzlichen. Von Aufklärung war nur noch wenig die Rede; hingegen konnte ein Satz wie dieser fallen: »Im Weltbild Bachs und seiner Zeitgenossen ist die Gottesvorstellung eine zentrale, beherrschende Größe.«[60] Wenn diese Aussage – und sie war nicht die einzige ähnlicher Art – als Ergebnis der Weiterentwicklung des marxistischen Bach-Verständnisses seit 1950 ausgewiesen wurde, so war das weit mehr als eine

---

58 Ebenda, S. 58.
59 Ebenda, S. 7.
60 *Bericht über die Wissenschaftliche Konferenz zum V. Internationalen Bachfest der DDR in Verbindung mit dem 60. Bachfest der Neuen Bachgesellschaft. Leipzig, 25. bis 27. März 1985*, im Auftrag der NFG Bach hrsg. von Winfried Hoffmann und Armin Schneiderheinze, Leipzig 1988, S. 25.

Beschönigung: Es handelte sich um nichts anderes als um eine geistige Kapitulation.

Dem entsprach der Versuch, die Bach-Forschung in der DDR möglichst weitgehend in die internationale Forschung zu integrieren; das äußerte sich auch darin, daß es jetzt möglich wurde, eine theologische Bach-Forschung ins Leben zu rufen,[61] wie sie sich etwa zehn Jahre zuvor in der Bundesrepublik konstituiert hatte.

* * *

So problematisch die Frage nach einem »Bach-Bild« sein mag – Alfred Dürr hat 1976 eindringlich darauf hingewiesen[62] –, sei sie abschließend doch gestellt, und zwar deshalb, weil von den Ideologen der beiden deutschen Diktaturen zumindest die der zweiten von der Überzeugung ausgingen, ein solches Bild gewinnen zu können. Daß sich dies als Illusion erwies, hängt mit zweierlei zusammen: einmal mit dem marxistischen Geschichtsverständnis überhaupt, das alles Geschehen aus einem einzigen Antrieb, dem der sozialen Auseinandersetzungen, heraus zu erklären suchte; zum anderen damit, daß dieses Geschichtsverständnis dem Prinzip nach stets *vor* der Behandlung des jeweiligen historischen Objekts, in diesem Falle Bachs, stand. Im Grunde – nur wenig vereinfacht gesagt – wußten diejenigen, die ein marxistisches Bach-Bild zu zeichnen suchten, das Ergebnis schon im voraus – die Argumente, die dieses Ergebnis zu stützen hatten, wurden nachgeliefert, und zwar selektiv, derart, daß andere Belege, die diesem Bild hätten zuwiderlaufen können, ausgegrenzt wurden. Es kennzeichnet noch nachträglich dieses Verfahren, daß später eines der anfangs vorgebrachten Argumente nach dem anderen aufgegeben werden mußte und damit der gesamte Bau zusammenbrach.

Auf der Bach-Tagung 1950 unterlief einem der marxistischen Wissenschaftler eine Äußerung, die im Hauptreferat der Konferenz von 1975 noch einmal herbeizitiert wurde. Die Marxisten hätten gut daran

---

61 *Bach als Ausleger der Bibel*, hrsg. im Auftrag des Kirchlichen Komitees Johann Sebastian Bach 1985 von Martin Petzoldt, (Ost-)Berlin 1985. – Zu einer bemerkenswerten Veröffentlichung eines einzelnen war es in der DDR bereits 15 Jahre zuvor gekommen: Günther Stiller, *Johann Sebastian Bach und das Leipziger gottesdienstliche Leben seiner Zeit*, (Ost-)Berlin 1970.
62 Alfred Dürr, *Das Bachbild im 20. Jahrhundert*, in: 51. Bachfest der Neuen Bachgesellschaft. Bachfest-Vorträge 1976, Berlin 1976, S. 18–36.

getan, den ersten Teil dieser Äußerung zu beherzigen: er war damals gültig und ist es heute noch für alle, denen Bach ein echtes Anliegen ist: »Wir brauchen eine Bach-Geschichtsschreibung, die von Vorurteilen frei ist«.[63]

NACHBEMERKUNG

In mehreren Referaten des folgenden Konferenztages haben einzelne Aussagen des vorstehenden Referats Ergänzungen, Modifizierungen, auch Korrekturen erfahren. Das war und ist zu begrüßen, weil dadurch die »Anfangssituation« der behandelten Thematik gekennzeichnet, auf noch offene oder ungeklärte Fragen hingewiesen und zu weiteren Untersuchungen angeregt wird. Deshalb wird das Referat, abgesehen von einigen sprachlichen Retuschen, unverändert wiedergegeben; lediglich ein paar kleinere Kürzungen, die angesichts seines Umfanges beim Vortrag notwendig erschienen, wurden rückgängig gemacht.

---

63 Bericht 1975 (s. Fußnote 54), S. 37, zitiert nach Bericht 1950 (s. Fußnote 40), S. 317.

NEUE BACHGESELLSCHAFT UND DDR

Von Lars Klingberg (Berlin)

Die Neue Bachgesellschaft wurde am 27. Januar 1900 in Leipzig gegründet. Am selben Tag hatte sich die am 15. Dezember 1850 maßgeblich von Otto Jahn gegründete Bachgesellschaft aufgelöst, deren Mission mit der Vollendung des 46. Bandes ihrer Bach-Gesamtausgabe im Jahr 1899 erfüllt war. Zum Vorsitzenden der neuen Gesellschaft wurde ihr aktivster Beförderer, der damalige Leipziger Universitätsmusikdirektor Hermann Kretzschmar, gewählt. Dem Direktorium gehörten weiter an: als Schriftführer Thomaskantor Gustav Schreck, als Schatzmeister der Vertreter des Verlages Breitkopf & Härtel, Oskar von Hase, ferner Joseph Joachim, Franz Wüllner, Martin Blumner und Siegfried Ochs.[1] Vorsitzender, Schriftführer und Schatzmeister bildeten den Vorstand. Zur Ergänzung des Direktoriums wurde ein Ausschuß von 16 Mitgliedern gebildet, dem unter anderem Ferruccio Busoni und Gustav Mahler angehörten.[2]

Stand für die alte Bachgesellschaft die Herausgabe der Gesamtausgabe im Mittelpunkt, so sah die neue ihre Aufgabe in der Popularisierung des Komponisten und seiner Musik. In der ersten Satzung hieß es dazu:

> »Der *Zweck* der Neuen Bachgesellschaft ist, den Werken des großen deutschen Tonmeisters Johann Sebastian Bach eine belebende Macht im deutschen Volke und in den ernster deutscher Musik zugängigen Ländern zu schaffen, insbesondere auch seine für die Kirche geschaffenen Werke dem Gottesdienste nutzbar zu machen.«[3]

Für diesen Zweck ließ die Gesellschaft die Gesamtausgabe durch Einzelausgaben »für den praktischen Gebrauch« ergänzen, gab populäre Veröffentlichungen sowie ab 1904 ein Bach-Jahrbuch heraus und errichtete im Bach-Haus in Eisenach, das damals als Bachs Geburtshaus angenommen wurde, ein Museum. Vor allem aber rief sie auf Vorschlag von Kretzschmar

---

1 Vgl. Arnold Schering, *Die Neue Bachgesellschaft 1900–1910*, in: Neue Bachgesellschaft, Leipzig o. J. [1910], S. 3.
2 Vgl. *Die Neue Bachgesellschaft* (s. Fußnote 1), S. 14.
3 Ebenda, S. 21.

regelmäßig veranstaltete Bach-Ehrungen ins Leben.[4] Diese Bach-Feste mit Konzerten, musikalischen Festgottesdiensten und Vorträgen fanden anfangs in mehrjährlichem Turnus, später jährlich statt. Ihrem selbstgestellten Anliegen, Bachs Musik in ganz Deutschland bekanntzumachen, entsprach die Gesellschaft mit dem Prinzip der »wandernden Bach-Feste«. Angefangen 1901 in Berlin, trafen sich nun die Mitglieder zu solchen Veranstaltungen regelmäßig in verschiedenen Städten, wobei sie verständlicherweise besonders häufig die Einladungen der Stadt Leipzig annahmen. Obgleich satzungsmäßig nicht auf Deutschland beschränkt, fanden bis in die siebziger Jahre mit einer Ausnahme (Wien 1914) alle Bach-Feste im Inland statt, weshalb sie auch jahrzehntelang »Deutsche Bachfeste« genannt wurden.

Der Zweite Weltkrieg brachte die Arbeit der Neuen Bachgesellschaft vorübergehend gänzlich zum Erliegen. Die Geschäftsstelle in Leipzig war durch einen Bombenangriff am 4. Dezember 1943 zerstört worden; alle Unterlagen waren vernichtet.[5] In dieser Situation gründete sich 1946 im schweizerischen Schaffhausen eine weitere Gesellschaft: die bis heute existierende Internationale Bachgesellschaft, welche im Juni 1949 in Basel eine deutsche Sektion bildete.[6]

Die Neue Bachgesellschaft reaktivierte sich erst wieder, als es darum ging, das 1950 anstehende Bach-Jubiläum vorzubereiten. Immerhin konnte nach Kriegsende durch den früheren Thomaskantor Karl Straube als »Notvorsitzenden« die Auflösung der Gesellschaft verhindert werden.[7] Auf ihrer ersten Zusammenkunft nach dem Krieg, am 10. August 1949, übergab Straube, wenige Monate vor seinem Tod, den Vorsitz an den Theologen Christhard Mahrenholz.[8] Dieser richtete 1950 in seiner Heimatstadt Hannover eine zweite Geschäftsstelle ein, über welche die in den West-

---

4 Vgl. *Die Bach-Gesellschaft. Bericht, im Auftrage des Directoriums verfaßt von Hermann Kretzschmar*, in: Johann Sebastian Bach's Werke, hrsg. von der Bach-Gesellschaft zu Leipzig, Jg. 46 (1896), Leipzig 1899, S. LXIII.

5 Vgl. Christhard Mahrenholz und Günther Ramin, Rundschreiben an alle Mitglieder der NBG vom Februar 1953, Stiftung Archiv der Parteien und Massenorganisationen der DDR im Bundesarchiv, Berlin [im Folgenden: SAPMO-BA], Bestand: Kulturbund [im Folgenden: KB], Signatur: *1571*.

6 Ebenda.

7 Vgl. [Christhard Mahrenholz], Rundschreiben an alle Mitglieder der NBG, ohne Datum [Januar 1973], Stiftung Archiv der Akademie der Künste, Berlin [im Folgenden: SAAdK], Hans-Pischner-Archiv [im Folgenden: HPA], Signatur: *1356*.

8 Vgl. Christhard Mahrenholz, Brief an die Vorstandsmitglieder der NBG vom 20. 5. 1978, SAAdK, HPA, *1368*.

zonen Deutschlands lebenden Mitglieder ihre Beiträge entrichten konnten. Bedingung seiner Amtsübernahme sei gewesen – so äußerte sich Mahrenholz Jahrzehnte später –, die Einheit der NBG zu erhalten und der damals im Westen vorhandenen Absicht entgegenzutreten, »das Verwaltungszentrum von Leipzig in den Westen zu verlegen«.[9]

Am 12. Januar 1949 hatte die Deutsche Verwaltung des Innern in der Sowjetischen Besatzungszone die Selbständigkeit gesellschaftlicher Organisationen mit einer »Verordnung zur Überführung von Volkskunstgruppen und volksbildenden Vereinen in die bestehenden demokratischen Massenorganisationen« aufgehoben. Um ihre legale Existenz nicht zu verlieren, mußte die Neue Bachgesellschaft nun dem Kulturbund zur demokratischen Erneuerung Deutschlands beitreten. Dessen Interesse an einer Umgestaltung der Gesellschaft hielt sich jedoch in der Folgezeit insgesamt sehr in Grenzen, so daß die Anbindung im Prinzip nur formalen Charakter hatte. Praktisch gestaltete sich die Zusammenlegung so, daß die Neue Bachgesellschaft zehn Prozent ihrer Einnahmen aus den Beiträgen der in der DDR lebenden Mitglieder, später dann einen Pauschalbetrag, an den Kulturbund abführen und je einen Vertreter dieser Organisation in den Vorstand und in den Verwaltungsrat aufnehmen mußte. Gemäß einer Vereinbarung vom 4. Juli 1949 hatte darüber hinaus die »ideologische und organisatorische Arbeit« der Neuen Bachgesellschaft »in Übereinstimmung mit den grundsätzlichen Prinzipien, die für die Arbeit des Kulturbundes gelten«, zu erfolgen.[10] Später hat man diese Formulierung etwas gemildert.[11] Den Vertreter im Vorstand betreffend kam man überein, auf einen zusätzlichen Posten zu verzichten und kurzerhand das Geschäftsführende Vorstandsmitglied, Thomaskantor Günther Ramin, als Vertreter des Kulturbundes anzusehen. In den Verwaltungsrat wurde der Kulturbund-Funktionär Karl Kneschke gewählt. Von seiner Aufsichts- und Zensurfunktion machte dieser aber eher zurückhaltend Gebrauch – ihm oblag es beispielsweise, die Druckgenehmigungen für Publikationen und Rundschreiben zu erteilen –, so daß er bei seinem Rücktritt, Ende 1955, von Mahrenholz sogar mit einem Dankschreiben bedacht wurde (»Ihnen ist im wesentlichen zu verdanken, daß die Neue Bachgesellschaft über der Spaltung unseres deutschen Vaterlandes als eine einheitliche Organisation erhalten blieb«[12]). Daß der An-

9 Ebenda.
10 SAPMO-BA, KB, *1571*.
11 Vgl. das Protokoll vom 4. 1. 1952, SAPMO-BA, KB, *1571*.
12 Christhard Mahrenholz, Brief an Karl Kneschke vom 22. 11. 1955, SAPMO-BA, KB, *1571*.

schluß an den Kulturbund nicht zu der von der DDR erhofften Gleichschaltung geführt hat, geht auch aus einem Brief des damaligen kommissarischen Hauptabteilungsleiters im Kulturministerium, Hans-Georg Uszkoreit, an Minister Johannes R. Becher vom 9. Mai 1957 hervor. Uszkoreit sah »in der starken auf Westdeutschland orientierten Tätigkeit von Prof. Ramin, in der stark kirchlichen Zusammensetzung der Mitgliederschaft und in der Passivität des Kulturbundes« die Ursachen dafür, daß die Neue Bachgesellschaft »in der Zeit von 1950–1953/54 immer mehr unter westdeutsche Führung geraten« sei.[13]

* * *

Im Jahr 1950 wollte sich die Gesellschaft mit einem großangelegten Bach-Fest anläßlich des 200. Todestages Bachs wieder in der Öffentlichkeit präsentieren. Wer sich allerdings tatsächlich kulturpolitisch präsentieren konnte, war die neugegründete DDR. Nach dem Willen der SED-Führung sollte 1950, analog zu den Goethe-Feiern 1949, in Leipzig der alleinige Anspruch der DDR auf das deutsche Kulturerbe demonstriert werden. Zugleich ging es darum, eine Plattform zu schaffen für die Selbstdarstellung der DDR in der internationalen Öffentlichkeit. Daß die SED etwa erwogen hätte, nun eigene staatliche Veranstaltungen *neben* das Bach-Fest der NBG zu setzen, lag außerhalb ihrer staatsmonopolistischen Vorstellungswelt. Das Bach-Fest mußte also der NBG entzogen werden, ungeachtet der Zusicherung, daß sie es als Gegenleistung für den Beitritt zum Kulturbund allein ausrichten dürfe.[14] Das Bach-Fest mutierte zur »Deutschen Bach-Feier« und die vom Vorstand der Gesellschaft in Eisenach vorgesehenen Festtage zur »Bach-Ehrung der deutschen Jugend« (analog zur »Goethe-Ehrung der deutschen Jugend« in Weimar ein Jahr zuvor). Die Vorbereitung wurde einem »Deutschen Bach-Ausschuß 1950« übertragen, welcher nach dem Muster kommunistischer »Volksausschüsse« zusammengesetzt war. Das Volksausschuß-Modell gehörte schon seit den dreißiger Jahren zum Arsenal der kommunistischen Taktik bei der Eroberung der Macht. Nach außen sollten anerkannte »bürgerliche« Persönlichkeiten die Funktion demokratischer Legitimierung erfüllen, während im Hintergrund kommunistische Funktionäre die Fäden zogen. In den ersten Wochen nach Kriegsende hatte sich die »Gruppe Ulbricht« bei der Errichtung provi-

---

13 Bundesarchiv, Abteilungen Potsdam [im Folgenden: Potsdam BA], Signatur: *R 1/66.*
14 Ebenda, fol. 84.

sorischer deutscher Bezirksverwaltungen in Berlin dieses Modells bedient. »Es muß demokratisch aussehen, aber wir müssen alles in der Hand haben«, lautete Ulbrichts Direktive.[15]

Über die Zusammensetzung des Bach-Ausschusses befand im Oktober 1949 ein »Arbeitsausschuß«, dem Vertreter des damals für Kunstangelegenheiten zuständigen Volksbildungsministeriums, des Kulturbundes, der Leiter der Kulturabteilung des SED-Zentralvorstandes, Stefan Heymann, sowie Karl Laux, Ernst Hermann Meyer und Nathan Notowicz angehörten.[16] Zuvor hatte das Volksbildungsministerium »Personalvorschläge« gemacht – nach Vorarbeit durch die Kaderabteilung des SED-Zentralkomitees[17] – und später die Mitglieder des Ausschusses berufen. Gemäß den Prinzipien für die Zusammenstellung von Volksausschüssen wurde der Vorsitz des Bach-Ausschusses pro forma einem »Bürgerlichen«, nämlich Thomaskantor Günther Ramin, übertragen. Um den Schein einer gesamtdeutschen Angelegenheit zu wahren, wurden in den Ausschuß auch einige westdeutsche Komponisten und Musikwissenschaftler berufen. Den aktiven Kern des Ausschusses bildeten jedoch linientreue Musikwissenschaftler und SED-Funktionäre.

Nach einer Idee des SED-Funktionärs Anton Ackermann befaßte sich Anfang November 1949, noch vor der Gründung des Bach-Ausschusses, ein »Ausschuß zur Beurteilung der Person Johann Sebastian Bachs«, bestehend aus Ernst Hermann Meyer, Nathan Notowicz, Georg Knepler, Karl Laux und dem Wirtschaftshistoriker Jürgen Kuczynski[18] – eine andere Quelle nennt anstelle von Kuczynski den Namen Harry Goldschmidt[19] –, auf einer dreitägigen Sitzung in Kleinmachnow bei Berlin mit der marxistischen Revision des Bach-Bildes und gab in einem (sieben Seiten umfassenden) Grundsatzpapier dem Bach-Ausschuß die ideologische Richtung für seine Aktivitäten vor:

---

15 Zitiert nach Wolfgang Leonhard, *Die Revolution entläßt ihre Kinder*, Leipzig 1990, S. 406.
16 Vgl. *Protokoll der Sitzung des Arbeitsausschusses für die Feier des 200. Todestages von Joh. Seb. Bach im Jahre 1950*, Abschrift, Sächsische Landesbibliothek, Dresden [im Folgenden: SLB], Signatur: *Mscr. Dresd. x 38, 1.*
17 Vgl. *Protokoll Nr. 70 der Sitzung des Sekretariats* [des ZK] *am 5. Dezember 1949*, SAPMO-BA, Bestand: Zentrales Parteiarchiv [im Folgenden: ZPA], *J IV 2/3/070*, fol. 4.
18 Vgl. *Protokoll der Sitzung des Arbeitsausschusses für die Feier des 200. Todestages von Joh. Seb. Bach im Jahre 1950* (s. Fußnote 16).
19 Paul Wandel, Brief an Walter Ulbricht, Abschrift in: SAPMO-BA, ZPA, *J IV 2/3/070*, fol. 23 f. (Anlage zu dem in Fußnote 17 angegebenen Protokoll).

»Der Ausschuß bekämpft aufs schärfste die in den kapitalistischen Ländern vorherrschenden Auffassungen von Sebastian Bach, die entweder rein formalistisch sind und in diesem Meister selbst einen abstrakten Formalisten erblicken, oder ausschließlich weltflüchtige religiöse Ziele verfolgen.«[20]

Weiter hieß es, Bach sei »kein reiner Kirchenmusiker« gewesen, hätte das Thomaskantorat »nicht aus religiösem Bedürfnis« übernommen und zahllose geistliche Werke »einfach von Amts wegen« geschrieben. In einer am 17. März 1950 veröffentlichten Stellungnahme des SED-Parteivorstandes zum Bach-Jahr mit dem Titel »Nationales Bekenntnis zu Bach«[21] fanden sich dann ähnliche Formulierungen. Zur Ausarbeitung dieser Erklärung wurde eine Kommission gebildet, bestehend aus den SED-Funktionären Oelßner, Abusch und Heymann sowie den Musikwissenschaftlern Meyer, Goldschmidt und Notowicz.[22]

Zu Problemen führte der Anspruch des Bach-Ausschusses auf das Monopol seiner Veranstaltungen nicht nur in der DDR, sondern in ganz Deutschland. Sein Bemühen, die westdeutsche Bach-Feier in Göttingen zu verlegen, scheiterte ebenso wie der Versuch, die Gesellschaft für Musikforschung dazu zu bewegen, auf ihren in Lüneburg geplanten Kongreß zu verzichten und sich statt dessen an dem in Leipzig vorgesehenen Bach-Kongreß zu beteiligen. Konnte die Neue Bachgesellschaft, die eigentlich die Idee einer Konferenz eingebracht hatte, problemlos zum Einlenken bewogen werden, so war dies mit der in Westdeutschland ansässigen Gesellschaft für Musikforschung schwieriger. Als am 5. Dezember 1949 der Arbeitsausschuß beschlossen hatte, den ostdeutschen GfM-Vizepräsidenten Walther Vetter zu beauftragen, die Gesellschaft für Leipzig zu gewinnen,[23] setzte sich dieser sogleich mit Präsident Friedrich Blume in Verbindung,[24] mußte dann aber auf der konstituierenden Sitzung des offiziellen Bach-

---

20 *Johann Sebastian Bach*, Abschrift in: SLB, *Mscr. Dresd. x 38, 2.*

21 *Neues Deutschland*, 5. Jg., Nr. 45 vom 17. 3. 1950, Ausgabe A, S. 3; auch in: *Dokumente der Sozialistischen Einheitspartei Deutschlands. Beschlüsse und Erklärungen des Parteivorstandes, des Zentralsekretariats und des Politischen Büros*, Bd. II, Berlin 1950, S. 435–438.

22 Vgl. *Protokoll Nr. 84 der Sitzung des Sekretariats* [des ZK] *am 13. Februar 1950*, SAPMO-BA, ZPA, *J IV 2/3/084.*

23 Vgl. *Beschlußprotokoll von der Sitzung des Arbeitsausschusses des Deutschen Bach-Ausschusses 1950 am 5. Dezember 1949*, SLB, *Mscr. Dresd. x 38, 4.*

24 Walther Vetter, Briefe an Friedrich Blume vom 11. und 13. 12. 1949, Universitätsarchiv der Humboldt-Universität zu Berlin, Bestand: Institut für Musikwissenschaft, Signatur: *206 (1).*

Ausschusses erklären, daß seine Bemühungen erfolglos geblieben waren.[25] Der Ausschuß beschloß daraufhin, einen neuen Anlauf zu versuchen und schickte Vetter, Laux und Notowicz zu Verhandlungen mit Blume nach Kiel. Dieses Treffen endete mit einem Kompromiß: Die Gesellschaft für Musikforschung sollte ihren Kongreß wie geplant in Lüneburg veranstalten und zusätzlich beim Leipziger Bach-Kongreß – Vetter plädierte »aus psychologischen Gründen« für die Bezeichnung »Bach-Tagung« – als Veranstalter in Erscheinung treten.[26] Und so geschah es. Blume selbst allerdings blieb dann der Leipziger Tagung fern.

In der Nachfolge des Bach-Festes wurden zwei wichtige Projekte in Gang gesetzt: die Neue Bach-Ausgabe und, im Zusammenhang damit, die Gründung zweier Forschungsstätten: des Bach-Archivs Leipzig und des Johann-Sebastian-Bach-Instituts in Göttingen. Für die Herausgabe der Gesamtausgabe in der DDR mußte, um juristischen Querelen im geteilten Deutschland zu entgehen, eigens ein neuer Verlag gegründet werden, der Deutsche Verlag für Musik in Leipzig.[27] Daß solche Querelen unausweichlich gewesen wären, zeigte sich bereits im Jahr 1951, als die Neue Bachgesellschaft sich entschloß, die seit ihrer Gründung bestehende Bindung an den Verlag Breitkopf & Härtel zu lösen, nachdem der Verlag seinen Hauptsitz von Leipzig nach Wiesbaden verlegt hatte. Daraufhin gab es Auseinandersetzungen zwischen dem Vorstand und dem Geschäftsführer des Verlages (und früherem NBG-Vorstandsmitglied), Hellmuth von Hase.[28]

* * *

Die Zusammenarbeit von Ost und West in der Neuen Bachgesellschaft funktionierte in den folgenden Jahren so lange einigermaßen gut, wie die DDR ihr Anerkennungsbemühen durch die Existenz gesamtdeutscher Gesellschaften nicht gefährdet sah. Der kurz vor dem 17. Juni 1953 auf sowjetisches Geheiß einsetzende »Neue Kurs« der SED führte zu einer zwar kurzzeitigen, gleichwohl spürbaren Entspannung auch auf kulturpolitischem Gebiet. Die noch bestehenden deutsch-deutschen Verbindungen sollten nicht unterbrochen, neue Verbindungen sogar gefördert werden. So sah

---

25 Vgl. *Beschlußprotokoll der konstituierenden Sitzung des Deutschen Bach-Ausschusses 1950 vom 29. 12. 1949*, SAPMO-BA, ZPA, *IV 2/9.06/70*, fol. 2–10.

26 Vgl. *Beschlußprotokoll der zweiten Sitzung des Deutschen Bach-Ausschusses 1950 vom 25. 1. 1950 in Berlin*, SAPMO-BA, ZPA, *IV 2/9.06/70*, fol. 37.

27 Mitteilung von Frieder Zschoch, Leipzig.

28 Vgl. Christhard Mahrenholz, *Rundschreiben Nr. 5* an Vorstand, Verwaltungsrat und Beirat der NBG vom 4. 6. 1952, SAPMO-BA, KB, *1571*.

es die Programmerklärung des Anfang 1954 gegründeten Ministeriums für Kultur vor. Die Musik betreffend, dachte man an eine gesamtdeutsche Mozart-Ehrung 1956; eine gesamtdeutsche Musikzeitschrift sollte geschaffen und der Austausch von Solisten und Ensembles gefördert werden.[29] Schon die bloße Gründung des Ministeriums selbst, das die Nachfolge der ob ihrer Zensurpraxis gefürchteten Behörden »Staatliche Kommission für Kunstangelegenheiten« und »Amt für Literatur und Verlagswesen« antrat, muß als Folge des Neuen Kurses angesehen werden.[30]

Doch schon bald war es mit dem Neuen Kurs vorbei. Nach den antistalinistischen Unruhen in Ungarn 1956 begann wieder eine Phase der politischen und kulturpolitischen Verschärfung, die zur Restauration des nach dem XX. Parteitag der KPdSU angeschlagenen kommunistischen Herrschaftsmodells führte. Es folgten die Prozesse gegen Harich, Janka, Just und andere, die Kulturkonferenz der SED 1957 und der Sturz von Johannes R. Becher als Kulturminister 1958. Da Becher für eine Politik der Zusammenarbeit mit Westdeutschland eingetreten war, ist seine vom Politbüro angeordnete »Pensionierung«[31] kurz vor seinem Tod im Zusammenhang mit den gesamtdeutschen Gesellschaften von besonderer Bedeutung.

Mit dem Bestreben der SED, ihr Regime international hoffähig zu machen, wuchs auch ihr Interesse an gesamtdeutschen und internationalen Gesellschaften, entdeckte sie diese als Plattformen ihrer außenpolitischen Aktivitäten. Zunächst mußte es darum gehen, sich über die bestehenden Mitgliedschaften von DDR-Bürgern in solchen Gesellschaften zu informieren und weitere Gesellschaften für Mitgliedschaften zu erschließen. Am 8. November 1956 bat der für Musik zuständige Hauptabteilungsleiter im Kulturministerium, Hans-Georg Uszkoreit, den Generalsekretär des VDK, Nathan Notowicz, dem Ministerium über die Adresse des (offiziell nichtstaatlichen) Komponistenverbandes Informationsmaterial von internationalen musikalischen und musikwissenschaftlichen Organisationen zu besorgen.[32] Einen Monat später forderte der stellvertretende Außenminister Sepp Schwab Kulturminister Becher zu stärkerem kulturpoliti-

---

29 Vgl. die Programmerklärung des Ministeriums für Kultur, *Wie kann eine gesamtdeutsche Zusammenarbeit beginnen?*, MuG 4 (1954), S. 162.

30 Vgl. Jürgen Rühle, *Kulturpolitik im Tauwetter. Die kurze Geschichte des Neuen Kurses in der Sowjetzone*, in: Der Monat 7 (1955), Nr. 82, S. 337–341.

31 Vgl. *Protokoll Nr. 13/58 der Sitzung des Politbüros des Zentralkomitees am Dienstag, dem 18. 3. 1958 im Zentralhaus der Einheit, Großer Sitzungssaal*, SAPMO-BA, ZPA, *J IV 2/2/585*, fol. 6.

32 Potsdam BA, *R 1/66*.

schen Engagement in den entsprechenden gesamtdeutschen und internationalen Organisationen auf. Ziel müsse es sein, »eine gleichberechtigte Stellung in der gesamtdeutschen Vertretung zu erreichen«.[33] Die musikalischen Gesellschaften betreffend forderte Becher daraufhin von der zuständigen Hauptabteilung Musik seines Ministeriums die nötigen Informationen an. Das Antwortschreiben von Hauptabteilungsleiter Uszkoreit enthielt sodann über allgemeine Angaben hinaus Vorschläge, wie mit den einzelnen Gesellschaften zu verfahren sei. Bezüglich der Neuen Bachgesellschaft sollte überlegt werden, »ob durch einen nachdrücklichen Einfluß auf die Geschäftsstelle in Leipzig nicht zu erreichen wäre, daß der Vorsitz der Gesellschaft in die Hand einer geeigneten Persönlichkeit aus der Deutschen Demokratischen Republik zu bringen wäre«.[34] Ein halbes Jahr später wiederholte Uszkoreit diese Forderung noch nachdrücklicher:

> »Es kommt darauf an, in kürzester Zeit unseren Einfluß auf die Neue Bach-Gesellschaft zu verstärken und eine Persönlichkeit an die Spitze der Gesellschaft zu stellen, die Bürger der DDR ist.
> Wir müssen damit rechnen, daß diese Auseinandersetzungen sehr kompliziert werden und daß sie uns möglicherweise zu einer völligen Umbildung der Bach-Gesellschaft zwingen können. Wenn die maßgeblichen Kirchenkreise in Westdeutschland sich vor die Frage gestellt sehen werden, die staatliche Oberhoheit über diese Gesellschaft anzuerkennen, kann es unter Umständen zu einer westdeutschen Spaltergründung kommen mit dem Ziel, die theologisch und konfessionell gebundenen Mitglieder aus der DDR für eine Mitgliedschaft in der westdeutschen Gesellschaft zu werben.«[35]

Doch trotz aller Absichtserklärungen gab es keine Versuche, Mahrenholz zu stürzen. Eine neue Situation trat erst mit dem Bau der Berliner Mauer ein. Die Versuchung für die DDR, ihre Abgrenzungsbestrebungen noch rücksichtsloser durchzusetzen, war nun größer denn je. Sogleich nach dem 13. August 1961 wurde im Partei- und Staatsapparat eine Konzeption darüber erarbeitet, wie mit den bisher bestehenden gesamtdeutschen Gesellschaften umzugehen sei. »Es wird vorgeschlagen, an Stelle der gesamtdeutschen Gesellschaften entweder eigene DDR-Gesellschaften oder Arbeitskreise zu gründen«, hieß es darin, und weiter: »Die DDR-Gesellschaften arbeiten nach einer neuen, unserer Situation und unseren

---

33 Ebenda, Brief vom 12. 12. 1956.
34 Siehe Fußnote 13.
35 Hans-Georg Uszkoreit, *Aufgabenstellung der »Neuen Bach-Gesellschaft«*, SAPMO-BA, ZPA, *IV 2/2.026/112*, fol. 221.

Aufgaben entsprechenden Konzeption«.[36] Anstelle der gesamtdeutschen Neuen Bachgesellschaft sollte eine eigene DDR-Bachgesellschaft mit Sitz in Leipzig unter Vorsitz des Thomaskantors gebildet werden.[37] Die endgültige Regelung dieses Problems sollte ein Beschluß der SED-Führung herbeiführen. Das Staatssekretariat für das Hoch- und Fachschulwesen arbeitete dazu eine entsprechende Vorlage aus. Um Einzelheiten zu klären, fand am 25. Oktober 1961 im Ministerium für Kultur eine Beratung über Veränderungen am Status musikalischer gesamtdeutscher Gesellschaften statt. Bezüglich der Spaltung der Neuen Bachgesellschaft war an folgendes Vorgehen gedacht:

»Es erscheint notwendig, die zur Zeit bestehende Neue Bach-Gesellschaft, Sitz Leipzig, aufzulösen und danach eine Bach-Gesellschaft der DDR zu gründen, ebenfalls mit dem Sitz in Leipzig mit dem Thomaskantor Prof. Mauersberger als Vorsitzenden.

Es soll wie folgt vorgegangen werden:

a) Grundsätzliche Aussprache mit Prof. Mauersberger und Prof. Neumann, Bach-Archiv Leipzig, und Prof. Notowicz bei dem Stellvertreter des Ministers, Prof. Dr. Pischner. In dieser Aussprache muß Einigung erzielt werden vor allem mit Prof. Mauersberger und mit Prof. Neumann.

b) Es muß eine Konzeption für ein Statut dieser neuen DDR Bach-Gesellschaft erarbeitet und einige juristische Fragen, die mit den Eigentumsverhältnissen des Bach-Hauses in Eisenach und der Bachzeitschrift zusammenhängen, geklärt werden.

c) Die westdeutschen Mitglieder des Vorstandes der Neuen Bach-Gesellschaft sollen nach Leipzig zu einer Vorstandssitzung eingeladen werden, auf der die Veränderung begründet werden soll. Sollten die westdeutschen Vorstandsmitglieder der bisherigen Neuen Bach-Gesellschaft es ablehnen nach Leipzig zu kommen, wird ihnen unser Entschluß schriftlich mitgeteilt.

d) Aufklärung der Mitglieder der bisherigen Neuen Bach-Gesellschaft in der DDR über die Veränderungen. Es erscheint zweckmäßig, in Zukunft nur Mitglieder in der Bachgesellschaft der DDR zu haben, die aktiv in der Bach-Pflege tätig sind.

e) Auf der neuen Grundlage mit einer klaren kulturpolitischen Konzeption sollen die Vorbereitungen für das Bachfest 1962 in Leipzig getroffen werden.«[38]

---

36 [Aktennotiz] *Betr.: Maßnahmen auf dem Gebiet der gesamtdeutschen Kulturarbeit*, SAPMO-BA, ZPA, *IV 2/9.06/24*, fol. 381.

37 Vgl. ebenda, fol. 382.

38 Gerhard Schröter, *Gesamtdeutsche Gesellschaften auf dem Gebiet der Musik. Notiz über die Beratung am 25. Oktober mit den Genossen Dr. Uszkoreit, Prof. Notowicz, Dieter Heinze, Peter Czerny und Gerhard Schröter*, SAPMO-BA, *IV 2/9.06/309*, fol. 77.

Der Leiter der Kulturabteilung des ZK, Siegfried Wagner (der »ehemalige SA-Mann« wie Heiner Müller ihn jüngst charakterisierte[39]), wandte sich an seinen Amtskollegen von der Abteilung Wissenschaften, Hannes Hörnig:

> »Das Ziel sollte unseres Erachtens sein, daß die westdeutschen Vertreter entweder die Führung der DDR in der Bachgesellschaft einräumen oder keine offizielle Vertretung Westdeutschlands am Bach-Fest in Leipzig teilnimmt. In beiden Fällen würde der Weg frei für die Umgestaltung der jetzt bestehenden Neuen Bachgesellschaft, Sitz Leipzig, die gesamtdeutschen Charakter hat, in ein Zentrum der Bachpflege in der Deutschen Demokratischen Republik.«[40]

An das Kulturministerium richtete Wagner die Aufforderung, eine Konzeption für das bevorstehende Leipziger Bach-Fest auszuarbeiten, die das Ziel enthalten soll, die Lage in der NBG zu »klären«, das heißt, sie in ein »eigenes Zentrum der Bachpflege« zu verwandeln.[41]

Daß diese Intervention der Kulturabteilung des ZK überhaupt notwendig wurde, erklärt sich aus der Verzögerung, die die Fertigstellung der Beschlußvorlage des Staatssekretariats für das Hoch- und Fachschulwesen für die Parteiführung über die Liquidierung gesamtdeutscher und die Bildung »eigener« DDR-Gesellschaften erfahren hatte. Schon ein erster Entwurf[42] vom 1. 3. 1962 stieß in der ZK-Abteilung Wissenschaften auf Kritik.[43] Aber auch die folgenden Fassungen als Vorlage für das Politbüro[44] (vom 16. 4. 1962) beziehungsweise für das Sekretariat des ZK[45] (vom 7. 7. 1962) fanden nicht das Wohlwollen der Abteilung. Insbesondere der Sinn der Schaffung einer »Union der wissenschaftlichen Gesellschaften der DDR« zur »allseitigen politischen, wissenschaftlichen und ökonomischen Anleitung, Koordinierung und Kontrolle der Tätigkeit aller wissen-

---

39 Heiner Müller, *Krieg ohne Schlacht. Leben in zwei Diktaturen*, Köln 1992, S. 171.

40 Siegfried Wagner, SED-Hausmitteilung an Hannes Hörnig vom 19. 2. 1962, SAPMO-BA, ZPA, *IV 2/9.04/261*, fol. 188.

41 S. Wagner, Brief an Hans Pischner vom 19. 2. 1962, SAPMO-BA, ZPA, *IV 2/9.06/296*, fol. 13.

42 *Plan zur Entwicklung und Förderung des wissenschaftlichen Lebens auf dem Gebiet der wissenschaftlichen Gesellschaften und wissenschaftlichen Veranstaltungen*, SAPMO-BA, ZPA, *IV 2/9.04/449*, fol. 2–25.

43 Kommentar des Sektorenleiters des Sektors Gesellschaftswissenschaften der Abteilung Wissenschaften, Werner Möhwald, auf dem Anschreiben zum eben genannten Entwurf: »Wir sind nicht einverstanden mit einer Reihe von Festlegungen« (ebenda, fol. 1).

44 SAPMO-BA, ZPA, *IV 2/9.04/449*, fol. 26–32.

45 Ebenda, fol. 36–45.

schaftlichen Gesellschaften der DDR« wurde bezweifelt.[46] Keine Einwände gab es hinsichtlich der Forderung, Mitgliedschaften von DDR-Bürgern in westdeutschen Gesellschaften ruhen zu lassen beziehungsweise auf einen »festgelegten Personenkreis« zu beschränken und die gesamtdeutschen Gesellschaften durch »eigene wissenschaftliche Gesellschaften, Arbeitsgemeinschaften oder Sektionen in der DDR, die auf der Basis der Gleichberechtigung mit den in Westdeutschland bestehenden Gesellschaften zusammenarbeiten«, zu ersetzen.[47]

Der Sekretariatsbeschluß der SED über die Auflösung gesamtdeutscher Gesellschaften in der DDR wurde letztlich erst 1967 gefaßt. Lediglich kam am 18. April 1962 ein Sekretariatsbeschluß über die »Entsendung von Wissenschaftlern der Deutschen Demokratischen Republik zu Tagungen und Kongressen in nichtsozialistische Länder und nach Westdeutschland« zustande. Er erlaubte Reisen von Wissenschaftlern in westliche Länder nur noch, wenn »eine selbständige Mitgliedschaft der DDR in einer internationalen wissenschaftlichen Organisation (Kollektivmitgliedschaft oder Einzelmitgliedschaft) besteht und ein selbständiges Auftreten unserer Wissenschaftler von vornherein gegeben ist«.[48] Weiter wurde verfügt:

> »Alle Reisen erfolgen offiziell als 'Delegation der DDR'.
> Es sind nur solche Wissenschaftler zu delegieren, die klar und unzweideutig die Interessen unserer Republik vertreten, ein ausgewiesenes hohes wissenschaftliches Ansehen besitzen und in der Regel auf Tagungen mit einem Vortrag auftreten.
> Die Anzahl der zu delegierenden Wissenschaftler ist auf ein Mindestmaß zu reduzieren, in der Zusammensetzung der Delegation ist auch quantitativ der Einfluß unserer Parteimitglieder zu sichern.
> Es sind grundsätzlich keine Ehepaare zu delegieren.«[49]

Damit wurde für die in der DDR lebenden Mitglieder der Neuen Bachgesellschaft die Möglichkeit, an Bach-Festen im Westen teilzunehmen, auf ein Minimum reduziert. Bis zum Fall der Mauer haben immer nur wenige Mitglieder, meist nur die Angehörigen der Leitungsgremien, Genehmigungen für Westreisen erhalten. Gleichwohl bestand bei vielen »einfachen« Mitgliedern unterhalb des Rentenalters die Illusion, die Mit-

---

46 Vgl. Dieter Heinze, *Notiz für Genossen Hörnig. Betr.: Beiliegende Vorlage des Staatssekretariats für das Hoch- und Fachschulwesen an das Sekretariat des ZK*, 19. 9. 1962, ebenda, fol. 35.
47 Ebenda, fol. 49.
48 *Protokoll Nr. 21/62 der Sitzung des Sekretariats des ZK vom 18. 4. 1962*, Anlage 4, SAPMO-BA, ZPA, *J IV 2/3/804*, fol. 37.
49 Ebenda, fol. 39.

gliedschaft ließe sich vielleicht dazu nutzen, das Ausreiseverbot zu umgehen.

* * *

An den Verhandlungen nach dem Bau der Mauer über die Zukunft der musikalischen Gesellschaften war maßgeblich der Generalsekretär des VDK, Nathan Notowicz, beteiligt. Er wandte sich schon bald mit persönlichen Vorschlägen direkt an den damaligen Minister für Kultur, Hans Bentzien. Die Zukunft der Neuen Bachgesellschaft betreffend, schlug er zwei Varianten vor: entweder die Sicherung des Übergewichts für die DDR im Vorstand (durch Ersetzung von Mahrenholz durch Thomaskantor Mauersberger als Vorsitzenden und Zuwahl eines Mitgliedes aus der DDR) oder die Gründung einer separaten DDR-Bachgesellschaft.[50]

Mit Billigung des stellvertretenden Kulturministers Hans Pischner begann Notowicz, der zu dieser Zeit als Nachfolger Kneschkes dem Verwaltungsrat der NBG angehörte, bald darauf mit Mahrenholz Verhandlungen über entsprechende Satzungsänderungen zu führen. Mahrenholz erklärte sich mit einer Satzungsänderung sofort einverstanden, zumal es auch darum ging, endlich die der alten Satzung aus dem Jahr 1935[51] anhaftenden Merkmale des »Führerprinzips« zu beseitigen. Notowicz' Verhandlungsführung muß insgesamt konzilianter gewesen sein, als es nach seinen Vorschlägen an den Kulturminister zu befürchten war. Er bestand weder auf einem Wechsel des Vorsitzenden noch drohte er offenbar mit der Gründung einer DDR-Gesellschaft. Er überließ sogar die Erarbeitung der neuen Satzung seinem Verhandlungspartner. In diesem Satzungsentwurf stellte Mahrenholz die kollektive Leitung der NBG wieder her, indem er die »Oberaufsicht über die gesamte Tätigkeit der Gesellschaft«, welche 1935 vom Direktorium auf den Vorsitzenden übergegangen war, dem Vorstand übertrug. Letzterer wurde um eine auf vier Personen erhöht und damit die Möglichkeit der paritätischen Ost-West-Besetzung geschaffen. Die vereinbarte Gleichberechtigung beider Vorsitzenden fand ihren Niederschlag in der Formulierung, daß nun beide »Vorstand im Sinne des § 26 BGB« seien. Gestärkt wurde die Rolle des Beirats, der jetzt Direktorium genannt wurde.

---

50 Vgl. Nathan Notowicz, Entwurf eines Briefes an Hans Bentzien, ohne Datum [etwa September 1961], SAAdK, Bestand: Verband der Komponisten und Musikwissenschaftler der DDR [im Folgenden abgekürzt als VKM], Signatur: 512.

51 BJ 1935, S. 129–131.

Neu aufgenommen wurde ein Paragraph, der es der Gesellschaft ermöglichen sollte, bei Bedarf Ländersektionen zu bilden.[52]

Mahrenholz' Kompromißbereitschaft hat dazu geführt, daß die Neue Bachgesellschaft damals als gesamtdeutsche Institution erhalten geblieben ist. Bemerkenswert ist auch seine clevere Verhandlungsstrategie. So überraschte er Notowicz mit dem Angebot, letzterem das Amt des Stellvertretenden Vorsitzenden übertragen zu wollen. Indem er selbst den Satzungsentwurf ausarbeitete, behielt er die Initiative, die er dazu nutzte, die satzungsmäßige Einheit der Gesellschaft nicht anzutasten. So fehlten in seinem Entwurf jegliche Hinweise auf die Teilung Deutschlands und daraus etwa resultierende Konsequenzen.

Mit der neuen Satzung war der Neuen Bachgesellschaft in puncto Interventionen der DDR erst einmal eine mehrjährige Atempause vergönnt. Es wäre allerdings illusionär gewesen, hätte man damals geglaubt, mit dem Ergebnis sei die DDR nun ein für alle Mal zufriedengestellt. Es war vielmehr nur eine Frage der Zeit, wann sie damit beginnen würde, noch weitergehende Forderungen anzumelden.

Eine Atempause bekam zur selben Zeit auch die Gesellschaft für Musikforschung, die ihre Tätigkeit in der DDR erst 1968 einstellen mußte.[53] Die Neue Schützgesellschaft (seit 1963 Internationale Heinrich-Schütz-Gesellschaft) konnte noch bis 1964 als gesamtdeutsche Vereinigung bestehen und eine Zweiggeschäftsstelle in der DDR unterhalten. Weiterarbeiten durften auch die beiden in Weimar ansässigen gesamtdeutschen literarischen Gesellschaften: die Goethe- und die Deutsche Shakespeare-Gesellschaft. Daß letztere 1963 gespalten wurde, war ausnahmsweise einmal nicht der DDR anzulasten, sondern der kompromißlosen Haltung einiger westdeutscher Mitglieder, die in Bochum eine »Gegengesellschaft« gründeten.[54]

---

52 Vgl. [Christhard Mahrenholz], *Vorschlag für Änderungen an der Satzung der Neuen Bachgesellschaft*, Abschrift, SAPMO-BA, ZPA, *IV 2/9.06/296*, fol. 21–24.

53 Vgl. dazu die Beiträge in dem Band *Einheit und Spaltung der Gesellschaft für Musikforschung. Zur Wissenschaftsgeschichte im geteilten Deutschland. Eine Dokumentation*, hrsg. von der Gesellschaft für Musikforschung (Schriftleitung: Wolfram Steinbeck), Kassel 1993.

54 Vgl. Martin Lehnert, *Hundert Jahre Deutsche Shakespeare-Gesellschaft*, in: Shakespeare-Jubiläum 1964. Festschrift zu Ehren des 400. Geburtstages William Shakespeares und des 100jährigen Bestehens der Deutschen Shakespeare-Gesellschaft, hrsg. im Namen der Gesellschaft von Anselm Schlösser, Weimar 1964, S. 1–40.

Die erwähnte Atempause bedeutete allerdings nicht, daß die DDR etwa vorerst auf staatliche Einmischung gänzlich verzichtet hätte. Sie nutzte vielmehr ihre stärkere Position, um sich beispielsweise in die Personalpolitik einzumischen, wie aus einem vertraulichen Brief des Leiters der Abteilung Musik im Kulturministerium, Werner Rackwitz, an Nathan Notowicz vom 19. 6. 1964 hervorgeht:

»Eine Rückfrage beim Leiter der Abteilung Kultur in Potsdam ergab, daß aus politischen Erwägungen abgeraten wird, Frau Stolte für das Direktorium vorzuschlagen. Ihr Auftreten und ihr Verhältnis zu unserem Staat wäre – soweit bekannt – sehr wesentlich von der Einstellung ihres Vaters[55] geprägt, der als Superintendent in Potsdam auf dem äußersten rechten Flügel der Kirche stünde und nachweislich zu den reaktionärsten Kräften der Kirche zählen würde.[56] Ich würde aus diesem Grunde auch von diesem Vorschlag absehen und dafür Hans-Joachim *Rotzsch* aus Leipzig vorschlagen, der ebenfalls als Oratoriensänger und Bach-Interpret ausgezeichnete künstlerische Leistungen aufweisen kann.«[57]

Am 28. März 1966 machte der Sektorenleiter im Kulturministerium Gerhard Brattke dem Leipziger Stadtrat Gehrke »Vorschläge« für das bevorstehende Bach-Fest, das zugleich als »Internationales Bach-Fest der Stadt Leipzig« geplant war. Ein »Gespräch mit 50–60 Teilnehmern für kirchliche Kreise, geführt von der CDU« war ebenso gewünscht wie ein »Solidaritätskonzert für Vietnam« und eine »Ausstellung mit Bildern und Dokumenten, die die Kontinuität der Kulturpolitik unserer Partei während der letzten 20 Jahre gegenüber der Kunst und dem klassischen Erbe veranschaulicht«. Schließlich sollte sogar die Mitgliederversammlung der

---

55 Konrad Stolte, geb. 1903, ab 1945 Superintendent des Kirchenkreises Potsdam I und Pfarrer an der dortigen Friedenskirche, Leitender Pfarrer der Frauenhilfe der EKD für den Bereich der östlichen Gliedkirchen (Angaben nach: Gerhard Besier und Stephan Wolf, »*Pfarrer, Christen und Katholiken*«. *Das Ministerium für Staatssicherheit der ehemaligen DDR und die Kirchen*, Neukirchen-Vluyn, 2. Auflage 1992, S. 948).

56 In einem Bericht der Verwaltung Brandenburg des MfS an die Zentrale des Ministeriums in Berlin vom 13. 10. 1950 über »die neuesten Ereignisse im Sachgebiet Kirchen und negative Äußerungen der Pfarrer im Hinblick auf die Wahlen« hieß es, Superintendent Stolte habe die Unterzeichnung einer Zustimmungserklärung zu den ersten Einheitslisten-Wahlen am 15. 10. 1950 mit dem Hinweis verweigert, »daß diese Handlung sich nicht mit der kirchlichen Würde vereinbaren läßt« (ebenda, S. 135 beziehungsweise 137).

57 SAAdK, VKM, *1097*. Rackwitz' Bemühungen blieben im übrigen ohne Erfolg: nicht nur wurde Adele Stolte Mitglied des Direktoriums, sie erhielt sogar 1966 den »Kunstpreis der DDR«.

Bachgesellschaft politisiert werden: Sie müsse man dazu nutzen, um »über die Solidarität mit Vietnam« zu sprechen.[58]

Mit der Gründung eines »Johann-Sebastian-Bach-Komitees der Deutschen Demokratischen Republik« als ständige Einrichtung ergriff die DDR kurz vor dem »Internationalen Bach-Fest« die Initiative, um die Bach-Pflege immer weiter der NBG zu entziehen und zu einer staatlichen Angelegenheit zu machen. Jedoch hielt sich die Aktivität des Komitees bis zum Ende der DDR sehr in Grenzen. Überflüssig zu erwähnen, daß bei seiner Zusammensetzung wieder auf das bewährte Volksausschuß-Modell zurückgegriffen wurde: Als Präsident fungierte das Mitglied der Ost-CDU, Thomaskantor Erhard Mauersberger, während als Vizepräsidenten zwei SED-Mitglieder eingesetzt wurden: der berüchtigte Rektor der Leipziger Musikhochschule, Rudolf Fischer, und der Leipziger Stadtrat Rudolf Gehrke.[59]

* * *

Eine neue Etappe der von der DDR betriebenen Enteignung beziehungsweise Verstaatlichung wissenschaftlicher Gesellschaften begann im Jahr 1967, als das Sekretariat des ZK (und anschließend noch pro forma der Ministerrat) neue »Richtlinien für die Gestaltung der Arbeit im Bereich der Wissenschaft und Kultur der DDR nach Westdeutschland sowie nach Westberlin« beschloß:

> »In der Arbeit mit wissenschaftlichen und literarisch-künstlerischen Gesellschaften, Vereinigungen und Vereinen ist davon auszugehen, daß es für die Existenz und Tätigkeit sogenannter gesamtdeutscher Gesellschaften und für die Mitgliedschaft von DDR-Bürgern in westdeutschen Gesellschaften keine Grundlage mehr gibt. Die Regelung dieses Problems wird zielstrebig in Angriff genommen. Dabei ist schrittweise vorzugehen und zu beachten, daß bei der Liquidierung 'gesamtdeutscher Gesellschaften' für die DDR keine Nachteile eintreten. Es ist die volle Selbständigkeit, Gleichberechtigung und Unabhängigkeit der wissenschaftlichen und kulturellen Gesellschaften der DDR zu sichern und ihre internationale Autorität zu stärken. Das Hauptziel dieser Maßnahme muß darin bestehen, dem Gegner zu verwehren, unter dem Tarnmantel 'gesamtdeutscher Gesellschaften' seine Alleinvertretungsanmaßung zu praktizieren und die Souveränität der DDR zu untergraben.
> Im einzelnen ergibt sich daraus folgendes:

---

58 SAPMO-BA, ZPA, *IV A2/9.06/56.*
59 Namen nach: *Bachkomitee der DDR berufen,* in: Neues Deutschland, 21. Jg. (1966), Nr. 106 vom 18. 4. 1966, Republik-Ausgabe, S. 3.

1. Wissenschaftliche Gesellschaften, die in Westdeutschland ihren Sitz haben, werden generell nicht als 'gesamtdeutsche Gesellschaften' behandelt oder anerkannt.

2. In westdeutschen Gesellschaften, die die Bonner Alleinvertretungsanmaßung praktizieren und die die Mitgliedschaft von Wissenschaftlern der DDR dazu mißbrauchen, die Aufnahme von DDR-Gesellschaften in internationale Organisationen zu sabotieren, ist eine Mitgliedschaft von Bürgern der DDR ab sofort ausgeschlossen.

Über alle übrigen Mitgliedschaften von Bürgern der DDR in westdeutschen Gesellschaften sind etappenweise – bis Ende 1968 – Entscheidungen herbeizuführen.

Neue Mitgliedschaften von Bürgern der DDR in westdeutschen Gesellschaften werden nicht mehr eingegangen.

3. Bei einzelnen bisher 'gesamtdeutschen Gesellschaften', mit Sitz in der DDR, denen Wissenschaftler oder Künstler aus der DDR und aus Westdeutschland sowie aus anderen Staaten angehören, ist die Möglichkeit zu prüfen, sie in Internationale Gesellschaften bzw. in Gesellschaften der DDR mit internationaler Mitgliedschaft einschließlich der Mitgliedschaft von Bürgern der westdeutschen Bundesrepublik umzuwandeln.«[60]

Die Gesellschaft für Musikforschung wurde nun, da es sich bei ihr um eine in Westdeutschland ansässige Gesellschaft handelte, in der DDR aufgelöst, während die Neue Bachgesellschaft (wie auch die Goethe- und die Georg-Friedrich-Händel-Gesellschaft) unter die Kategorie einer »gesamtdeutschen Gesellschaft mit Sitz in der DDR« fiel, also umzuwandeln war in eine »Internationale Gesellschaft« beziehungsweise in eine »Gesellschaft der DDR mit internationaler Mitgliedschaft«. Entsprach die Händel-Gesellschaft schon weitgehend dem Modell einer »Gesellschaft der DDR mit internationaler Mitgliedschaft«, was Umstrukturierungen hier erübrigte, wurde für die Neue Bachgesellschaft die Umwandlung in eine »Internationale Gesellschaft« vorgesehen. Dies bedeutete, daß die Mitglieder ihrer nationalen Zugehörigkeit gemäß in Ländersektionen unterzubringen waren, wobei es natürlich vor allem darum ging, die Mitglieder der beiden deutschen Staaten organisatorisch zu trennen. Wenn es schon die DDR bisher nicht vermocht hatte, *außen* ihre Auffassung von der deutschen Zweistaatlichkeit durchzusetzen, wollte sie dieses Ziel wenigstens im Innern, überall dort, wo sie selbst eingreifen konnte, erreichen. Die SED-Führung beschränkte ihren Herrschaftsanspruch bekanntlich nicht auf den Staat. Auch alle gesellschaftlichen und

---

60 Protokoll Nr. 24/67 der Sitzung des Sekretariats des ZK vom 5. 4. 1967, Anlage Nr. 31; SAPMO-BA, *J IV 2/3/1290*, fol. 130f.

privatrechtlichen Dinge wurden von ihr mit den Augen eines Eigentümers gesehen. So wurde es der NBG jahrzehntelang verboten, bei Bach-Festen in der DDR die traditionellen Festgottesdienste in den Programmheften anzukündigen – offiziell begründet mit dem Grundsatz der Trennung von Staat und Kirche.[61] Daß es sich bei der Neuen Bachgesellschaft um gar keine staatliche Institution gehandelt hatte, war den Verantwortlichen offenbar nicht in den Sinn gekommen.

Anfang 1968 bereitete Nathan Notowicz durch Gespräche mit Mahrenholz den Boden vor, auf dem die »Internationalisierung« gedeihen sollte. Schon beim kommenden Bach-Fest in Dresden sollten die Weichen dafür gestellt werden. Gemeinsam mit dem Kulturministeriums-Mitarbeiter Gerhard Brattke arbeitete er, noch kurz vor seinem plötzlichen Tod im April 1968, eine Konzeption für das Bach-Fest aus. Da der Status einer gesamtdeutschen Gesellschaft nicht mehr der »politischen Realität« entsprechen würde, müsse die Neue Bachgesellschaft »den Status einer in der DDR ansässigen, internationalen Gesellschaft mit verschiedenen Ländersektionen« erhalten. Es müßten ausländische Mitglieder, insbesondere aus den sozialistischen Ländern, in die Leitungsgremien aufgenommen und Ländersektionen, vor allem in Westdeutschland und Westberlin, gebildet werden. Entsprechende Satzungsänderungen sollten, nach Vorbesprechungen mit Mahrenholz, schon auf der Dresdner Mitgliederversammlung durchgesetzt werden.[62]

Als erstes Ergebnis der Verhandlungen setzte Mahrenholz auf die Tagesordnung der nächsten Direktoriumssitzung einen Antrag auf Namensänderung der Gesellschaft. Der Bezeichnung »Neue Bachgesellschaft« sollte der Zusatz »Internationale Vereinigung der Bachfreunde« folgen.[63] Am 10. Mai 1969 beschloß dann das Direktorium, die nächsten beiden Mitgliederversammlungen für die Abstimmung über eine Satzungsänderung zu benutzen: Der 1962 eingefügte Paragraph über Sektionen sollte neu gefaßt und die Namensbezeichnung der NBG durch den Zusatz »ist eine interna-

---

61 Mit dieser Argumentation (Trennung Staat – Kirche) hat beispielsweise Armin Schneiderheinze das Verbot gegenüber einer westdeutschen Besucherin des Schweriner Bach-Festes 1977 zu rechtfertigen versucht (vgl. seinen im Auftrag von Werner Felix geschriebenen Brief an Gisela de Pagter vom 27. 12. 1977, SAAdK, HPA, *1365*).

62 Vgl. [Gerhard Brattke/Nathan Notowicz], *Konzeption zum 43. Johann-Sebastian-Bach-Fest vom 6. bis 8. Dezember 1968 in Dresden*, SAAdK, HPA, *1355*.

63 Vgl. Christhard Mahrenholz, Rundschreiben an die Mitglieder des Direktoriums der NBG vom 1. 8. 1968, SAAdK, HPA, *1356*.

tionale Vereinigung und hat ihren Sitz in Leipzig (DDR)« ergänzt werden.[64] Mit einer Stimmenthaltung bestätigte das Direktorium den Entwurf von »Richtlinien für die Organisation und Tätigkeit von Sektionen«.[65]

Auf der Mitgliederversammlung 1969 in Heidelberg versuchte Mahrenholz, wie dem nachfolgend zitierten Passus des Protokolls zu entnehmen ist, die Bedenken der Mitglieder zu zerstreuen:

> »Es wurde in der Verhandlung mehrfach betont, daß die Zustimmung von der festen Zusage des Vorsitzenden abhängig sei, daß die Sektionen nicht der Spaltung der NBG Vorschub leisten, sondern der engeren Zusammenarbeit und der Festigung der Gemeinschaft unter den Mitgliedern der NBG dienen sollen. Der Vorsitzende bestätigt, daß dieses Ziel den Intentionen des Direktoriums bei dessen einstimmiger Beschlußfassung entspricht.«[66]

Die Satzungsänderung wurde schließlich mit einer Gegenstimme angenommen.[67] Ein Jahr später billigten auch die zur Versammlung in der DDR anwesenden Mitglieder die Änderungen.[68] In der zuvor stattgefundenen Direktoriumssitzung wurde beschlossen, die Bezeichnung »Deutsches Bachfest« abzuändern in »Bachfest der NBG«. (Die Satzung hatte allerdings diese Bezeichnung ohnehin nie gekannt.)

In der Folgezeit bemühte sich Hans Pischner, der nach Notowicz' Tod neuer Stellvertretender Vorsitzender geworden war, um die Gründung von Sektionen in verschiedenen sozialistischen Ländern. Freilich blieben seine diesbezüglichen Versuche – er schrieb die Kulturminister mehrerer Länder an – meist erfolglos. So kam etwa eine ungarische Sektion nicht zustande, weil das dortige Kulturministerium der Meinung war, daß in Ungarn Gesellschaften wie die NBG »keine Tradition« hätten.[69]

Mit der Ausrichtung Ihres »II. Internationalen Bachfestes« in Leipzig 1970 signalisierte die DDR einmal mehr, daß sie die Bach-Pflege in ihrem

---

64 Vgl. Christhard Mahrenholz/Charlotte Henneberg, *Auszüge einer Niederschrift über die Sitzung des Direktoriums der Neuen Bachgesellschaft am 10. Mai 1969 in Berlin, Hotel Berolina,* SAAdK, HPA, *1355;* auch in: SAAdK, HPA, *1356.*

65 Vgl. Christhard Mahrenholz/Charlotte Henneberg, *Beschlüsse des Direktoriums der NBG über die Änderung der Satzung (10. Mai 1969),* SAAdK, HPA, *1356.*

66 Christhard Mahrenholz/E. Cunow, *Niederschrift über die Mitgliederversammlung beim 44. Deutschen Bachfest in Heidelberg am 27. Juni 1969, morgens 9 Uhr,* SAAdK, HPA, *1356.*

67 Ebenda.

68 Vgl. Christhard Mahrenholz/Charlotte Henneberg, *Niederschrift über die Mitgliederversammlung der Neuen Bachgesellschaft e. V. beim 45. Bachfest am 19. September 1970 im Brühl-Zentrum zu Leipzig,* SAAdK, HPA, *1356.*

69 Vgl. Hans Pischner, *Betreff: Bildung einer Sektion Ungarn der Neuen Bachgesellschaft,* SAAdK, HPA, *1360.*

Land nicht als Angelegenheit selbständiger Interessengruppen, sondern als staatliche Angelegenheit begriff. Um den Einfluß der Bachgesellschaft zu neutralisieren, stellte man die Internationalen Bach-Feste – analog zur Vorgehensweise in den Jahren 1950 und 1966 – den NBG-Bach-Festen nicht gegenüber, sondern sorgte dafür, daß sie zugleich im Namen der Gesellschaft ausgerichtet wurden, ungeachtet der Tatsache, daß die Initiative ausschließlich in den Händen des Staates, genauer gesagt in den Händen seines eigens für diesen Zweck gebildeten »Johann-Sebastian-Bach-Komitees« lag. Daß die DDR tatsächlich großen Wert darauf legte, ihre »Internationalen Bachfeste« zusammen mit Bach-Festen der NBG zu veranstalten, zeigte sich bei der Vorbereitung des für 1975 vorgesehenen »III. Internationalen Bachfestes«: Als Mahrenholz von diesen Plänen Kenntnis erhielt, mahnte er an, daß in jenem Jahr eigentlich ein Bach-Fest im Westen fällig gewesen sei. Sein Angebot, man könne ja, wenn die DDR auf ihre Forderung nicht verzichten wolle, *zwei* Bach-Feste veranstalten, wurde von Pischner abgelehnt.[70]

* * *

Nicht ohne Grund sah der Staat die Aufgabe des Bach-Komitees unter anderem auch in der Koordinierung der NBG-Arbeit. Bezeichnend dafür ist der Text des Ministers für Kultur, Klaus Gysi, bei der Berufung Pischners zum dritten Vizepräsidenten im Juni 1970:

> »Um das Wirken der Neuen Bach-Gesellschaft in der Deutschen Demokratischen Republik enger mit der Tätigkeit des Bach-Komitees, dem die Bachpflege und -forschung unserer Republik repräsentierenden und koordinierenden Gremium, zu verbinden, berufe ich Sie in Ihrer Eigenschaft als Stellvertretender Vorsitzender der Neuen Bach-Gesellschaft zum Vizepräsidenten des Bach-Komitees.«[71]

Am Rande sei erwähnt, daß beim letzten Bach-Fest vor der »Wende«, im September 1989 in Leipzig, staatlicherseits zugegeben wurde, daß bei der Gründung des Bach-Komitees die Intention eine Rolle gespielt hatte, das Komitee im Fall der Spaltung der Neuen Bachgesellschaft als Grundstock einer zu gründenden separaten DDR-Bachgesellschaft zu verwenden.[72]

---

70 Vgl. Hans Pischner, *Niederschrift über eine Besprechung zwischen dem Vorsitzenden der NBG, Professor Mahrenholz, und dem stellvertretenden Vorsitzenden der NBG, Professor Dr. Pischner, am 16. 11. 1972 im Verwaltungsgebäude der Staatsoper Berlin*, SAAdK, HPA, *1356*.
71 Klaus Gysi, Brief an Hans Pischner, Juni 1970, SAAdK, HPA, *1359*.
72 Mitteilung von Hans-Joachim Schulze, Leipzig.

Einigermaßen praktische Bedeutung erlangte das Komitee erst ab 1972 mit der Errichtung seines Sekretariats unter Leitung von Werner Felix. Damit wurde eine ständige Koordinierungsstelle geschaffen zur Lenkung aller Aktivitäten der Bach-Pflege in der DDR einschließlich der Tätigkeit der Neuen Bachgesellschaft. Es stellt durchaus keine Übertreibung dar, wenn man feststellt, daß die Neue Bachgesellschaft von den politisch Verantwortlichen in der DDR (Kulturministerium, Abteilung Kultur des ZK) fortan als eine Art nachgeordnete Einrichtung des Bach-Komitees angesehen wurde. Der erste Ansprechpartner der Gesellschaft für die DDR-Behörden war nun nicht etwa Pischner (als Stellvertretender Vorsitzender beziehungsweise später als Vorsitzender), sondern Werner Felix als Wissenschaftlicher Sekretär des Bach-Komitees (beziehungsweise ab 1979 als Generaldirektor der »Nationalen Forschungs- und Gedenkstätten Johann Sebastian Bach der DDR«). Über Felix wurde auch ein Großteil des die Gesellschaft betreffenden behördlichen Schriftverkehrs abgewickelt. Hier zeigt sich auch, daß Felix es war, der seit den siebziger Jahren in der Neuen Bachgesellschaft etwa die gleiche Rolle zu spielen begann, wie sie einst in der Gesellschaft für Musikforschung Karl Laux gespielt hatte, das heißt, er war nicht etwa nur willfähriger Vollstrecker der von »oben« getroffenen Anweisungen, sondern bemühte sich überdies in vorauseilendem Gehorsam und aus eigenem Antrieb darum, das politische Kräfteverhältnis in der NBG zugunsten der DDR zu verschieben. Das wird deutlich nicht zuletzt in der von Felix selbst geschriebenen »Konzeption für die Tätigkeit des Sekretariates des Bach-Komitees der DDR«. Beispielsweise heißt es darin bezüglich der in der Bachgesellschaft durchzusetzenden Ziele:

> »Der Wissenschaftliche Sekretär arbeitet eng mit dem Bach-Archiv der Stadt Leipzig zusammen, dessen Leitung er übernehmen soll, sobald dies erforderlich ist. ... Er sorgt für eine sinnvolle, unseren kulturpolitischen Zielen entsprechende Zusammenarbeit mit der Neuen Bach-Gesellschaft, insbesondere durch Entwicklung der Sektionstätigkeit in der NBG.«[73]

Felix setzte sich zum Ziel, im Jahr 1972 »in Abstimmung mit dem Ministerium für Kultur« Sektionsgründungen in der UdSSR, der CSSR, in Polen, Ungarn und Finnland anzubahnen.[74] Derartige Initiativen aus vorauseilendem Gehorsam gab es noch mehrere. So glaubte er, unmittelbar nachdem er in den Vorstand gewählt worden war, sozusagen als »erste Amtshandlung«

---

73 Werner Felix, *Betr.: Konzeption für die Tätigkeit des Sekretariates des Bach-Komitees der DDR*, Abschrift, SAAdK, HPA, *1359.*
74 Ebenda.

einen Vorstoß in Sachen Bach-Jahrbuch riskieren zu können, den Mahrenholz, der damals gerade noch Vorsitzender war, dann abblocken mußte: Am 29. Januar 1975 forderte er den Vorsitzenden auf, das eben fertiggestellte Bach-Jahrbuch 1975 nicht zum Druck freizugeben, da es nur einen Beitrag eines DDR-Autors (Hans-Joachim Schulze) gegenüber sechs Beiträgen westlicher Autoren enthalte. Er schlüge deshalb vor, den Band noch mit einigen Artikeln von DDR-Autoren auszustatten und dann ein Jahr später als Doppelband erscheinen zu lassen.[75] Nachdem Mahrenholz sich daraufhin von Dürr und Wolff über die Modalitäten informieren ließ, antwortete er ziemlich energisch, daß er im Verhalten der Redaktion nichts Unkorrektes habe entdecken können und daß der Band daher wie geplant erscheinen solle. Denn die Redaktion habe nie ein Proporz-Prinzip gekannt; die Auswahl der Beiträge sei stets nur nach wissenschaftlichen Gesichtspunkten getroffen worden und überhaupt hätten im konkreten Fall gar keine weiteren Texte von DDR-Autoren vorgelegen, die man hätte noch aufnehmen können.[76]

* * *

Die Bildung von Ländersektionen, die jetzt beschlossene Sache war, konnte von westdeutscher Seite noch eine Weile verzögert werden. Insbesondere Friedrich Heim (Hannover) machte in diesem Punkt seinen Einfluß als Vorstandsmitglied geltend. Das geht aus einer späteren Äußerung von Mahrenholz hervor:

> »Herr Amtsgerichtspräsident Prof. Heim ... war ein entschiedener Gegner der Bildung einer westdeutschen Sektion, die ich persönlich als Parallele zu der Sektion DDR jedoch für zweckmäßig hielt«.[77]

Werner Felix vermerkte 1975,

> »daß Prof. Dr. Mahrenholz in den vergangenen Jahren einem gewissen Druck von rechts orientierten Kreisen der NBG ausgesetzt war, die wiederholt die Bildung der Sektion BRD zu verhindern suchten und die besonders auch die Verstärkung der Position der DDR sowie die Ausweitung ihrer Internationalität zu vereiteln trachteten. Es scheint, daß der verstorbene Gerichtspräsident Heim

---

75 Vgl. Werner Felix, Brief an Christhard Mahrenholz vom 29. 1. 1975, SAAdK, HPA, *1368*.
76 Vgl. Christhard Mahrenholz' Briefe vom 6., 14. und 22. 2. 1975, SAAdK, HPA, *1368*.
77 Christhard Mahrenholz, Brief an Werner Felix vom 2. 1. 1979, SAAdK, HPA, *1368*.

in Hannover sowie Herr Dr. Dürr in Göttingen hierbei eine besondere Rolle gespielt haben«.[78]

Erst 1972 einigte sich der Vorstand darauf, die ersten Sektionen zu bilden, nämlich neben den beiden deutschen die amerikanische Sektion und die Sektion Slowakei.[79] Die immer wieder hinausgezögerte Gründung der westdeutschen Sektion konnte Mahrenholz erst im Oktober 1973 bekanntgeben. Zuvor unterbreitete er den Mitgliedern von Vorstand und Verwaltungsrat einen »Entwurf für einen Beschluß der NBG über die Gestaltung ihrer Tätigkeit«,[80] womit er das Prinzip der Parität (das jetzt im Interesse des Westens lag) und Garantien vor der Gefahr einer weiteren »Internationalisierung« festschreiben wollte. Daß dies höchst notwendige Schutzvorkehrungen waren, wird verständlich, wenn man zur Kenntnis nimmt, was zur gleichen Zeit hinter den Kulissen in der DDR mit der NBG beabsichtigt war. Am 24. Oktober 1972 teilte Werner Felix Hans Pischner seine Vorstellungen über die weitere Tätigkeit der NBG mit.

»Vor allem wird niemandem mehr gestattet in der Gesellschaft eine Politik zu treiben, die darauf hinausläuft, gewissen Vorherrschaftstendenzen der BRD-Kreise Vorschub zu leisten, alte 'gesamtdeutsche' Tendenzen aufzuwärmen oder der Frage der einheitlichen Kulturnation Spielraum zu geben«.[81]

Am 3. Februar 1973 berieten drei Vertreter des Kulturministeriums mit Pischner und Felix, wie der zukünftige Status der Gesellschaft auszusehen habe. Tags zuvor machte sich einer von ihnen, Gerhard Brattke, für das Gespräch eine kleine Konzeption – offenbar unter Verwendung der Felixschen Vorstellungen. Danach sollte »eine 'gesamtdeutsche' oder 'innerdeutsche' Betätigung« nicht mehr zugelassen werden; statt der deutsch-deutschen Parität sollte es nur noch »die Tätigkeit von Ländersektionen und die Leipziger Gesamtleitung« geben, statt wandernder Bach-Feste nur noch »Bachfeste der Ländersektionen und zentrale Bachfeste« (die prinzipiell in Leipzig und zwar möglichst alle vier Jahre stattfinden sollten). Statt der bisherigen Zählung der Bach-Feste sollte es separate Zählungen der Ländersektionen und eine neu beginnende Zählung der zentralen Bach-

---

78 Werner Felix, *Betr.: Niederschrift zur Vorstandsberatung der NBG in Hannover* [am 14. 3. 1975], SAAdK, HPA, *1357*.

79 Vgl. Christhard Mahrenholz, *Niederschrift über die gemeinsame Sitzung des Vorstandes und des Verwaltungsrates der Neuen Bachgesellschaft am 17. Sept. 1971 in der Geschäftsstelle der NBG zu Hannover*, SAAdK, HPA, *1356*.

80 Anlage zum Rundbrief vom 9. 4. 1973, SAAdK, HPA, *1356*.

81 Werner Felix, *Betr.: Zur weiteren Tätigkeit der Neuen Bachgesellschaft als Internationale Vereinigung*, SAAdK, HPA, *1356*.

Feste ab 1975 geben. Mitgliederversammlungen sollten zwar weiterhin jährlich, jedoch nur noch in Leipzig stattfinden, und es sollten ausländische Mitglieder in Vorstand, Verwaltungsrat und Direktorium aufgenommen werden.[82] Genauso sahen dies auch die beiden Vertreter der NBG, Pischner und Felix, wie aus dem (von letzterem geschriebenen) Protokoll der Beratung hervorgeht:

»1. Im Jahre 1974 beabsichtigt Professor Dr. Mahrenholz aus Altersgründen von der Funktion des Vorsitzenden der NBG zurückzutreten. Sein Nachfolger wird Prof. Dr. Pischner. Der Leiter der Hauptgeschäftsstelle in Leipzig, Prof. Dr. Felix, wird geschäftsführendes Vorstandsmitglied, d. h., daß bei ihm die Fäden der praktischen Arbeit der Gesellschaft zusammenlaufen müssen.
2. Das in der Gesellschaft in den zurückliegenden 25 Jahren praktizierte Prinzip der Parität zwischen DDR und BRD, das nicht verbindlich schriftlich fixiert ist, muß durch das Prinzip der Internationalisierung abgelöst werden. Es wird verwirklicht durch die Bildung und Tätigkeit der gleichberechtigten Ländersektionen und durch die zentrale, durch die Hauptgeschäftsstelle in Leipzig zu steuernde Gesamtleitung. Leipzig ist und bleibt Sitz der NBG. Demzufolge können die Beziehungen zwischen DDR und BRD innerhalb der NBG in Zukunft nur Beziehungen zwischen Ländersektionen sein bzw. Beziehungen zwischen der Hauptgeschäftsstelle und der Sektion BRD.
3. Die bisherige Praxis der Bachfeste, die abwechselnd in den beiden deutschen Staaten stattfanden, bedarf der Veränderung. ... Die Gesellschaft soll sich in Zukunft zu folgender Regelung entschließen:
a) Bachfeste, die von den Sektionen in eigener Verantwortung, jedoch nach Absprache mit dem Vorstand, durchgeführt werden.
b) Gezählte Bachfeste der NBG in Leipzig, die im Abstand von 4 Jahren durchzuführen wären und die mit den Internationalen Bachfesten in Leipzig, deren Veranstalter das Bach-Komitee der DDR ist, koordiniert werden. Damit würde zugleich das Problem der Zählung auf eine sinnvolle Weise gelöst. Die Tradition der Zählung bleibt erhalten und wäre den neuen Bedingungen angepaßt. ...
4. Die Internationalisierung der Gesellschaft macht eine Neuregelung für die Durchführung der Mitgliederversammlungen erforderlich. Mitgliederversammlungen können in Zukunft nicht mehr abwechselnd in der DDR und der BRD stattfinden. ... Gleichfalls müßte in Zukunft gewährleistet werden, daß die Beteiligung an Mitgliederversammlungen nicht dem Zufall überlassen bleibt, sondern daß die Entsendung von Delegationen aller Sektionen zur Mitgliederversammlung gewährleistet wird. Auf diese Weise werden die Mitgliederversammlungen zu wirklichen Arbeitssitzungen. Es wird zweckmäßig sein, folgende Praxis einzuführen:

---

82 Vgl. Gerhard Brattke, *Fragen zur weiteren Arbeit der »Neuen Bachgesellschaft e. V., Internationale Vereinigung, Sitz Leipzig« (NBG)*, SAAdK, HPA, *1356.*

a) Es werden Mitgliederversammlungen der Sektionen durchgeführt, in deren Mittelpunkt die Tätigkeit der Sektionen steht. Die Mitgliederversammlungen finden jährlich statt.

b) Im Abstand von 4 Jahren findet in Leipzig die Generalversammlung statt. An ihr nehmen die in der vorangegangenen Mitgliederversammlung der Ländersektionen gewählten Delegierten teil. In der Generalversammlung erfolgt die Wahl bzw. die Bestätigung der Mitglieder der leitenden Gremien der Gesellschaft. In ihr berichten die Sektionen über ihre Tätigkeit und werden die Aufgaben der kommenden Jahre beraten. Der Vorstand gibt seinen Rechenschaftsbericht vor der Generalversammlung. Die Generalversammlung findet anläßlich gezählter Bachfeste der NBG in Leipzig statt.«[83]

Die Bildung der westdeutschen Sektion, genauer: der »Sektion Bundesrepublik Deutschland/Berlin-West«, wie sie sich nennen mußte, war allerdings im Prinzip nur eine Formalität. Anders als in der DDR, wo ab 1972 Mitgliederversammlungen und seit 1979 »Bach-Tage« als Sektionsveranstaltungen stattfanden – immer in den Jahren, in denen das Bach-Fest im Westen war –, entwickelte die nur auf dem Papier existierende westdeutsche Sektion keinerlei eigene Aktivitäten – mit einer unfreiwilligen Ausnahme, dem 51. Bach-Fest 1976 in West-Berlin. Um den Schwierigkeiten, die es während der Vorbereitung mit der DDR gab, zu entgehen, waren Vorstand und Verwaltungsrat übereingekommen, das Bach-Fest offiziell nicht von der Gesamtgesellschaft, sondern von der »Sektion Bundesrepublik Deutschland/Berlin-West« ausrichten zu lassen.[84]

Daß der Plan eines Bach-Festes im Westteil Berlins von der Gesellschaft überhaupt in Erwägung gezogen werden konnte, hängt mit dem Abschluß des Grundlagenvertrages zwischen beiden deutschen Staaten im Dezember 1972 zusammen; jedenfalls begründete damit Mahrenholz seinen Optimismus, daß ein solches Vorhaben nun möglich sein müsse.[85] Auf welches politisches Glatteis sich die Gesellschaft dennoch damit begeben sollte, wird deutlich wenn man einen Blick auf den von Werner Felix frühzeitig für das Bach-Fest erarbeiteten Forderungskatalog wirft:

---

83 Werner Felix, *Aktennotiz. Betr.: Beratung über die weitere Arbeit der Neuen Bachgesellschaft am 3. 1. 1973 in Berlin*, SAAdK, HPA, *1356.*

84 Vgl. Hans Pischner, *Niederschrift über die Sitzung von Vorstand und Verwaltungsrat in der Deutschen Staatsoper Berlin am 6. 12. 1975*, SAAdK, HPA, *1357.*

85 Vgl. Hans Pischner, *Niederschrift über eine Besprechung zwischen dem Vorsitzenden der NBG, Professor Mahrenholz, und dem stellvertretenden Vorsitzenden der NBG, Professor Dr. Pischner, am 16. 11. 1972 im Verwaltungsgebäude der Staatsoper Berlin*, SAAdK, HPA, *1356.*

»Grundlage dafür sind die geltenden Vertragswerke über und mit Westberlin, die Anerkennung der politischen Realitäten, der Ausschluß jedweder staatlichen oder politischen Beteiligung der Bonner Bundesregierung. Einziger staatlicher bzw. kommunaler Partner für das Westberliner Bachfest kann nur der Senat von Westberlin sein.
Verhandlungen über eine DDR-Beteiligung am Westberliner Bachfest sind auf der offiziellen staatlichen Verhandlungsebene zu führen und haben die weitere positive Entwicklung der staatlichen Beziehungen im Sinne des Berliner Abkommens der vier Großmächte sowie der Vereinbarungen zwischen der Regierung der DDR und dem Senat von Westberlin zur Voraussetzung.«[86]

Auf der Mitgliederversammlung ließen sich die Vorstandsmitglieder aus der DDR mit fadenscheinigen Begründungen entschuldigen[87] – wohl um zu demonstrieren, daß das Bach-Fest auch wirklich eine reine Sektionsangelegenheit gewesen sei.

* * *

Sieht man von den beiden deutschen Sektionen ab, hat es nur in den USA je eine wirkliche aktive Sektionstätigkeit gegeben – und dies trotz intensiver Bemühungen der Vorstandsmitglieder (auch der westdeutschen; beispielsweise hat Helmuth Rilling nach seiner Wahl in den Vorstand wiederholt vorgeschlagen, die Aktivitäten der NBG auch auf Osteuropa auszudehnen). So kam eine Sektion Holland nie richtig zustande; ebenso gab es bald Desinteresse in Frankreich, Österreich, Japan und Argentinien. Die Sektion CSSR wurde nach jahrelangem Hin und Her erst Ende der 80er Jahre gegründet (dann auch nur als korporative Mitgliedschaft der »Gesellschaft für alte Musik« in Prag). Nachdem auch noch die ausländischen Bach-Feste 1987 in Prag und 1988 in Straßburg mit unerwarteten Schwierigkeiten verbunden waren und man zuvor zwei Anläufe benötigt hatte, um zu einem Bach-Fest in Bratislava zu kommen, war es noch vor der »Wende« beschlossene Sache, daß die Internationalisierung nicht mehr forciert werden würde. Die diesbezüglichen Worte Pischners auf der letzten Veranstaltung der Sektion DDR im Oktober 1988(!) klingen schon sehr nach Rückzug:

---

86 Werner Felix, *Betr.: Information über die Reise nach Hannover*, SAAdK, HPA, *1356*.
87 Vgl. Rosemarie Trautmann, *Protokoll der Mitgliederversammlung der Neuen Bachgesellschaft am 28. August 1976 um 12.00 Uhr im Hotel Kempinski Berlin anläßlich des 51. Bach-Festes der Neuen Bachgesellschaft, veranstaltet von der Sektion Bundesrepublik Deutschland*, SAAdK, HPA, *1357*.

»Die NBG ist die einzige Gesellschaft, die die schwierige Zeit überlebt hat. Strasbourg war ein schwieriges Unternehmen. Wir werden uns konzentrieren auf die beiden [deutschen] Staaten und hoffen, daß wir damit auf einem guten Wege sind. Wir sind keine staatliche Einrichtung und haben insofern eine gewisse Selbständigkeit und planen die Bachfeste im Direktorium.«[88]

Die größten Schwierigkeiten hatte die Ausrichtung des Bach-Festes 1987 in Prag bereitet. Wegen des parallel stattfindenden Musikfestivals »Prager Frühling« standen den etwa 300 Interessenten aus der DDR nur einige wenige Hotelunterkünfte zur Verfügung. Keine Probleme gab es hingegen bei der Unterbringung der devisenzahlenden Westdeutschen. Pischner schrieb daraufhin an das Büro Hager und an die Leiterin der Kulturabteilung des ZK, Ursula Ragwitz:

»Wenn DDR Mitglieder nicht zum Bachfest nach Prag reisen können, ... darf es doch wohl nicht passieren, daß es zu einem Bachfest der BRD in Prag kommt.«[89]

Es nützte nichts; die Enttäuschung der Mitglieder zur Kenntnis zu nehmen, blieb dem Vorstand nicht erspart. Die Mitglieder aus der DDR unterhalb des Rentenalters waren verständlicherweise besonders enttäuscht, konnten sie doch schon nicht zu den westdeutschen Bach-Festen fahren und mußten sich mit den heimischen Ersatzveranstaltungen (Bach-Tage der Sektion DDR) begnügen.

Nach der politischen Wende in der DDR beschloß der Vorstand, auf der nächsten Direktoriumssitzung die Vertrauensfrage zu stellen. Diese Sitzung fand am 9. und 10. April 1990 in Leipzig statt. Unmittelbar zuvor hatte Hans Pischner seinen Rücktritt vom Amt des Vorsitzenden erklärt. Nachdem die Direktoriumsmitglieder Werner Felix mehrheitlich das Mißtrauen ausgesprochen hatten, erklärte auch dieser seinen Rücktritt. Anschließend wurde Helmuth Rilling zum neuen Vorsitzenden, Martin Petzoldt zu seinem Stellvertreter und Michael Rosenthal zum Geschäftsführenden Vorstandsmitglied gewählt.[90]

---

88 Werner Felix, *Protokoll der Mitgliederversammlung* [der Sektion DDR] *der Neuen Bachgesellschaft am 2. 10. 1988 um 9.00 Uhr im Haus der DSF in Magdeburg*, SAAdK, HPA, *1357.*
89 Hans Pischner, Brief an Ursula Ragwitz vom 14. 1. 1987, SAAdK, HPA, *1365.*
90 Zu den Ereignissen auf der Direktoriumssitzung vgl. *Bericht von der Mitgliederversammlung in München am 18. 11. 1990*, in: NBG-Mitteilungsblatt Nr. 27 (Dezember 1990), S. 1–5.

MUSIKWISSENSCHAFT IM DRITTEN REICH UND DIE BACH-FORSCHUNG: EIN ÜBERBLICK

Von Pamela Potter (Urbana, Illinois)

1. Die Situation der Musikwissenschaft zwischen 1918 und 1933

Unmittelbar nach dem ersten Weltkrieg war die Mehrzahl der deutschen Musikforscher der Meinung, die Musikwissenschaft befände sich in einer Krise. Die Sozialdemokraten forderten, daß alle staatlichen Einrichtungen als Gemeingut der Gesellschaft dienen sollten und versuchten, die Universitätsfächer nach ihrem utilitaristischen Wert abzuschätzen. Dies bedrohte natürlich die Existenz aller Geisteswissenschaften, die gerade im Vergleich zu den technischen Fächern unter finanziellen Nachteilen zu leiden hatten. Die führenden Musikgelehrten beschäftigten sich mit der Frage nach dem allgemeinen Zweck der Musikwissenschaft. Unter dem Druck, den Dienst des Faches für die Volksgemeinschaft demonstrieren zu müssen, setzten sie sich mit einer ganzen Reihe aktueller Kulturfragen und sonstiger pragmatischer Angelegenheiten auseinander. In den populärwissenschaftlichen Zeitschriften dieser Jahre findet man zahlreiche Beiträge von Musikwissenschaftlern über Musikpolitik, Musik und Gesellschaft, Laienmusik, die Jugendmusikbewegung, Hausmusik, moderne Musik, Musiktechnologie, Chorwesen, Publizistik, Militärmusik, Rundfunk, vor allem aber über Musikerziehung und musikalische Volksbildung. Dies ist um so bemerkenswerter, wenn man bedenkt, daß das Fach sich bis dahin auf die ältere Musikgeschichte, Editionen, Quellenkunde und sonstige philologische Ansätze konzentriert hatte.

Obwohl in diesen Jahren mehrere Ordinariate für Musikwissenschaft[1] eingerichtet worden waren, wurden die Aussichten für junge Musikwissenschaftler immer trüber, insbesondere in der Inflationszeit. Kriegsteilnehmer kehrten nach Hause zurück, fanden aber keine Möglichkeit, eine akademische Laufbahn einzuschlagen. So bemühten sie sich um Alternativen. Einige wurden beim Rundfunk, in der Filmindustrie oder von Schallplattenfirmen

---

1 Berlin 1904, München 1909, Bonn 1915, Halle 1918, Breslau 1920, Göttingen 1920, Leipzig 1920, Heidelberg 1921, Kiel 1928, Freiburg 1929 und Köln 1932.

angestellt.[2] Wortführer versuchten sogar, die Musikkritik zu professionalisieren mit dem Ziel, Nichtwissenschaftler aus dem Beruf auszuschließen.[3]

Die Errichtung einer neuen Regierung 1918 und 1933 sahen viele Musikwissenschaftler als Hoffnungszeichen, zumal beide Regierungen der Regulierung des Kulturlebens besondere Aufmerksamkeit widmeten. Wissenschaftler schlugen vor, der Staat solle Stellen für ausgebildete Musikwissenschaftler schaffen, zumal in der Weimarer Republik sehr viel in das Erziehungswesen investiert wurde. Der Ministerialrat Leo Kestenberg konnte sogar eine totale Reform der Schulmusikerziehung erreichen.

Nach dem Tode Hermann Kretzschmars im Jahre 1924 hatten die Musikwissenschaftler jeden Einfluß auf die Musikerziehung verloren. Trotzdem betrachteten sie sich vor allem als Erzieher, und allmählich erkannten sie ihre breitere gesellschaftliche Rolle für die Volksbildung. Die Volksbildung, vor allem das Anliegen, die Hochkultur allen Bevölkerungsschichten zugänglich zu machen, wurde ideologisch immer bedeutender, und zwar sowohl für Sozialdemokraten und Kommunisten als auch für Nationalsozialisten. Der wichtigste Unterschied bestand in der Interpretation des Begriffs Volk: Für die Nationalsozialisten bedeutete »Volk« nicht mehr »Proletarier«, sondern »Deutsche«.

Musikwissenschaftler trugen auch zur Erneuerung der deutschen Identität bei. Eines der auf längere Sicht gefährlichsten Resultate des ersten Weltkriegs war die extreme Demütigung des deutschen Volkes. Jeder spürte die Notwendigkeit, die deutsche Nation wieder als etwas Positives zu reklamieren. Musikwissenschaftler konnten viel dazu beitragen, da nationaler Stolz eng mit der glänzenden Geschichte der deutschen Musik verbunden war. Deutsche Musikwissenschaftler wandten sich mehr und mehr der deutschen Musikgeschichte zu, zum Teil um ihren potentiellen Dienst an der Volksgemeinschaft zu demonstrieren, zum Teil auch aus rein praktischen Gründen, da der Weltkrieg den Zugang zu vielen ausländischen Bibliotheken und Archiven versperrt hatte.

Für diese Zwecke spielte Johann Sebastian Bach eine bedeutende Rolle. Musikhistoriker hatten ihn schon lange dank seiner Befähigung, musikalische Elemente aus vielen verschiedenen Quellen abzuleiten und in seine

---

2 Wilhelm Twittenhoff, *Der Student der Musikwissenschaften*, in: Deutsche Tonkünstler-Zeitung 29 (1931), S. 107–108.

3 Hugo Leichtentritt, *Vom Wesen der Kritik*, in: Deutsches Musikjahrbuch 1 (1924), S. 45–51; Erich Valentin, *Existenzfragen der Berufskritik. Ein Vorschlag zur Neuorganisation des deutschen Musiklebens*, ZfM 100 (1933), S. 1022–1024; ders., *Seminar für Musikkritik*, ZfM 104 (1937), S. 280–284.

Musik einzubringen, als ein Symbol für deutsche Gründlichkeit bezeichnet. Er wurde nach und nach als der erste große deutsche Komponist verherrlicht. 1918 schrieb Alfred Einstein:

»Was er berührt, wächst unter seiner Hand zur letzten Vollendung und Größe; es wächst wie ein starker gesunder Stamm, reich, breitkronig, notwendig in der polyphonen Verzweigung bis in die feinsten melodischen Verästelungen und Blüten.«[4]

Seine Musik wurde auch für die Jugendmusikbewegung entdeckt. Die Leiter der Bewegung bemühten sich, Bachs Musik dem Volke näher zu bringen, indem sie den Thomaskantor als eine pädagogische Gestalt herausstellten.[5]

2. Die »Gleichschaltung« musikwissenschaftlicher Organisationen und Einrichtungen

Die Situation der deutschen Musikwissenschaft in den Jahren vor Hitlers Machtergreifung stellt sich etwa folgendermaßen dar: Die Existenz der Musikforscher sowie aller Kulturschaffenden war schon seit langem unsicher. Die Weimarer Regierung hat bei ihren Bemühungen, die Musikerziehung zu verbessern und andere Kulturfragen ernstzunehmen, viel erreicht; keine andere deutsche Regierung der jüngeren Vergangenheit hatte Vergleichbares geleistet. Aber die weltweite Wirtschaftkrise der zwanziger Jahre vereitelte die meisten Pläne für eine staatliche Regelung der Kulturangelegenheiten.

Der Regierungswechsel 1933 nährte neue Hoffnungen, schon bald wurde das Reichsministerium für Volksaufklärung und Propaganda eingerichtet. Noch vor Ende des Jahres kamen alle Kulturschaffenden unter die Verwaltung der Reichskulturkammer, die wiederum dem Propagandaministerium unterstand. Die Reichskulturkammer sollte alle Fragen der Anstellung, Qualifikation und Versicherung, ja sogar die Rassenfrage innerhalb der Kulturberufe regeln.[6]

---

4 Alfred Einstein, *Geschichte der Musik*, Leipzig 1920, S. 62.
5 Hermann Reichenbach, *Unsere Stellung zu Bach*, in: Musikantengilde 7 (1925), Wiederabdruck in: Die deutsche Jugendmusikbewegung, hrsg. vom Archiv der Jugendmusikbewegung e.V. Hamburg, Wolfenbüttel und Zürich 1980, S. 330–334; Felix Messerschmid, *Von Johann Sebastian Bach, unserem Meister*, in: Die Schildgenossen 6 (1924), Wiederabdruck gleichfalls in: Die deutsche Jugendmusikbewegung, S. 335–337.
6 Alan E. Steinweis, *Art, Ideology, and Economics in Nazi Germany*, Chapel Hill, North Carolina, 1993, S. 1–3.

Die wissenschaftlichen Berufe waren allerdings von diesem Schutz ausgeschlossen, und die Musikwissenschaft suchte noch immer ihren Platz in der Gesellschaft und ihr Verhältnis zum neuen System. Die Geschichte der Deutschen Musikgesellschaft und ihrer Nachfolgeorganisationen[7] schildert diese Unsicherheit ganz deutlich. Die Deutsche Musikgesellschaft war am Ende des Ersten Weltkriegs aus zwei Motiven heraus gegründet worden. Zum einen füllte sie die Lücke, die die Auflösung der Internationalen Musikgesellschaft bei Kriegsausbruch hinterlassen hatte. Zum anderen sollte sie ein größeres Interesse an der deutschen Musikgeschichte wecken.

Im Jahre 1933 wurde das Weiterbestehen der Deutschen Musikgesellschaft immer fraglicher, um so mehr, da der Schriftleiter ihrer Zeitschrift, Alfred Einstein, Jude war. Um finanzielle Nachteile zu verhindern, suchte die Gesellschaft staatlichen Schutz. Zu diesem Zweck unternahm die Gesellschaft eine »Selbstgleichschaltung«, die ihre Bereitschaft zu einer Zusammenarbeit mit der neuen Regierung unterstrich. Der erste Schritt war die Entlassung Einsteins als Schriftleiter der Zeitschrift. Daraufhin wurde die Gesellschaft in »Deutsche Gesellschaft für Musikwissenschaft« umbenannt. Nicht viel später wurde auch der Name der »Zeitschrift für Musikwissenschaft« in »Archiv für Musikforschung« geändert. Diese »neue« Gesellschaft wurde ebenfalls nach dem Führerprinzip umorganisiert. Die neue Satzung lautete:

> »Die Gesellschaft ist auf dem Führer- und Leistungsgrundsatz aufgebaut. Die Anordnungen des Präsidenten sind für die gesamte Arbeit der Gesellschaft verbindlich. Beschwerden gegen die Entscheidungen des Präsidenten sind nicht zulässig.«[8]

Die neue Gesellschaft bestand aus – einem Gruppenführer unterstellten – Fachgruppen, die sich sowohl mit wissenschaftlichen als auch eher praktischen und sogar ideologischen Aufgaben beschäftigten. Es gab beispielsweise Fachgruppen für Landeskunde, Denkmalschutz, Bibliothekswesen, Universitätswesen, vergleichende Musikwissenschaft, Opernwesen, Kirchenmusik, Verlagswesen, Rundfunk und Volkskunde. Der Präsident

---

7 Eine vollständigere Darstellung der Gründung und Gleichschaltung der Deutschen Musikgesellschaft findet sich in meinem Aufsatz *The Deutsche Musikgesellschaft, 1918–1938*, in: Journal of Musicological Research 11 (1991), S. 151–176.

8 *Satzung der Deutschen Gesellschaft für Musikwissenschaft (früher 'Deutsche Musikgesellschaft')*, Bayerische Staatsbibliothek München, Handschriften- und Inkunabelabteilung, Otto Ursprung Nachlaß, *Ana 343*.

der Gesellschaft, Arnold Schering, schrieb an Propagandaminister Goebbels:

»Dem Herrn Reichsminister für Volksaufklärung und Propaganda senden die in Leipzig zur Neuorganisation der 'Deutschen Gesellschaft für Musikwissenschaft' versammelten Vertreter der Musikwissenschaft von 18 deutschen Universitäten und Hochschulen Treuegelöbnis und ehrerbietigen Gruß. Sie bekunden den freudigen Willen, weiterhin mit dem Einsatz ihrer ganzen Kraft am Neuaufbau der deutschen Kultur mitzuarbeiten, und sind sich der hohen Verantwortung bewußt, die ihnen zu ihrem Teil an der Verwaltung und Mehrung der unvergänglichen musikalischen Kulturgüter unseres Volkes auferlegt ist.«[9]

Trotz Scherings indirektem Bittschreiben wurde die Gesellschaft nicht unter den Schutz des Propagandaministeriums gestellt. Die Gesellschaft sah sich gezwungen, einen neuen Antrag, diesmal an das Erziehungsministerium, zu stellen. Dies geschah im Jahr 1938, als der neue Präsident Ludwig Schiedermair die Gesellschaft auflöste und – diesmal unter dem Schutz des Reichserziehungsministeriums – wiedergründete. Mit der Unterstützung des Ministeriums kam die Gesellschaft ihrem Ziel, mit dem Dritten Reich zusammenzuarbeiten, näher. Diese Zielsetzung unterstrich sie mit der Organisation des ersten musikwissenschaftlichen Kongresses im neuen Reich. Dieser Kongreß war eine Veranstaltung der ersten Reichsmusiktage in Düsseldorf, wo gleichzeitig die schändliche Ausstellung »Entartete Musik« stattfand. Als Schwerpunkt des Kongresses wurde – auf einen Vorschlag von Goebbels – das Thema »Musik und Rasse« festgesetzt.[10]

Umformungen und Umbenennungen solcher Art kamen in der NS-Zeit häufig vor. Sie vermitteln ein Bild vom kulturellen und wissenschaftlichen Aufschwung im neuen Staat. Entsprechend verlief die Geschichte des nationalen musikwissenschaftlichen Instituts.[11] Diese Einrichtung wurde

---

9 Arnold Schering an Joseph Goebbels, Brief vom 26. Nov. 1933, Bundesarchiv Koblenz (im Folgenden: Koblenz BA) R 55/1141.

10 Peter Seifert, Musik und Rasse, in: Düsseldorfer Nachrichten vom 28. Mai 1938, Wiederabdruck in: Entartete Musik. Zur Düsseldorfer Ausstellung von 1938. Eine kommentierte Rekonstruktion von Albrecht Dümling und Peter Girth, Düsseldorf 1988, S. XVIII. Siehe auch meinen Aufsatz Wissenschaftler im Zwiespalt: Die Düsseldorfer Tagung der 'Deutschen Gesellschaft für Musikwissenschaft' 1938, ebenda, S. 62–66, und das Programm der Sitzung in: Archiv für Musikforschung 3 (1938), S. 254–255, unter Mitteilungen.

11 Eine detaillierte Darstellung findet sich im 5. Kapitel meiner ungedruckten Dissertation Trends in German Musicology, 1918–1945: The Effects of Methodological, Ideological, and Institutional Change on the Writing of Music History, Yale University, New Haven (Conn.) 1991.

1917 als »Fürstliches Institut für musikwissenschaftliche Forschung zu Bückeburg« unter der Schirmherrschaft des Fürsten zu Schaumburg-Lippe gegründet. Es diente als Herausgeber einer musikwissenschaftlichen Zeitschrift (*Archiv für Musikwissenschaft*), war Sitz eines wichtigen Quellen-katalogs und Betreuer wissenschaftlicher Veröffentlichungen. Als Folge der November-Revolution fiel die fürstliche Unterstützung fort, und im Laufe der zwanziger Jahre kam das Institut als private Organisation in eine immer schwierigere finanzielle Lage. 1926 mußte die Zeitschrift ihr Erscheinen einstellen, auch nahmen die Aktivitäten des Instituts immer weiter ab.

Das Institut hatte mehrmals erfolglos versucht, staatliche Subventionen zu erhalten. Erst nach der Machtergreifung 1933 wandte die Regierung ihre Aufmerksamkeit dem Institut zu und erkannte den Ernst der Lage. Es wurde vereinbart, das Institut als einen Zweig des Reichserziehungs-ministeriums nach Berlin zu verlegen und seine Tätigkeitsfelder zu erwei-tern. Das Institut wurde in »Staatliches Institut für deutsche Musik-forschung« umbenannt und sollte – als Zentralstelle aller musikwissen-schaftlichen Angelegenheiten – ein Instrument des Erziehungsministeriums zur Gleichschaltung der deutschen Musikwissenschaft sein. Um dieses Ziel zu erreichen, wurden dem Institut die Musikinstrumentensammlung der Berliner Hochschule, das Deutsche Volksliedarchiv in Berlin, die Zeitschrift der Deutschen Gesellschaft für Musikwissenschaft und vor allem die Denkmälerausgaben des Deutschen und später »Großdeutschen« Reichs überlassen. Die Projekte »Denkmäler deutscher Tonkunst«, »Denkmäler der Tonkunst in Bayern«, »Denkmäler der Tonkunst in Österreich« und noch eine Reihe von anderen kleineren regionalen Denkmäler-Ausgaben wurden vom Institut übernommen und als »Erbe Deutscher Musik« unter die Leitung Heinrich Besselers gestellt. Dieser neue Name hatte ideologi-sche Bedeutung, wie Besseler erklärte:

»Mit dem neuen Titel ist eine bestimmte Grundauffassung angedeutet, aus der das Ziel und die organisatorischen Einzelheiten des Reichsunternehmens einheitlich zu verstehen sind. Die deutsche Musikwissenschaft bekennt sich zu der wesentlichsten Aufgabe, die ihr – soweit sie Geschichtsforschung ist – im völkischen Lebensraum erwächst: sie trägt die Verantwortung für das Erbe. Sie will das Überkommene nicht als monumentalen Besitz aufspeichern, sondern seine lebendige Aneignung fördern, die aus der Vergangenheit wirkenden Kräfte nutzbar machen und für die Gestaltung der Zukunft einsetzen. So liegt, wenn hier vom Erbe deutscher Musik gesprochen wird, der Ton auf dem '... Erwirb es, um es zu besitzen'.«[12]

Diese Äußerung spiegelt die Herausforderung der deutschen Musikwissenschaft seit Ende des ersten Weltkriegs wider. Unter dem Druck, irgendwie »nützlich« zu sein, zeigte sich die Musikwissenschaft bereit, der »Volksgemeinschaft« zu dienen und sah ihre größten Erfolgschancen in der Rolle als Lieferant alter Musik. Musikwissenschaftler waren schon seit geraumer Zeit mit der Erforschung und Herausgabe alter Musik beschäftigt. Die Wirtschaftskrise und das wachsende Interesse an nicht-professioneller Musikausübung schufen einen großen Bedarf an leicht ausführbarer Musik. Die Wiederentdeckung der deutschen Kleinmeister und deren Musik trug zum Nationalstolz bei. Die Neuorientierung der Denkmälerausgaben sowie die Gründung einer neuen Zeitschrift namens »Deutsche Musikkultur« waren weitere Versuche des Instituts, der Volksgemeinschaft zu nutzen. Heinrich Besseler faßt dieses Ziel in die Worte:

> »Die deutsche Musikwissenschaft benötigt zur Durchführung ihrer Aufgaben zwei verschiedene Organe: eine Fachzeitschrift, die über das gesamtdeutsche Gebiet und die kulturverwandten Länder zu wirken hat, und eine neue Musikzeitschrift, die im nationalsozialistischen Deutschland die Verbindung von Wissenschaft und Leben herstellt.«[13]

Die Gründung oder, besser gesagt, die Umgestaltung musikwissenschaftlicher Organisationen und Institutionen hatte auch den Vorteil, neue Arbeitsplätze für Musikwissenschaftler zu schaffen. Der schon seit 1918 ausgedrückte Wunsch nach genügend Stellen für junge Wissenschaftler ließ sich erst im Dritten Reich realisieren. Neue Arbeitskräfte wurden gebraucht – nicht nur als Folge der totalen Verwaltung der kulturellen Angelegenheiten innerhalb des Propagandaministeriums, sondern auch, wie oben am Beispiel des Musikwissenschaftlichen Instituts illustriert, als Folge der Initiativen des Erziehungsministeriums. Der Staat war jedoch nicht der einzige Schöpfer beruflicher Alternativen für junge Musikwissenschaftler; die verschiedenen Bereiche der Partei spielten dabei gleichfalls eine große Rolle. Die Komplexität der Machtverhältnisse zwischen Partei und Staat führte zu einem Netzwerk von miteinander konkurrierenden Organisatio-

---

12 Heinrich Besseler, *Die Neuordnung des musikalischen Denkmalwesens*, in: Deutsche Wissenschaft, Erziehung und Volksbildung. Amtsblatt des Reichs- und Preußischen Ministeriums für Wissenschaft, Erziehung und Volksbildung und der Unterrichtsverwaltung der anderen Länder 1 (1935), S. 187.
13 Rundschreiben Heinrich Besselers vom Juli 1935 an einige Kollegen, Archiv des Staatlichen Instituts für Musikforschung – Preußischer Kulturbesitz, Berlin.

nen im kulturellen Bereich. Als Folge hiervon gab es ein reiches Angebot an Stellen, Forschungsaufträgen und sonstigen Arbeitsmöglichkeiten außerhalb der Universität.

Seit 1937 kamen Musikwissenschaftler in den Genuß finanzieller Unterstützung durch Partei- und Reichsorganisationen. Forscher, die bereit waren, sich mit ideologisch passenden Aufgaben zu beschäftigen, fanden nahezu unbegrenzt Möglichkeiten, für Staat und Partei zu arbeiten. Himmler hatte als Laienhistoriker ein besonderes Interesse an der Frühgeschichte und formte das SS-»Ahnenerbe«[14], eine interdisziplinäre Forschungsstiftung. Hier versuchten Wissenschaftler aus allen Bereichen ein tieferes und besseres Verständnis für die germanische Rasse zu erreichen. So hatte Himmler beispielsweise ein reges Interesse an Gregorianik und finanzierte deshalb Forschungsprojekte und Veröffentlichungen, die die »germanischen« Eigenschaften des Gesangs untersuchten.[15] Forscher, die sich etwa für die Volksmusik der Auslandsdeutschen oder für die Musik der prähistorischen Germanen interessierten, hatten reichlich Gelegenheit, Aufträge des SS-»Ahnenerbe« zu erhalten.

Alfred Rosenberg stellte weitere Arbeitsmöglichkeiten für junge Musikwissenschaftler zur Verfügung. Als »Beauftragter des Führers für die Überwachung der gesamten geistigen und weltanschaulichen Schulung und Erziehung der NSDAP«, gründete er die sogenannte Reichsüberwachungsstelle oder das »Amt Rosenberg« mit einer eigenen Dienststelle für Musik. Rosenberg beauftragte Dutzende von Musikwissenschaftlern mit verschiedenen Aufgaben. Sie bewerteten musikwissenschaftliche Veröffentlichungen auf ihre Eignung zur Erziehung junger Nationalsozialisten; sie lieferten Daten über prominente Juden für das *Lexikon der Juden in der Musik*, herausgegeben vom Amt Rosenberg; sie nahmen auch an der Vorbereitung eines großen Musiklexikons teil. Hierzu heißt es in einem Tätigkeitsbericht der Musikabteilung im Amt Rosenberg:

»Das Ziel dieser Arbeiten ist, möglichst bald schon eines im Sinne unserer Weltanschauung neu gestalteten umfangreichen Musiklexikons [sic] zu veröf-

---

14 Michael H. Kater, *Das »Ahnenerbe« der SS 1935–1945. Ein Beitrag zur Kulturpolitik des Dritten Reiches*, Stuttgart 1974 (Studien zur Zeitgeschichte, hrsg. vom Institut für Zeitgeschichte), S. 17–24 und 47–53.

15 »Ahnenerbe« an Widukind Verlag, 4. März 1938; »Ahnenerbe« an Vieweg Verlag, 24. August 1938; *Betr.: Müller-Blattau* [undatiert]; Reichsgeschäftsführer an Walther Wüst (»Ahnenerbe«) vom 24. März 1938; alle Dokumente im Berlin Document Center, *Akte Müller-Blattau*. Alfred Quellmalz an Kallmeyer Verlag, 1. Juni 1943, Koblenz BA, *NS 21/220*.

fentlichen, das wiederum den Ausgangspunkt für die kommende enzyklopädische Zusammenfassung des ganzen Stoffgebietes bilden soll. Die Durchführung dieser Arbeiten ist vordringlich, weil in den derzeitigen wissenschaftlichen Darstellungen ebenso wie in den für Schulungszwecke und im Unterricht herangezogenen Büchern folgenschwere Fehlmeinungen enthalten sind, die durch unsere Tätigkeit ausgemerzt werden sollen.«[16]

Musikwissenschaftler wurden auch bei der Planung einer nationalsozialistischen Elite-Universität, der »Hohen Schule der Partei«, um Rat gefragt.

Die Musikabteilung des Amts Rosenberg war in Rosenbergs Einsatzstab eingebunden. Die Tätigkeit des »Einsatzstabs Reichsleiter Rosenberg« und des zugehörigen »Sonderstabs Musik« bestand vor allem in der Beschlagnahmung wertvoller Kulturgüter in den besetzten Gebieten. Die Konfiszierungen sollten der »Hohen Schule der Partei« und der Bereicherung deutscher Bibliotheken und Museen dienen.[17] Dies war Rosenbergs erfolgreichste Unternehmung. Der Sonderstab Musik beauftragte viele bekannte Musikwissenschaftler damit, in Polen, Belgien, Frankreich, den Niederlanden und im Baltikum alte Handschriften und Drucke, Dokumente und Instrumente auf ihren musikhistorischen Wert abzuschätzen und den Ort für eine Neuaufstellung im Deutschen Reich zu bestimmen. Diese Tätigkeit sahen viele Musikwissenschaftler als einen Weg, ihren Einfluß im Kulturleben neuer Territorien geltend zu machen. Zwar waren sie in der Weimarer Republik und im Dritten Reich aus der aktiven Kulturpolitik ausgeschlossen, doch dank ihrer Kenntnisse über die Musikgeschichte der besetzten Nachbarländer bot sich ihnen die Möglichkeit, maßgeblich im vergrößerten Reich zu wirken.

3. Die Musikgeschichtsschreibung ab 1918

Vor einer Zusammenfassung der Grundzüge der Musikforschung und Musikgeschichtsschreibung im Dritten Reich müssen wir uns vergegenwärtigen, daß ein Großteil dieser Entwicklungen nicht erst im Jahre 1933 einsetzte.[18] Vielmehr lassen sich ähnliche Tendenzen schon in den zwanziger

---

16 *Betrifft: Hauptstelle Musik – Aufgaben und Arbeiten laut Schreiben des Reichsleiters vom 14. Mai 1940*, Koblenz BA, *NS 15/189*.

17 Reinhard Bollmus, *Das Amt Rosenberg und seine Gegner. Zum Machtkampf im nationalsozialistischen Herrschaftssystem*, Stuttgart 1970 (Studien zur Zeitgeschichte, hrsg. vom Institut für Zeitgeschichte), S. 145–151.

18 Ausgeklammert werden hier die nicht historisch orientierten Zweige des Fachs, die systematische und die vergleichende Musikwissenschaft. Unberücksichtigt

Jahren und selbst im 19. Jahrhundert finden. Ferner hatte die Musikwissenschaft immer zwei Gesichter, sowohl in der Weimarer Republik als auch in der NS-Zeit. Die Wissenschaft alten Stils versiegte nicht völlig, und die oben angeführten populärwissenschaftlichen Veröffentlichungen stellen die andere Seite dar. Nach 1933 überschneiden sich die beiden Bereiche jedoch stärker, bedingt durch die Weiterentwicklung der Idee eines »Dienstes an der Volksgemeinschaft« und die wachsende Bereitschaft der Wissenschaftler, für ein breiteres Publikum zu schreiben.

Während des Ersten Weltkriegs waren die Musikwissenschaftler, wie erwähnt, mehr oder weniger gezwungen, sich mit der deutschen Musikgeschichte zu beschäftigen. Nach dem Krieg gab es politische Gründe, die eine weitere Untersuchung der deutschen Musik rechtfertigen sollten: Das Volk war zersplittert und der Nationalstolz verwundet. Die Wiederentdeckung alter deutscher Musik konnte viel dazu beitragen, das Deutschtum als etwas Positives zu definieren. Die erste vollständige Geschichte der deutschen Musik, geschrieben von Hans Joachim Moser, erschien in den frühen zwanziger Jahren. Die Geschichte nicht nur zu beschreiben, sondern der Versuch, die Superiorität der deutschen Musik herauszustellen, wurde immer mehr zum zentralen Anliegen der Musikgeschichtsschreibung der zwanziger, dreißiger und vierziger Jahre.

In diesem Zusammenhang versuchten viele Musikhistoriker, »das Deutsche« in der Musik zu bestimmen. Hierzu gab es zahlreiche Ansätze. Man versuchte, die deutsche Musikgeschichte als eine organische Entwicklung darzustellen, mit der Tendenz, große Komponisten verschiedener Epochen – Bach und Beethoven, Bach und Wagner, Bach und Schumann und so weiter – historisch zu verknüpfen, um musikalische Gemeinsamkeiten zu finden. Die Methoden der Rassenforschung wurden angewendet, um musikalisches Talent sowie bestimmte angeblich deutsche Neigungen zur Mehrstimmigkeit, zur Dur-Tonalität und sonstige »männliche« musikalische Eigenschaften in der Musikgeschichte zu isolieren. Die Zeit war Versuchen, Methoden der Rassenforschung zu entwickeln, gewogen. Die Methoden blieben aber, wie Friedrich Blume darlegt[19], sehr umstritten. Die meisten Musikwissenschaftler haben sich dabei vorwiegend mit der Untersuchung der musikalischen Eigenschaften der germanischen und

---

muß auch die Volksliedforschung bleiben, obwohl gerade sie in jenen Jahren große Fortschritte erzielen konnte.

19 Friedrich Blume, *Das Rasseproblem in der Musik. Entwurf zu einer Methodologie musikwissenschaftlicher Rasseforschung*, Wolfenbüttel 1939. Das Buch erweist sich als eine zwiespältige Auseinandersetzung mit der Problematik.

nordischen Rasse beschäftigt, und eher selten versucht, eine rassisch bedingte Minderwertigkeit der jüdischen Musik beweisen zu wollen.

Ein weiterer Grundzug der Musikgeschichtsschreibung zeigt sich in der Regionalforschung. Hierfür gab es gewiß auch praktische Gründe. Man konnte den sogenannten Lokalpatriotismus nutzen, um sich finanzielle Beihilfen von Ländern, Städten und Stiftungen zu verschaffen. Regionalstudien hatten aber auch den Vorteil, daß man es vermeiden konnte, den problematischen Begriff des Deutschtums in der Musik zu definieren. Man konnte die regionalen Eigenheiten schildern und ihr Deutschtum einfach als »ein bestimmtes Etwas« bezeichnen.

Die Erkenntnisse über die deutsche Musikgeschichte wurden auch in der Lebensraum- und Kriegspropaganda benutzt. Dabei gab es eine merkwürdige Tendenz am Ende der dreißiger Jahre. Musikwissenschaftler beschäftigten sich verstärkt mit Themen, die den aktuellen Entwicklungen in Hitlers Außenpolitik genau entsprachen: Im Jahr 1938 findet sich eine ganze Reihe von Artikeln über die Musikgeschichte und den jahrhundertelangen Einfluß deutscher Musiker im Sudetenland. Im gleichen Jahr stieg das Interesse am österreichischen Anteil an der deutschen Musikgeschichte sprunghaft. Zu Kriegsbeginn gab es mehrere Versuche, die polnische Musikgeschichte in Einklang mit der deutschen Kultur zu bringen. Diese Bemühungen wurden erweitert durch Versuche, die »rassische« Minderwertigkeit Englands und Amerikas gerade durch ihre Musikgeschichte zu beweisen.

4. Die Bach-Forschung im Dritten Reich

In der Bach-Forschung findet man in den Jahren von 1933 bis 1945 die beiden Gesichter der deutschen Musikwissenschaft wieder. Auf der einen Seite sind einige Werke mit wissenschaftlichem Anspruch erschienen, darunter Briefsammlungen, Quellenkataloge, Werkanalysen oder Scherings bedeutendes Buch »Über Kantaten Johann Sebastian Bachs« (Leipzig 1942). Gleichzeitig strebten Musikwissenschaftler nach einer Annäherung zwischen Bach und dem großen Publikum. Eine ganze Reihe von Musikwissenschaftlern versuchte, Bach als Pädagogen und damit seine Bedeutung für die deutsche Nation herauszustellen. Da man Bach lange als einen Übermenschen idealisiert hatte, mußte man nun wieder beginnen, Bach als Mensch darzustellen. Die Musikwissenschaft forderte das Laienpublikum auf, sich nicht von Bach zu distanzieren, sondern vielmehr seine Werke in die Hausmusikpraxis und die allgemeine Erziehung einzubringen.[20]

Es gab natürlich auch »wissenschaftliche« Aufgaben nationalsozialistischen Charakters. So hat man die Wiederentdeckung Bachs im 19. Jahrhundert gründlich untersucht, um zu beweisen, daß der Jude Felix Mendelssohn hierbei eine geringere Rolle gespielt habe, als ihm bislang zugeschrieben wurde.[21] Andere interessierten sich für die Sippenforschung. Meistens wurden Bachs Werke aber in der Absicht untersucht, das deutsche Wesen zu identifizieren.[22]

Einige Bachsche Werke mußten aber auch »gereinigt« werden, um der nationalsozialistischen Weltanschauung zu entsprechen. 1940 rief der Leiter der Musikabteilung im Propagandaministerium eine »Reichsstelle für Musikbearbeitungen« ins Leben mit dem Ziel, die Zahl der für deutsche Bühnen geeigneten Werke zu erhöhen. Als stellvertretender Leiter wurde der Musikwissenschaftler Hans Joachim Moser berufen mit der Aufgabe, Aufträge für Neukompositionen sowie Überarbeitungen älterer Werke an Tonkünstler, Librettisten und Musikforscher zu vergeben. Schon 1943 arbeitete die Reichsstelle an Umarbeitungen von Operetten, deren Handlung in Polen spielte und daher nach Deutschland verlegt werden mußte. Auch war eine Neutextierung von Händels alttestamentarischen Oratorien geplant. Gleiches war für diejenigen Kirchenkantaten Bachs vorgesehen, »die durch pietistische Pastorendichtungen unleidlich geworden sind, von denen aber weltliche Erstformen noch unverkennbar durchschimmern.«[23] Bach war zwar eine große Figur im deutschen Kulturleben, aber auch er hatte während seines Lebens einige »Fehler« begangen.

Allgemein gesehen ist das wissenschaftliche Interesse an Bach im Dritten Reich weder gestiegen noch gesunken. Neue Tendenzen der Bach-Forschung sind weitgehend eine Weiterentwicklung eines volkstümlichen Bach-Bildes, das schon in den zwanziger Jahren in der Jugend- und Hausmusikbewegung anzutreffen war. Versuche wie die »Entjudung« der Wiederentdeckung Bachs im 19. Jahrhundert, die sprachliche »Reinigung«

---

20 Siehe beispielsweise Hans Joachim Moser, *Bach und wir*, in: Die Musik 27/5 (Februar 1935), S. 330–335.

21 Friedrich Baser, *Wer hat die Wiederkunft J. S. Bachs vorbereitet?*, in: Die Musik 29/8 (Mai 1937), S. 554–556.

22 Siehe beispielsweise Hans Joachim Moser, *Bach und Wagner*, ZfM 102 (1935), S. 856–863; Friedrich Blume, *Bachs Leben*, MuK 7 (1935), S. 97–104; Karl Hasse, *Zu Bachs Matthäuspassion*, ZfM 104 (1937), S. 672–674.

23 Heinz Drewes, *Die Reichsstelle für Musikbearbeitungen*, AMZ 70 (1943), S. 25–26.

seiner Werke und die Ahnenforschung waren nicht auf die Bach-Forschung beschränkt. Vielmehr wurde jeder große Meister nach diesem Muster behandelt. Um eine nationalsozialistische Bach-Forschung dingfest zu machen, wäre es wohl einfacher, die Bach-Forschung nach dem zweiten Weltkrieg zu betrachten. So können wir beobachten, wie die Wissenschaft selbst »entnazifiziert« wurde, welche Richtungen der Bach-Forschung unmittelbar nach 1945 an Bedeutung verloren haben und somit als nationalsozialistische Tendenzen angesehen wurden.

KARL STRAUBE ZWISCHEN KIRCHENMUSIK UND KULTURPOLITIK: ZU DEN RUNDFUNKSENDUNGEN DER BACH-KANTATEN 1931–1937

Von Maria Hübner (Leipzig)

In einer Diktatur ein öffentliches Amt auszuüben bedeutet Anpassung an das herrschende Diktat oder – möglicherweise – eine Gratwanderung aus Verantwortlichkeit, ein dehnbarer Begriff.

Karl Straube war in Leipzig Thomaskantor von 1918 bis 1939, eine Zeitspanne, die mit dem Ende des Ersten und dem Beginn des Zweiten Weltkrieges markiert wird. 1931 wurde Straube mit der Realisierung eines großen Rundfunkprojekts betraut. Über einen Zeitraum von fünf Jahren sollte jeden Sonntag eine Bach-Kantate mit dem Thomanerchor im Mitteldeutschen Rundfunk übertragen werden. Die erste Sendung dieses Zyklus erfolgte am ersten Ostertag 1931 mit der Kantate »Christ lag in Todes Banden«, BWV 4. Abgeschlossen wurde dieses Projekt jedoch erst nach fast sieben Jahren, am vierten Advent 1937 mit dem »Gloria in excelsis Deo«, BWV 191.[1] Die Sendungen der Bach-Kantaten können heute neben dem

---

1 Im Rahmen dieser Arbeit entstand ein Verzeichnis der Rundfunkaufnahmen mit Karl Straube (Bach-Archiv Leipzig, Bibliothek). Folgende Quellen wurden verwendet: a. Die Rundfunkzeitschriften *Mirag* 1931/33 und 1935; *Funk alle Tage* 1936; *Funkstunde* 1937 (Deutsche Bücherei Leipzig); b. *Joh. Seb. Bachs Kantatentexte*, hrsg. von Rudolf Wustmann, Leipzig 1913, mit von Straube handschriftlich vermerkten Aufführungsdaten der Rundfunkaufnahmen (Bach-Archiv Leipzig, Bibliothek); c. Programmsammlung der Thomaner (Thomasalumnat Leipzig) mit vereinzelten handschriftlichen Hinweisen zu den Kantatensendungen; d. *Bach-Gesamtausgabe* (Thomasalumnat Leipzig) mit handschriftlichen Vermerken Straubes. – Die Quellen c und d sind nur sehr unvollständig erhalten. Vor den Rundfunkaufnahmen wurden die Kantaten, häufig jedoch nur einige Sätze, im Gottesdienst musiziert. Nicht selten kamen im Gottesdienst ganz andere Werke zur Aufführung (Quelle c). Zu Konflikten zwischen der Kirchenleitung und Straube siehe auch Günther Stiller, *Johann Sebastian Bachs Kantaten in den Leipziger Gottesdiensten unter dem Thomaskantorat von Karl Straube und Günther Ramin*, in: Johann Sebastian Bach, Ende und Anfang. Gedenkschrift zum 75. Geburtstag des Thomaskantors Günther Ramin, hrsg. von Diethard Hellmann, Wiesbaden 1973, S. 27–50. – Die Sendungen wurden direkt übertragen, 1931 aus dem Saal des Grassimuseums oder aus dem Gewandhaus. Entgegen der Ankündigung in der Rundfunkzeitschrift fanden die Übertragungen vorerst nicht aus der Thomaskirche statt. Aus Quelle c sind weiterhin folgende Aufnahmeorte zu entnehmen: 1932 alle Kantaten im Gewandhaus, 1933 im Gewandhaus und im Grassimuseum, gelegentlich im Saal

rundfunkgeschichtlichen Aspekt als ein Ereignis zur Wirkungsgeschichte der Musik Bachs gewertet werden. Zum ersten Mal entstanden Tondokumente[2] von der Klangkultur des Thomanerchores mit Orchester, und es wurde ein bis dahin unvorstellbar breiter Zuhörerkreis erreicht. Diese Sendungen des Mitteldeutschen Rundfunks übernahmen, zumindest in den ersten Jahren, auch die anderen deutschen Sender, der österreichische, finnische, holländische und tschechische Rundfunk. Es sollen gar Übertragungen außerhalb Europas ermöglicht worden sein. Erhalten blieben von diesen Aufnahmen, soweit bislang bekannt, ein großer Teil aus dem ersten Sendejahr und drei Aufnahmen aus späteren Jahren.

Im Bach-Archiv Leipzig werden Schellackplatten von 23 Kantaten[3] aufbewahrt, leider oftmals unvollständig und in der Tonqualität sehr schwankend. Doch schon diese bruchstückhafte Überlieferung läßt Straube als einen profilierten und für damalige Verhältnisse historisch orientierten Bach-Interpreten in Erscheinung treten.[4]

In den ersten drei Jahren wird die Bach-Kantate regelmäßig, jeweils sonntags 11.30 Uhr, gesendet. Straube wählte Kantaten aus verschiedenen Jahrgängen. Auffallend ist die weitestgehend mögliche Einhaltung der de tempore-Bestimmung, die für Straubes liturgisches Anliegen spricht. Größere Sendelücken treten nur in den Sommerferien auf, in einigen Wochen im Oktober – hier ging der Chor auf Konzertreisen – und in der Passionszeit 1932. Innerhalb der ersten drei Jahre läßt sich sogar eine Erhöhung der Anzahl der gesendeten Kantaten feststellen:

---

des Konservatoriums. In den noch erhaltenen Programmheften der Jahre 1935 und 1937 sind keine Hinweise auf Aufnahmeorte zu finden.

2 Die Motettensätze »Alles, was Odem hat« aus BWV 225, »Der aber die Herzen forschet«, »Du heilige Brunst, süßer Trost« aus BWV 226 und »Dir, dir, Jehova« BWV 299 (mit improvisiertem Orgelvorspiel) wurden nach Auskunft von Ekkehard Tietze 1927 (oder 1926) aufgenommen. Tietze sang damals mit. Er erinnert sich 1992, daß das Vorspiel zu BWV 299 von Helmut Walcha, Vertreter Ramins im Amt des Thomasorganisten, ausgeführt wurde. Die Angaben zur Schallplatte »775 Jahre Thomanerchor Leipzig« (Aufnahmejahr 1942, Orgelvorspiel ausgeführt von Straube) sind offenbar falsch.

3 BWV 11, 17, 26, 44, 67, 68, 70, 75, 76, 77, 79, 86, 93, 95, 97, 100, 104, 108, 109, 135, 139, 176, 177 (alle aus dem Jahr 1931), weiterhin im Deutschen Rundfunkarchiv Frankfurt/M.: BWV 103 (1931), BWV 80 (1932), BWV 30 (1937), BWV 34 (1939?).

4 Maria Hübner, *Zur Aufführung der Werke Bachs durch Karl Straube*, MuK 63 (1993), S. 319–327, und 64 (1994), S. 24–32. Bei der Wissenschaftlichen Konferenz erklang das Tonbeispiel: Eingangschor der Kantate »Ach wie flüchtig, ach wie nichtig« BWV 26.

1931: 31 Kantaten und das Weihnachtsoratorium
1932: 41 Kantaten und die Matthäus-Passion
1933: 45 Kantaten

Auf die Bereitschaft seitens des Rundfunks, alle Möglichkeiten eines solchen Projektes auszuschöpfen, weisen auch die Sendungen zum Himmelfahrtstag (1931/34), zum Bußtag (1933) und die Ausweitung der Sendungen auf den zweiten Oster-, Pfingst- und Weihnachtstag ab 1932. Bis einschließlich 1933, dem Jahr der faschistischen Machtergreifung, konnte Straube ungehindert arbeiten und fand volle Unterstützung beim Rundfunk.

Bei den Nationalsozialisten hatte Straubes Ansehen jedoch bereits gelitten, weil er das sogenannte »Hindenburg-Comité« unterzeichnet hatte. Diese Aktion, veröffentlicht in Zeitungen und durch Plakatierung, sollte vor der Wahl Hitlers warnen.[5] Der Konflikt spitzte sich 1933 zu, als die nationalsozialistischen Mitglieder der Stadtverordneten in Leipzig gegen die »Position Kirchenmusik« stimmten.[6] Straube reagierte auf die drohende Verstaatlichung des Chores mit dem Eintritt in die Partei; ein Schritt, der ihm heute mancherseits heftige Kritik einbringt.[7] Am Rande sei vermerkt, daß ein gelegentlich genannter früherer Parteieintritt offensichtlich auf einer Namensverwechslung beruht. Der Eintritt am 1. Mai 1933 ist dokumentarisch nachweisbar.[8]

---

5 Siehe Rehabilitierungsgesuch Straubes vom 18. November 1945 (Eingangsstempel), Bach-Archiv Leipzig, Straube-Nachlaß, veröffentlicht in MuK 62 (1992), S. 157–163; siehe auch Heinrich Fleischer, Eidesstattliche Erklärung vom 29. 10. 1945 (Anlage zum Rehabilitierungsgesuch).

6 Die Unterlagen zu dieser Stadtverordnetenversammlung vor dem 1. Mai 1933 sind nicht erhalten. Erhalten ist jedoch das Protokoll einer der nächsten Sitzungen vom 31. Mai 1933. Hier geht es nochmals um die Verteilung von Finanzmitteln an »kulturelle Körperschaften«. Folgendes Zitat gibt Einblick in die Atmosphäre der Stadtverordnetenversammlung: »Wir Nationalsozialisten können uns erst dann mit der Auszahlung der Gelder an diese Körperschaften einverstanden erklären, wenn die Gewähr vorhanden ist, daß die Leitung dieser kulturellen Körperschaften auch tatsächlich im Sinne der nationalen Revolution umgestaltet worden ist.« Es folgte ein entsprechender Antrag, der angenommen wurde gegen die Stimmen der SPD-Fraktion. Kurz danach wurde die SPD verboten (Stadtarchiv Leipzig).

7 Vgl. Günter Hartmann, *Karl Straube und seine Schule: »Das Ganze ist ein Mythos«,* Bonn 1991. Eine Gegendarstellung zu der von Hartmann vertretenen Auffassung in MuK 62 (1992), S. 154–156, verfaßt von Zeitzeugen.

8 Als Dokument für den frühen Parteieintritt verwendet Hartmann (*Karl Straube – ein »Altgardist der NSDAP«,* Lahnstein 1994, S. 62) eine Vorschlagsliste für die Verleihung der Goethe-Medaille 1938. Straubes Parteieintrittsdatum wurde hier mit Sicherheit falsch angegeben oder verwechselt. Ein in der Gegendarstellung

Nach dem Krieg berichtet Karl Straube über seinen Parteieintritt:

»Und wenn ich noch einmal vor der gleichen Lage stünde, so müßte ich die gleiche Entscheidung auf mich nehmen. ... Der Tag des Eintritts in die Partei gehört zu den dunkelsten meines Lebens. Der Entschluß zu dieser Erniedrigung ist mir sehr schwer gewesen. Aber der Chor ist gerettet worden. Irgendwelche Beziehungen zu der Partei habe ich niemals gehabt. Allen Versammlungen, ganz gleich ob in großer oder kleiner Form, bin ich ferngeblieben. Alle Einladungen von Hitler und Ley, zu ihren Festlichkeiten nach Berlin zu kommen, habe ich abgelehnt. Ähnliche Aufforderungen der nat.-soz. Oberbürgermeister und Ratsherren in Leipzig erfuhren die gleiche Behandlung.«[9]

Straube nennt nun im weiteren einen der Gründe, weshalb der Thomanerchor den Nazis ein Dorn im Auge war:

»Der Groll des Herrn Reichsstatthalters mag seine Ursache darin gehabt haben, daß der von 1931 ab durch den Sender Leipzig gesandte Cyclus aller ... Kirchenkantaten von J.S. Bach seit jenem Potsdamer Tage einen Mittelpunkt bildete für jene Menschen, die den Nationalsozialismus als undeutsch verabscheuten. Diese sammelten sich um die hohen und reinen Klänge der deutschen Kunst des großen Thomaskantors, die solchen Zuhörern Kraft, Trost und Hoffnung für eine bessere Zukunft unseres Volkes schenkte.«[10]

Diese Schwierigkeiten können anhand einer Durchsicht der damaligen Rundfunkprogramme bestätigt werden. 1934 ist ein markanter Rückgang der im Rundfunk gesendeten Kantaten feststellbar. Die Anzahl sinkt auf 20, weniger als die Hälfte gegenüber dem Vorjahr. Bis Ostern finden Sendungen noch im bisherigen Rahmen statt. Eine Pause tritt nur an fünf Sonntagen in der Passionszeit auf. Nach Ostern aber wird die Regelmäßigkeit der Sendungen erheblich gestört. Unübersehbar ist hier ein Zusammenhang mit der Verstaatlichung der »Mitteldeutschen Rundfunk AG« zum »Reichssender Leipzig« am 1. April 1934, die gravierende Personalumbesetzungen zur Folge hatte. Im günstigsten Falle finden die Kantatensendungen nur noch alle zwei Wochen statt. Es kommt aber auch zu Pausen von drei oder vier Wochen (außerhalb der Ferien- oder Reisezeit). Ein weiterer Hinweis auf gezielte Störungen dieser Sendungen ist die Tatsache, daß Ostern 1934 letztmalig an beiden Feiertagen die Kantate gesendet wurde. Pfingsten erklang eine Kantate nur am ersten Feiertag, und

---

(s. Fußnote 7) genannter und belegter Eintritt im Jahr 1933 wird auch von Hartmann akzeptiert. Deshalb spricht er vom zweimaligen Parteieintritt. Allein diese Tatsache erscheint höchst unglaubwürdig.

9 Rehabilitierungsgesuch (s. Fußnote 5).

10 Ebenda.

Weihnachten wurde die Sendung völlig gestrichen. Während der ganzen Advents- und Weihnachtszeit kam es nur zu einer Sendung, am zweiten Advent. Zur Zurückdrängung der Kantatensendungen schreibt Straube:

»Auch das Propaganda-Ministerium störte von 1934 an die Kantatensendungen, sooft es möglich war. Wenn nicht das Ausland ... auch Hörer dieser Kantaten gewesen wäre, so würde die Durchführung des Planes verboten worden sein. Meine Gegner forderten im Jahre 1934 vom städtischen Schulamt meine Entlassung aus den beiden Ämtern, dem Thomaskantorat und der Vorsteherschaft des kirchenmusikalischen Institutes am Leipziger Konservatorium. Oberbürgermeister Dr. Goerdeler dürfte es gewesen sein, der sich schützend vor meine Person gestellt hat. Solange dieser Mann in seinem Amte wirkte ..., konnten alle Schwierigkeiten überwunden werden. Im Verein mit ihm habe ich bis zum Jahre 1936 verhindern können, daß die Thomaner als Chor in die HJ eingereiht wurden ...«[11]

Die schwierige Situation für Straube spitzt sich 1935 zu. Nur noch sechzehnmal kann eine Kantatensendung nachgewiesen werden. Besonderes Gewicht erhalten die häufigen Lücken, da in diesem Jahr Bachs 250. Geburtstag gefeiert wurde. Zum Geburtstag am 21. März wurden gesendet: in einem fünfminütigen Frühprogramm Choräle von Bach unter Friedrich Rabenschlag (mit dem Madrigalkreis und der Universitätskantorei Leipzig), danach, im Rahmen einer Schallplattensendung, die Motettensätze »Alles, was Odem hat« aus BWV 225 und »Du heilige Brunst« aus BWV 226. Den angegebenen Schallplattennummern nach handelt es sich um die Aufnahmen mit den Thomanern unter Straube. »Folgerichtig« aber bleiben die Ausführenden ungenannt. Am Abend dann gab es ein Hörspiel »Liebe, Musik und Tod des J. S. Bach« von Peter Paul Althaus, danach eine »Gedenkstunde in der Bach-Gruft der Johannis-Kirche« mit dem Titel: »Auferstehung des J. S. Bach«. Das Manuskript zu dieser Sendung verfaßte Wilhelm Hitzig. Ein Bild in der Rundfunkzeitschrift zeigt Bachs Sarkophag, davor ein Kranz mit Hakenkreuz. In diesem Jahr fand in Leipzig ein »Reichs-Bach-Fest« statt. Zu dessen Höhepunkt gehörte die Aufführung der Matthäus-Passion durch Straube in – entgegen der Gewohnheit – verkleinerter Besetzung.[12] Im Rundfunk wurde dieses Ereignis nicht übertragen.

---

11 Ebenda.
12 Die Aufführung fand am 16. Juni statt. Erstmals wieder wurde die Passion nur von den Thomanern gesungen (mit Ausnahme des Cantus firmus, der vom Schülerchor der Thomasschule ausgeführt wurde). Zuvor war es üblich, bei Passionsaufführungen mehrere Chöre mitwirken zu lassen (Matthäus-Passion 1931: Chorvereinigung des Gewandhauses, Thomaner und Knabenchor der

Die Sendungen während des Bach-Festes waren folgende: Jeden Tag eine Kurzsendung im Frühprogramm (5 Minuten) unter Rabenschlag; ein Orchesterkonzert aus dem Konservatorium am 17. 6. und eine Kammermusik am 18. 6. (beide ohne Mitwirkung Straubes); das Wohltemperierte Klavier, Teil 1, (auf dem Klavichord) mit Rudolf Opitz am 19. 6., Teil 2 am 20. 6.; ein Orchesterkonzert mit Hermann Abendroth am 21. 6.; am 23. 6. die Kreuzstabkantate BWV 56 unter Hans Weisbach (gehörte nicht zum Programm des Bach-Festes) und zum Abschluß des Bach-Festes, am 24. Juni, die Kunst der Fuge in der Einrichtung von Wolfgang Graeser ebenfalls unter Hans Weisbach.[13] Nochmals gesendet wurde das Werk einen Tag nach Bachs Todestag, wiederum mit Hans Weisbach. Der Name Straube fällt also während des Bach-Festes nicht ein einziges Mal. Außerdem läßt sich feststellen: Am ersten Ostertag 1935 findet etwa zur Sendezeit der Kantate eine Sendepause statt. Am Sonntag, dem 8. September, übernimmt Weisbach die Kantatensendung. Heiligabend wird die Weihnachtsmotette aus der Thomaskirche übertragen, angekündigt ist jedoch nur der »Thomanerchor und G. Ramin an der Orgel«. Karl Straube bleibt ungenannt. Es kann kein Zweifel darüber bestehen, daß Straube gezielt zurückgesetzt und gekränkt werden sollte. Das Bach-Jahr 1935 bot dazu reichlich Gelegenheit. Carl Goerdeler jedoch, der damalige Oberbürgermeister, bekanntermaßen später von den Nazis hingerichtet, stellte sich in seiner Rede zur sogenannten »Hauptfeier« des Bach-Festes ganz hinter den Thomaskantor:

> »Um so dankbarer und stolzer bekennen wir uns heute zu seinem seiner [Bachs] würdigen und von uns hochverehrten Nachfolger Karl Straube, dem wir für seine Treue im Werk und zu unserer Stadt innig danken.«[14]

Die Gesamthaltung Goerdelers gegenüber den Nationalsozialisten dürfte wohl auch eine Ursache dafür sein, daß diese Veranstaltung vom Rundfunk ignoriert wurde.[15] Als kulturpolitisch geeigneter erwies sich da offenbar ein

---

Friedrich-List-Schule). Für Straube erfüllte sich mit der Aufführung in verkleinerter Besetzung ein langersehnter Wunsch.

13 Ungeachtet des Engagements Straubes für die Aufführung der Kunst der Fuge beurteilte er die Graesersche Einrichtung kritisch, vgl. den Brief Straubes an Karl Matthaei vom 16. 3. 1928, in: *Karl Straube. Briefe eines Thomaskantors*, hrsg. von Wilibald Gurlitt und Hans-Olaf Hudemann, Stuttgart 1952, S. 227f. Hans Weisbach war Generalmusikdirektor beim Mitteldeutschen Rundfunk.

14 Carl Goerdeler, in: *Reden zum Reichs-Bach-Fest 1935 in Leipzig. Eine Erinnerungsgabe der Stadt Leipzig*, S. 6–15, hier S. 14.

15 Die Eröffnungsfeier des Reichs-Schütz-Festes am 17. Mai in Dresden wurde vom Rundfunk übertragen.

»Feierlicher Staatsakt im Festsaal der Wartburg«, der am 25. Mai im Rahmen der Bach-Tage in Eisenach stattfand. Auch Straube und die Thomaner wirkten bei dieser Veranstaltung mit.[16] Wir fragen heute: Warum beteiligte sich Straube an dieser Veranstaltung, auf der Staatsminister Fritz Wächter und der Präsidialrat in der Reichsmusikkammer Heinz Ihlert sprachen? Wir müssen aber ebenso fragen: Hätte sich Straube eine Absage noch leisten können? Oder: War es nicht gerade eine Provokation für ihn, daß sein dortiger Auftritt übertragen, seine vertraglich gebundene Arbeit in Leipzig aber behindert wurde?

Im Jahr 1936 steigt die Häufigkeit der Kantatensendungen wieder leicht an (21). Sie finden zumeist alle zwei Wochen statt, peinlich genau ausgenommen wiederum die Feiertage. Die in den ersten Jahren weitgehende Übereinstimmung des Sendetermins mit der liturgischen Bestimmung der Kantate sinkt schon seit 1934 rapide. Dafür dürften nicht nur die bei einem solchen Vorhaben natürlich auftretenden Probleme Ursache gewesen sein. Eine zusätzliche Erschwernis war sicher der unregelmäßige und lückenhafte Sendeturnus. Der zweite Fastensonntag 1936 wurde begangen als sogenannter Volkstrauertag, wie zu erwarten mit Propagandasendungen im großen Stil. Eingebettet in eine solche Programmfolge war die Trauerode BWV 198 unter Straube. Hinweise auf Textänderungen enthält eine Partitur, aufbewahrt im Thomasalumnat. Hier heißt es beispielsweise:

> »O Heldenschar du stirbest nicht, es bleibt was wir an dir besessen, und Deutschland wird dich nicht vergessen, solang das Reich im Licht besteht. Wir preisen laut in ernster Stunde: nie gab es reines Heldentum. ...«

Im Unterschied zu den anderen von Straube gebrauchten Partituren sind hier weder die Noten von Straube eingerichtet, noch das Datum der Aufnahme vermerkt, und auch die Textänderungen stammen nicht von Straubes Hand. Sollte die Kantate mit den Textänderungen überhaupt von Straube aufgeführt worden sein, so wäre diese Partitur durchaus als Ausdruck seines Unwillens zu werten. In den letzten Wochen des Jahres 1937 liegen die Sendetermine wieder enger beieinander. Das Projekt mußte schließlich zum Abschluß gebracht werden. Insgesamt kam es in diesem Jahr zu 22 Sendungen, und es erklangen 24 Kantaten.[17] Die notwendigen Zugeständnisse an Straube verursachten den Nationalsozialisten wohl solches Unbehagen, daß sie dieses auf andere Weise zum Ausdruck

---

16 Ohne Programmangabe.
17 Am 14. 11. 1937 Sendung von BWV 118 und 161; am 21. 11. 1937 wurden BWV 27 und 50 übertragen.

brachten. So lassen sich ungenaue und unvollständige Ankündigungen der Kantatensendungen in den Rundfunkzeitschriften erklären. Bei einigen Kantaten beschränkt sich die Information nur auf »Bach-Kantate«.[18] Immerhin konnte Straube den Kantatenzyklus im Advent 1937 abschließen. Zwei Jahre später reichte der Thomaskantor – 66jährig – seinen Rücktritt ein. Dem voran ging ein von den Nazis inszeniertes Intrigenspiel, in das auch Günther Ramin (er war nicht Parteimitglied) verwickelt wurde. Hintergründe dazu sind Straubes Rehabilitierungsgesuch[19] zu entnehmen.

Im Zusammenhang mit diesem Gesuch verfaßten Leipziger Bürger im Herbst 1945 Bescheinigungen und eidesstattliche Erklärungen, die bisher noch nicht veröffentlicht wurden.[20] Aus persönlichem Erleben heraus wird die antifaschistische Haltung Straubes dokumentiert, und auch die im Rehabilitierungsgesuch enthaltenen Angaben Straubes finden Bestätigung. Die Verfasser dieser Erklärungen sind folgende: Dr. Heinrich Fleischer (Universitätsorganist), Edgar Lux (Verwaltungsoberinspektor), Prof. Dr. Erwin Jacobi (Professor der Rechte an der Universität Leipzig, Halbjude, 1933 amtsenthoben),[21] Ernst Eichelbaum (Lehrer an der Thomasschule, 1943 entlassen), Dr. Schütz (Obermedizinalrat), Prof. D. Dr. Alfred Dedo Müller (Theologische Fakultät Leipzig),[22] Prof. Dr. Theodor Litt, Eva

---

18 Im Zeitraum April bis August 1937: alle sieben Sendungen in der Vorankündigung für Sender Leipzig ohne Nennung Straubes.
19 Siehe Fußnote 5.
20 Anlagen zum Rehabilitierungsgesuch im Bach-Archiv Leipzig, Straube-Nachlaß (s. auch Fußnote 5).
21 Aus der Erklärung vom 29. 10. 1945: »Gerade das Verhalten des Herrn Prof. Straube mir gegenüber ist der beste Beleg für seine Einstellung zum Hitler-Regime. Unmittelbar nach meiner Amtsentsetzung lud er meine Frau und mich zu einer größeren Gesellschaft in seinem Hause ein, während wir vorher keinen Familienverkehr gepflogen hatten. Solche Einladungen setzten sich in der Folgezeit fort, u. a. auch zur Feier des 70. Geburtstages von Herrn Prof. Straube, wobei ich ausdrücklich auch zu der offiziellen, nicht nur zur Feier im Freundeskreis gebeten wurde. Nach den wöchentlichen Motetten ging Herr Prof. Straube regelmäßig mit mir vor aller Öffentlichkeit nach Hause und tat so alles, um mir von seiner Seite über das schwere Leid meiner Amtsentsetzung und bürgerlichen Degradierung hinwegzuhelfen, ohne Rücksicht darauf, daß ein solcher Verkehr mit jüdischen Mischlingen für Parteigenossen vom Hitlerregime verpönt war. Es ist für mich eine freudig erfüllte Dankespflicht, Herrn Prof. Straube heute das alles zu bezeugen. Er hat mir durch seine Haltung in ganz entscheidender Weise über die schweren Jahre des Hitler-Regimes hinweggeholfen.« Zum Wirken Jacobis in Leipzig siehe Wolfgang Gitter, *Arbeits- und Sozialrecht an der Leipziger Juristenfakultät*, in: Universität Leipzig (1994, Heft 4), S. 13f.
22 »So war es für mich auch keine Überraschung, daß Herr Prof. Straube mich im Frühjahr 1942 telefonisch um eine vertrauliche Unterredung bat, die dann in

Schneider,[23] D. Schumann (Oberkirchenrat), Prof. Dr. h. c. Walter Tiemann,[24] fünf ehemalige Thomaner (Dr. Harald Thomas, Dr. Gert Lutze, Richard Rensch, Walter Leo, Dr. Peter Hamann). Die Entnazifizierungsakte Straubes vom 11. April 1946 enthält den Vermerk: »Bestätigung über den erbrachten Nachweis der antifaschistischen Betätigung für Prof. Dr. Karl Straube ...«[25]

Anpassung oder Gratwanderung aus Verantwortlichkeit? Eine Antwort zu finden auf diese Frage in bezug auf Karl Straube war Anliegen dieses Beitrages.

---

seiner Wohnung stattfand. Er teilte mir damals mit, daß er vertrauliche und absolut sichere Information über den Plan des Gauleiters erhalten habe, die theologische Fakultät im Herbst des Jahres aufzulösen. Diese Mitteilung an mich war für Herrn Prof. Straube mit einer doppelten Gefahr verbunden; einmal hatte er Einsicht in ein Schriftstück der Gauleitung genommen, das nicht für ihn bestimmt war, und dann lag in der Weitergabe dieses Textes für ihn natürlich eine unmittelbare Gefährdung seiner Stellung und seiner Freiheit. Er versicherte mir, daß er sich gleichwohl gewissensmäßig verpflichtet fühle, einen Plan zu verhindern, den er für einen zerstörenden Eingriff in das deutsche Kulturleben und in die kulturelle Weltaufgabe des deutschen Geistes halte. Ich konnte daraufhin nach Rücksprache mit Herrn Oberbürgermeister Goerdeler Gegenmaßnahmen durch den Dekan der theologischen Fakultät, Prof. D. Bornkamm, veranlassen, die den Plan des Reichsstatthalters dann im Herbst 1942 ... wirklich zunichte gemacht haben. ...« (Erklärung vom 3. 11. 1945).

23 Aus der Erklärung vom 2. 11. 1945: »Im Frühjahr 1934 hatte ich eine Besprechung mit dem damaligen Dezernenten für das Schulwesen, Herrn Stadtrat Stahl. Es handelte sich um eine im Schulwesen in führender Stellung stehende Frau, die von der NS-Frauenschaft angegriffen wurde. Im Laufe der Unterhaltung äußerte sich Herr Stadtrat Stahl etwa folgendermaßen: 'Es ist genauso wie beim Thomaskantor Prof. Straube. Ich habe gesagt, man solle mir eine ebenbürtige Kraft bringen; solange dies nicht geschehen sei, bliebe er im Amte.' Über diese Äußerung war ich sehr bestürzt, ersah ich doch daraus, daß auch diese um das kulturelle Leben Leipzigs hochverdiente Persönlichkeit von nationalsozialistischer Seite angegriffen wurde.«

24 Erklärung in Briefform an Straube vom 12. 11. 1945, daraus: »Umso mehr muß Ihnen, verehrter, lieber Freund, jetzt von Herzen gedankt werden, daß es Ihnen gelang, durch eine, wie wir alle wissen, nur oberflächliche Tarnung Ihrer wahren politischen Ansichten, als unerschrockener Steuermann das Schiff des Thomanerchors und das des kirchenmusikalischen Instituts durch Scylla und Charybdis einer von Gott und den Musen verlassenen Parteiwirtschaft zu lotsen und in einen relativ sicheren Hafen zu bringen.«

25 Bach-Archiv Leipzig, Straube-Nachlaß.

EIN ZEITZEUGE ERINNERT SICH ...

Von Alfred Mann (Rochester, New York)

Die Diktatur, die 1933 begann, gefiel sich in ihrer Bezeichnung als Tausend-jähriges Reich, und eine meiner lebhaftesten Reminiszenzen ist der gelinde, aber entzückte Rippenstoß, den ich von meinem Freund Arthur Mendel empfing, als Werner Neumann gelegentlich der Konferenz beim Leipziger Bach-Fest 1975 in nonchalantem Tonfall vom »dutzendjährjem« sprach. Sechs Jahre hatte die Welt versucht, den Diktator zu zähmen, und sechs weiterer, grauenvoller Jahre bedurfte es, ihn loszuwerden.

Von der Bach-Pflege dieser Epoche könnte man schwerlich ein ein-deutiges Bild geben. Die Bach-Feste der Neuen Bachgesellschaft sowie die Veröffentlichung des Bach-Jahrbuchs setzten sich in den ersten sechs Jahren fort; dann folgte Schweigen bis zum Jahrbuch 1940/48 und dem Bach-Fest 1950. Aber bis in die Kriegsjahre hinein blieb die Bach-Forschung fruchtbar. Als Beispiel seien die Arbeiten von Friedrich Smend genannt. Unter den von Christoph Wolff gesammelten Reden und Aufsätzen[1] finden wir die Studien »Bachs Kanonwerk über 'Vom Himmel hoch da komm ich her'«, »Bachs Markus-Passion« und »Neue Bachfunde«. Die letztgenannte war dem Gedächtnis Arnold Scherings gewidmet und bezog sich auf Scherings letztes Werk, den dritten Band der *Musikgeschichte Leipzigs* (1941). Doch blieben größere Einzelstudien von Bach-Forschern der jüngeren Generation in Deutschland aus.

Bezeichnend ist die Publikationsgeschichte von *Johann Sebastian Bach im Zeitalter des Rationalismus und der Frühromantik* von Gerhard Herz, einem ersten ausführlichen Beitrag zur Geschichte der Bach-Bewegung. Herz studierte in den Jahren 1930/31 bei Wilibald Gurlitt in Freiburg und emp-fing dort die Anregung zu seiner Arbeit. Er vervollkommnete seine Studien in Wien und Berlin; als er jedoch 1933 mit dem gesammelten Material für seine Dissertation zu Gurlitt zurückkehrte, riet dieser ihm dazu, seine Pro-motion in der Schweiz zu suchen: als Jude werde er die akademische Lauf-

---

1 Friedrich Smend, *Bach-Studien*, hrsg. von Christoph Wolff, Kassel 1969. Die Studien sind in dieser Sammlung in chronologischer Folge angeordnet. Die erste war ursprünglich im BJ 1933, S. 1–29, die zweite im BJ 1940/48, S. 1–35, und die dritte im *Archiv für Musikforschung* 7 (1942), S. 1–16, erschienen.

bahn in Deutschland verschlossen finden. Er folgte dem Rat und verblieb mit Gurlitt in herzlicher Verbundenheit, beendigte sein Studium jedoch 1934 bei Antoine-Elisée Cherbuliez in Zürich und sandte auf dessen Empfehlung eine maschinenschriftliche Kopie seiner Dissertation an Albert Schweitzer.

Die Veröffentlichung erfolgte 1935 bei Bärenreiter, wo der Drucksatz auch vollständig ausgeführt wurde. Gleichzeitig erhielt Herz aber einen Fragebogen, dessen Ausfüllung dem Verlag die Abstammung des Autors offenbarte. Karl Vötterle schrieb Herz hierauf, daß er als Verleger um eine Zukunft des Buches in Deutschland fürchte und den Wechsel zu einem ausländischen Verlag empfehlen würde. Er stellte das bereits zur Auslieferung bestimmte Material zur Verfügung, und auf Empfehlung Schweitzers wurde es vom Paul Haupt-Verlag in Bern übernommen. Lediglich Umschlag und Titelseite wurden ausgewechselt. In dieser Form gelangte das Buch 1936, im Jahre, als Herz nach Amerika auswanderte, in den Handel. Wenige Exemplare verblieben mit dem Aufdruck von Bärenreiter – Sammlerobjekte aus wirrer Zeit. Im Bach-Jahr 1985 wurde das Werk mit dem bewegenden Zeitdokument einer autobiographischen Skizze des Autors in Deutschland und Amerika neu vorgelegt.

Mein eigenes Geschick in jenen Jahren bildet eine gewisse Parallele, doch bin ich sechs Jahre jünger, und als Herz promovierte, machte ich erst das Abitur. Ein Universitätsstudium war mir als »Mischling« bereits verwehrt, und so verfolgte ich die Alternative eines Berufsmusikers: ein Studium an den Staatlichen Hochschulen unterlag damals nur einem Numerus clausus. Das große Renommee jüdischer Künstler soll Göring zu seinem bekannten Ausspruch »wer Jude ist, bestimme ich« verleitet haben; in der Folgezeit zeigte es sich aber, daß er seine persönliche Macht damit weit überschätzt hatte.

Arier wie Nichtarier mußten in die Reichsmusikkammer eintreten. Daß es sich hierbei nicht um akademische Qualifikationen handelte, bewies die Eintragung meines Instruments vom dazu beamteten Kollegen als »Bratje«. Das Studium an der Staatlichen Akademischen Hochschule für Musik in Berlin, geleitet durch die gütige Protektion ihres Direktors Fritz Stein, erwies allerdings ein durchaus anderes Niveau. Hindemith war noch da, musikwissenschaftliche Studien konnte ich bei Max Seiffert betreiben, und mein Studium in Komposition und Dirigieren unterstand Kurt Thomas – in der Kantorei des letzteren mit einer einzigartigen Einführung in das Bachsche Chorwerk. Beschränkungen in besonderen Studienmöglichkeiten, beispielsweise der Teilnahme an einer Konzertreise, erfuhr ich erst durch pseudo-offizielles Eingreifen von Parteigenossen im Studentenrat.

Schon 1925 waren deutsche Teilnehmer vom ersten Dolmetsch Festival in England mit begeisterten Berichten zurückgekehrt; Peter Harlan fing an, in Markneukirchen Blockflöten nach alten Vorlagen zu bauen, und bald wurde den Interessierten nicht nur die Bedeutung dieses Instruments in der Musikerziehung, sondern auch seine Verwendung zu virtuosen Solopartien in Bachs Werken klar. Ich hatte die Gelegenheit, mich bei einem der frühesten Spezialisten, Gustav Scheck, mit der Technik und Literatur der Blockflöte vertraut zu machen, und zum Bach-Fest 1934 in Bremen wurde ich als Solist im Vierten Brandenburgischen Konzert engagiert. Kurz vor der Aufführung wurde von mir jedoch als neue Formalität der Ariernachweis verlangt und die Mitwirkung versagt.

Die Situation wiederholte sich später, als ich an der Berliner Hochschule einen Kreis zur historischen Aufführung Bachscher Werke gebildet hatte. Eugen Bieder, der Direktor der benachbarten Hochschule für Kirchen- und Schulmusik, gab mir einen Lehrauftrag, der jedoch zur Unterschrift des Vertrags wiederum dem Ariernachweis unterworfen war. Die berufliche Zukunft in Deutschland verschloß sich damit fest. Gleichzeitig erhielt ich jedoch, sozusagen auf der Basis meiner »anderen Hälfte«, den Gestellungsbefehl zu Hitlers Armee. Ich wurde eingezogen. Empört durch die doppelzüngige Zwangslage, in die ich geraten war, mußte ich mich mit dem Gedanken vertraut machen, aus Deutschland zu entkommen.

Um das Ungewisse dieser ersten Diktaturjahre, zugleich aber auch das Ungewisse der damaligen Bach-Pflege weiter zu beschreiben, möchte ich hinzusetzen, daß zur gleichen Zeit, als der Gymnasiast sein Engagement zum Bach-Fest aufgeben mußte, ein eigenartiges Engagement Furtwänglers an meine Mutter erging. In einem Abonnementskonzert, zu dem die Berliner Philharmoniker nach Hamburg kamen, war eins der Bachschen Violinkonzerte angesetzt. Niemand hatte an die Besorgung des Cembaloparts gedacht, und in letzter Minute wandte sich Furtwängler an meine Mutter, die ihre Karriere unter dem Einfluß Wanda Landowskas als eine der frühesten Cembalistinnen der erst beginnenden Barockmusikpflege gewidmet hatte. Binnen kurzem war ihr Instrument im Saal, aber von Furtwängler kam ein entschuldigender Telefonanruf: Er habe selbstverständlich um ihre eigene Mitwirkung bitten wollen. Der Einwand meiner Mutter, es gäbe einen Skandal, ließ ihn unberührt. Es gab keinen Skandal; am Arm des Dirigenten betrat sie die Bühne. Es war erst 1934, und man war im liberalen Hamburg. Doch blieben solche Gesten natürlich ohne Konsequenzen. Das Berufsleben der Cembalistin war bereits zerstört.

Das Beispiel zeigt das Uneinheitliche, Improvisatorische der ausübenden Bach-Pflege dieser Zeit. Ich war mit zwei Wochen Militärurlaub nach Mailand gegangen – in das faschistische Italien konnte der Wehrpflichtige noch ohne Schwierigkeiten gelangen, und das Konsulat gewährte Aufenthaltsverlängerungen. Dort hörte ich Adolf Buschs Aufführung der Brandenburgischen Konzerte, die sein Ensemble als erstes in einer vollständigen Programmfolge bot. Der schöne Eindruck blieb merkwürdig. Für das Sechste Brandenburgische Konzert verwandelte sich das ganze Streichorchester in ein Bratschenensemble, und Rudolf Serkin gab eine herrliche Interpretation des Fünften Brandenburgischen Konzerts – aber auf dem Klavier (wie heute noch in New Yorker Konzerten sein Sohn Peter). Zur gleichen Zeit konzertierte aber der Scheck-Wenzinger-Kreis schon vollendet auf nachgebauten historischen Instrumenten. Die vielleicht erfolgreichsten Darbietungen von Bachs Konzerten waren damals diejenigen von Edwin Fischer mit seinem Kammerorchester – sie gemahnten allerdings mehr an Beethoven als an Bach; und Fischer berichtete begeistert in der Schweiz, welche großen Möglichkeiten ihm die nationalsozialistische Ära eröffnet habe – worauf die Familie Busch ihn bat, sie nicht zu besuchen.

Der entsetzlichsten Ausschreitungen des Dritten Reichs wurde ich nur aus der Ferne gewahr. Doch wurden alle nichtarischen Einwanderer durch ein Dekret Mussolinis aus Italien vertrieben, und auf einer abenteuerlich fingierten Konzertreise gelangte ich nach Amerika, wo ich nach einer späteren Einwanderung über Kuba verblieb. 1943 wurde ich – noch als deutscher Bürger – in die amerikanische Armee eingezogen. Die amerikanische Bach-Pflege wurde in diesen Jahren durch deutsche Einwanderer wie Hans T. David, dessen Arbeiten erst dort veröffentlicht wurden, entscheidend beeinflußt.

Wie Herz war ich schon mit einem Buch in der Hand in Amerika angekommen. Es war eine Ausgabe der von Bach so hoch geschätzten Kontrapunktlehre von Johann Joseph Fux. Ihr Geschick war anders als das des Werkes von Herz. Der Verleger, Hermann Moeck in Celle, hatte meinen Namen bereits in der Korrektur gestrichen, ihn aber mutig im Kleinstich auf der Innenseite des Titels angebracht und zudem das Buch an die internationale Presse zur Besprechung geschickt. Die Rezensionen sowie der nicht abgeschlossene Vertrag der Berliner Hochschule ebneten mir den Weg in Amerika.

Die Stimmbildung der Jugend, das ehrwürdige Erbe der Kruzianer und Thomaner, hatte sich in Deutschland prinzipiell geändert durch die Einrichtung von Seminaren für Musikerzieher der Hitlerjugend, zu der mit dem Gesetz vom 1. Dezember 1936 die gesamte deutsche Jugend erklärt worden war. Die Schulmusik sollte nach Kriegsausbruch sogar intensiviert werden wegen der »unmittelbaren Beziehung der Musik zum Soldatentum« und besonders auch im Interesse der »entspannenden Momente, in denen sich die Kräfte der Seele sammeln, um im richtigen Augenblick mit um so größerer Schlagkraft zum Einsatz bereit zu sein«.[2] Günther Ramin, seit 1940 Thomaskantor – Karl Straube hat seine Karriere als Thomaskantor nicht ausleben können –, wurde 1941 zum Leiter eines der Musischen Gymnasien bestellt, welche die Nationalsozialisten zur Auslese der begabten Jugend in größerer Zahl gründen wollten. Der Name Spitta lebte in neuen nationalsozialistischen Marschliedern seines Neffen Heinrich Spitta fort.

Die traurigsten Eindrücke der Jahre gingen vom trüben, teilweise tragischen Ausklang großer Karrieren aus. Mit Entsetzen denkt man an das Schicksal Hugo Distlers, eines der edelsten seiner Generation, der sein Leben endete, als er den Gestellungsbefehl erhielt. Aber es waren zugleich jämmerliche Kleinigkeiten, die von Tag zu Tag das Leben im Dritten Reich bezeichneten. Mit Beklommenheit hörte der junge Student die Worte Hans Joachim Mosers, »man solle sich nicht durch die ersten vier Buchstaben seines Nachnamens irreführen lassen«, und sah gelegentlich eines Besuchs beim Leiter des Berliner Domchors, Alfred Sittard, dem Vorgänger Distlers, das »Berliner Zimmer« peinlich betont in eine arische Ahnengalerie verwandelt. Die Arbeit Fritz Jödes, des bedeutenden Erziehers, der das Motto »Bach für alle« geprägt hatte, endete in Trossingen bei der Firma Hohner, den Fabrikanten der Mund- und Ziehharmonika.

Einer der merkwürdigsten Eindrücke, die aus jenen Jahren im Gedächtnis geblieben sind, ist – als verdrehter Nachklang – eine Reaktion auf Arthur Mendels Bach-Aufführungen in New York. Ein Teil seines im allgemeinen durchaus gebildeten Publikums, in dem sich viele Emigranten befanden, hatte sich in dem Gedanken ereifert, daß der Text der Matthäus-Passion antisemitische Ausschreitungen entzünden könnte. Es war deswegen nötig geworden, daß er der Einführung zum Programm einer Aufführung des Werkes folgende Erklärung beifügte:

---

2 *Völkische Musikerziehung* 5 (1939), S. 471f.

»Es ist uns niemals zu Ohren gekommen, und bleibt unvorstellbar, daß eine Aufführung von Bachs Matthäuspassion den unheilvollen Samen des Antisemitismus
säen oder aufgehen lassen könne. Wenn wir glaubten, daß unsere Darbietungen
ein solches Resultat zur Folge haben könnten, würde unsere Organisation, deren
Mitglieder prinzipiell so viele Repräsentanten von allen 'Rassen' und Glaubens-
zugehörigkeiten wie möglich enthält, sich anderen Werken zuwenden.«

Wie ein später, allerdings trauriger Trost erschien mir in der vergangenen
Weihnachtszeit eine Fernsehsendung des Gottesdienstes an St. Peter in
Rom – die feinen Worte des Papstes, der auch die Messe zelebrierte, waren
von der elendsten Kirchenmusik umrahmt. Eine derartige Erniedrigung
großer Traditionen hat die Kirchenmusik an St. Thomas, trotz Diktaturen,
nie erleiden müssen.

»VERWURZELUNG IN DEUTSCHER STAMMESART«
DAS REICHS-BACH-FEST 1935

Von Ingeborg Allihn (Berlin)

Ich möchte meinem Beitrag einige ganz persönliche Bemerkungen voraus-
schicken – die aber dann wiederum, wie ich denke, nicht nur mich
angehen. Als ich vor etlichen Monaten gefragt wurde, ob und mit welchem
Thema ich mich an der wissenschaftlichen Konferenz zum Bach-Fest
beteiligen würde, habe ich spontan und gerne zugesagt – denn das Thema
meines Beitrags lag damals bereits seit einigen Monaten auf meinem
Schreibtisch. Irgendwann, im Rahmen anderer Arbeiten, war ich wieder
einmal auf dieses Reichs-Bach-Fest 1935 gestoßen und hatte beschlossen,
mich näher damit zu befassen. Weiter als bis zur mahnenden Notiz war es
jedoch nicht gekommen. Nun also sollte und mußte es sein. Nachdem ich
mir in der Musikabteilung der Staatsbibliothek zu Berlin im Haus Unter
den Linden einen Überblick über die Dokumente und Materialien zu
meinem Thema verschafft hatte, war ich sehr betroffen. Betroffen über
mich und die Tatsache, daß ich bis zu diesem Zeitpunkt nie danach gefragt
hatte. Daß ich ganz offenkundig, aber keineswegs bewußt vorsätzlich, das
Thema »Bach-Feste in der Zeit des Nationalsozialismus« einfach
ausgeklammert hatte. Dabei standen alle Literatur-Nachweise dazu[1] frei
verfügbar im Katalog und zum Teil sogar im Lesesaal. Warum hat mich das
nie genauer interessiert? Spätestens bei den zentralen Bach-Händel-Schütz-
Ehrungen der damaligen DDR hätte es doch nahegelegen, nach den
genaueren Umständen ebensolcher Aktivitäten unter der staatlichen
Aufsicht der Nationalsozialisten zu fragen. Ich habe noch keine Erklärung
für meine Uninteressiertheit, deren Tatsache mich seither sehr beschäftigt.
Nur dies: Mir hatte es damals ganz offensichtlich genügt zu wissen, daß es
das Reichs-Bach-Fest 1935 gegeben hatte. Wie und in welcher Weise, auf
welchem ideologischen und kirchengeschichtlichen Hintergrund sich dieses
Reichs-Bach-Fest abgespielt hat, das mit dem 22. Deutschen Bach-Fest der

---

1 *22. Bach-Fest Leipzig. Bach-Fest-Buch,* Leipzig 1935; *Reden zum Reichs-Bach-Fest
   1935 in Leipzig. Eine Erinnerungsgabe der Stadt Leipzig* [1935]; *Ausstellung des
   Bachjahres 1935 im Gohliser Schlößchen Leipzig. Katalog* [Leipzig 1935]; *Aus zwei
   Jahrhunderten Deutscher Musik. Ausstellung zur Deutschen Bach-Händel-Schütz-Feier
   1935. Katalog,* Berlin [1935].

Neuen Bachgesellschaft e.V. verbunden war – das alles beginne ich erst jetzt aufzuarbeiten. Dieser Beitrag kann daher nur als der Anfang zu einer gründlicheren und umfassenderen Arbeit betrachtet werden.

Das Reichs-Bach-Fest, das – es wurde bereits erwähnt – mit dem 22. Deutschen Bach-Fest der Neuen Bachgesellschaft verbunden war, fand vom 16. bis zum 24. Juni 1935 in Leipzig statt.[2] Genauer gesagt: Das Reichs-Bach-Fest begann am Sonntag, dem 16. Juni, und wurde ab 21. Juni mit dem 22. Deutschen Bach-Fest zusammengeführt. Anläßlich der 250. Wiederkehr der Geburtstage von Johann Sebastian Bach und Georg Friedrich Händel und der 350. Wiederkehr des Geburtstages von Heinrich Schütz war dieses Reichs-Bach-Fest im Jahre 1935 Bestandteil einer großangelegten »Deutschen Bach-Händel-Schütz-Feier«.[3] Sie wurde von der 1933 errichteten Reichsmusikkammer ausgerichtet und in zahlreichen anderen Städten zentralgelenkt durchgeführt.[4] Diese landesweite Feier begann am 22. Februar mit einem Händel-Fest in Halle und endete am 24. Juni mit dem Reichs-Bach-Fest in Leipzig. Den Festlichkeiten war am 21. Februar als Auftakt ein Festgottesdienst im Berliner Dom vorangegangen, bei dem Reichsbischof Ludwig Müller als Sprecher der »Deutschen Christen« die Ansprache hielt. (Zu den Deutschen Christen und dem Einfluß des Kirchenkampfes auf das Bach-Fest sollen später einige Bemerkungen folgen.) Im Rahmen der staatlichen, also nationalsozialistischen Feier einen Tag später in der Philharmonie sprachen der Präsident der Reichskulturkammer, Reichsminister Dr. Joseph Goebbels, der Reichsleiter des Kampfbundes für Deutsche Kultur, Alfred Rosenberg, und Präsidialrat Heinz Ihlert als Geschäftsführer der Reichsmusikkammer. Bachs »Leben und seine Kunst (stehen) im Zeichen werktätiger christlicher Nächstenliebe«, erklärte in seiner Gedenkrede Alfred Rosenberg.[5]

---

2 Siehe Fußnote 1.
3 *Deutsche Bach-Händel-Schütz-Feier 1935. Reichsprogramm,* hrsg. von der Reichsmusikkammer, Berlin 1935; *Deutschland, das Land der Musik. Die musikalischen Veranstaltungen anläßlich der Deutschen Bach-Händel-Schütz-Feier 1935,* hrsg. von der Deutschen Reichszentrale, Berlin 1935.
4 Joseph Wulf, *Musik im Dritten Reich. Eine Dokumentation,* Gütersloh 1963, insbesondere S. 110–156; Fred K. Prieberg, *Musik im NS-Staat,* Frankfurt/M. 1982, S. 175–192; Martin Thrun, *Die Errichtung der Reichsmusikkammer,* in: Musik und Musikpolitik im faschistischen Deutschland, hrsg. von Hanns-Werner Heister und Hans-Günter Klein, Frankfurt/M. 1984, S. 75–83.
5 Alfred Rosenberg, *Gedenkrede zur Bach-Händel-Schütz-Feier am 22. 2. 1935,* in: Reichsprogramm (s. Fußnote 3), S. 3.

In folgenden Städten fanden im ersten Halbjahr 1935 mehrtägige Bach-Feiern der Reichsmusikkammer statt: Arnstadt, Berlin, Braunschweig, Celle, Dresden, Eisenach, Göttingen, Halle, Hamburg, Hannover, Kassel, Köthen, Lüneburg, Mühlhausen, Ohrdruf, Potsdam, Weimar, Weißenfels und Wolfenbüttel. Außerdem wurde am 21. März, zu Bachs Geburtstag, eine »Liturgische Bach-Feier der Deutschen Evangelischen Kirche« als offizielle Kundgebung in der Berliner Philharmonie veranstaltet. In Berlin präsentierte die Reichsmusikkammer in einer von Hans Joachim Moser konzipierten Ausstellung »Aus zwei Jahrhunderten Deutscher Musik«. In ihr wurde Bach mit 138 biographisch angeordneten Exponaten gegenüber Händel mit 38 und Schütz mit 20 Exponaten bedacht. Unter dem Thema »Die Wiedererweckung der Werke Johann Sebastian Bachs« wurden die Verdienste der Sing-Akademie zu Berlin und ihres Leiters Carl Friedrich Zelter gewürdigt. Weder fand Felix Mendelssohn Bartholdy überhaupt nur Erwähnung noch die von ihm geleitete Wiederaufführung der Matthäus-Passion im Jahr 1829. Unter das Kapitel »Wiedererweckung« wurde mit der Zelterschen Tagebuch-Eintragung über den Probenbeginn mit der Ripienschule vom 8. 6. 1815 »Passion J. S. Bach Sec. Matthaeum Nr. 25 u. 26 4.5.6.7.« der Schlußpunkt gesetzt.[6]

In seinen wesentlichen Punkten soll im folgenden kurz der Verlauf des Leipziger Reichs-Bach-Festes skizziert werden, um danach auf die Besonderheiten gegenüber den beiden anderen staatlichen Feiern für Händel und Schütz einzugehen. Diese Faktendarstellung ist notwendig für das zentrale Thema meines Beitrags, den Versuch, eine Antwort auf folgende zwei Fragen zu finden:

1. Warum haben sich die ideologischen Strategen der Nationalsozialisten für dieses Bach-Fest – und weiter gefaßt, für das Dreigestirn Schütz, Bach und Händel – so offenkundig interessiert?

2. Inwieweit haben Musikhistoriker, Kirchenmusiker und evangelische Theologen sowie Freunde der Bachschen Werke dieser Tatsache Vorschub geleistet?

---

6 Vgl. den Ausstellungs-Katalog *Aus zwei Jahrhunderten Deutscher Musik* (s. Fußnote 1).

Der Verlauf des Reichs-Bach-Festes in Leipzig[7]

Es wurde am 16. Juni mit einem Gottesdienst in der Nikolaikirche eröffnet. Der dort tätige Pfarrer Friedrich Ostarhild hielt die Predigt, sprach vom im Jahre 1915, im Ersten Weltkrieg, »geschmähten Deutschland« und gab seiner Freude Ausdruck, daß »jetzt, nach zwanzig Jahren, und welchen Jahren!« ein Reichs-Bach-Fest gefeiert wird.

> »Das Dritte Reich macht die Sache Bachs zur eigenen Sache! Bach als der Gesandte des ewigen Gottes helfe mit seinen Werken unserem Volke, helfe allen Völkern: 'Daß sie alle eins seien, gleichwie du, Vater in mir, und ich in Dir, daß auch sie in uns eins seien.'«[8]

Am gleichen Tag abends führte Thomaskantor Karl Straube mit den Thomanern, mit Gesangssolisten und dem Theater- und Gewandhausorchester in der Thomaskirche die Matthäus-Passion auf. Es folgten über 30 Veranstaltungen, in deren Rahmen folgende Bach-Werke aufgeführt wurden: die Johannes-Passion, die h-Moll-Messe, sieben geistliche und weltliche Kantaten (»Liebster Jesu, mein Verlangen« BWV 32; »Die Elenden sollen essen« BWV 75; »Was Gott tut, das ist wohlgetan« BWV 100; »Es ist euch gut, daß ich hingehe« BWV 108; »Gelobet sei der Herr, mein Gott« BWV 129; »Komm, du süße Todesstunde« BWV 161; »O holder Tag, erwünschte Zeit« BWV 210), die Trauerode, drei Motetten, Orgel- und Klavierwerke (darunter das Wohltemperierte Klavier), das Musikalische Opfer, die Kunst der Fuge in Wolfgang Graesers Orchesterfassung, drei Orchestersuiten, fünf der sechs Brandenburgischen Konzerte sowie fünf weitere Instrumentalkonzerte und kammermusikalische Werke. Am 16. Juni, dem ersten Tag des Reichs-Bach-Festes, eröffnete der Oberbürgermeister der Stadt Leipzig, Dr. Carl Goerdeler, im Gohliser Schlößchen eine Ausstellung, die bis zum 7. Juli gezeigt wurde.[9] Hier wurden Bachiana präsentiert, im wesentlichen aus Leipziger Besitz: 22 Handschriften, 19 Erstausgaben, 9 Originalbildnisse der Familie Bach und 12 weitere von Bachs Zeitgenossen, 5 Stadtansichten und in einem Raum historische Instrumente, praktische Notenausgaben und andere Materialien unter dem Motto »Bach und die Praxis«. Die Konzeption dieser Ausstellung verrät die

---

7 Siehe *Bach-Fest-Buch 1935*.
8 *Reden zum Reichs-Bach-Fest 1935 in Leipzig* (s. Fußnote 1). Pfarrer Ostarhilds ursprünglicher Familienname war Israel (Hinweis von Hans-Joachim Schulze, Leipzig).
9 Katalog zur *Ausstellung des Bachjahres 1935* (s. Fußnote 1).

Handschrift von Arnold Schering, dem damals Verantwortlichen für das Bach-Jahrbuch.

An zentraler Stelle, nämlich im Gewandhaus, fand am 21. Juni mit einer »Hauptfeier« die Eröffnung des 22. Deutschen Bach-Festes der Neuen Bachgesellschaft statt. Zu ihr waren als offizielle Gäste der Führer und Reichskanzler Adolf Hitler, Propagandaminister Dr. Joseph Goebbels, Reichspressesprecher Dr. Dietrich, Reichsstatthalter Mutschmann, der deutsche Kronprinz und Prinzessin Cäcilie erschienen. Die Ansprachen hielten Oberbürgermeister Dr. Carl Goerdeler, Präsidialrat Heinz Ihlert als Geschäftsführer der Reichsmusikkammer sowie der Vorsitzende der Neuen Bachgesellschaft, Reichspräsident i. R. D. Dr. Walther Simons.[10] Goerdeler nutzte die Gelegenheit, Bach als geistigen Besitz für alle Völker anzumahnen, da

> »wahre Kunst, gerade weil sie immer im tiefsten Wesen eines Volkes verankert ist und die geheimsten und stärksten Kräfte seiner Seele widerspiegelt, edelste Gefühle und wahrhaft erlösende Kräfte in allen Völkern zu offenem Bekenntnis freimacht. In welchem Volke Kunst sich auch zu vollendetem Ausdruck durchgerungen haben mag, sie erscheint immer als Beweis der göttlichen Natur des Menschen«.[11]

Und wie nach ihm auch Simons beschwört er die im besten Sinne »preußischen Tugenden« herauf:

> »Nur die Ordnung, in der die Pflicht mit dem Gebot des Gewissens übereinstimmte, ... sie hatte Bestand.«[12]

Und er fordert eine

> »eiserne Selbstdisziplin, ... unermüdlichen Fleiß, immerwährende Selbstprüfung auch in den kleinsten und unscheinbarsten Dingen.«[13]

Simons ergänzt den Katalog mit der Aufforderung zu »glauben und dienen«. Seine Ansprache endet mit

> »Soli Deo gloria! Mit diesem Wunsche erkläre ich kraft meines Amtes und gemäß der Anordnung einer hohen Reichsregierung das 22. Deutsche Bach-Fest für eröffnet. Heil!«[14]

Den Kontrapunkt zu diesen beiden Bekenntnissen zu allgemeinen ethischen Werten des Humanismus und des Bürgertums – sieht man einmal von

---

10 *Reden zum Reichs-Bach-Fest* 1935 (s. Fußnote 1).
11 Ebenda, S. 7.
12 Ebenda, S. 10.
13 Ebenda, S. 13.
14 Ebenda, S. 33.

Simons Heil-Gruß an den Führer ab – setzte Ihlert, der Geschäftsführer der Reichsmusikkammer. In seiner Ansprache atmet Bachs »Deutschtum«, atmen seine Werke den »Geist von Potsdam«, sind sie entsprossen »aus Blut und Boden, aus Volkstum und Heimat«.[15]

> »... und wie könnte man besser für die Ideale des Dritten Reiches künstlerisch schaffen, als aus dem Schoße des deutschen Volkstums heraus?«[16]

Er stellt befriedigt fest, daß durch die von der Reichsmusikkammer veranstalteten Bach-Händel-Schütz-Feiern Johann Sebastian Bach dem ganzen deutschen Volk wiedergewonnen sei.

In der Mitgliederversammlung der Neuen Bachgesellschaft am 22. Juni wurden einstimmig einige Satzungsänderungen beschlossen. Sie betreffen Streichungen, Formulierungsfeinheiten und eine Erweiterung der Kompetenzen des Vorsitzenden. Einen politisch motivierten Zusatz erfährt der Paragraph 7 (»Mitgliedschaft«). Hier heißt es jetzt:

> »Der Vorsitzende kann das Ausscheiden eines Mitglieds verfügen, wenn dasselbe sich einer unehrenhaften Handlung schuldig macht oder den Zielen der Gesellschaft gröblich zuwiderhandelt oder den Frieden der Gesellschaft gefährdet.«[17]

Das sind eindeutige Worte, die unmißverständlich auf Ausgrenzung von im Sinne des Nationalsozialismus nicht genehmen Mitgliedern verweisen. Ob und inwieweit in der Folgezeit im Sinne dieses Paragraphen verfügt wurde, müßte geprüft werden. Nach der Mitgliederversammlung wurden zwei Vorträge gehalten: Arnold Schering sprach über »Johann Sebastian Bach in Leipzig« und stellte neue Forschungsergebnisse vor, der Musikschriftsteller Richard Benz redete über »Bachs geistiges Reich«.[18] Während Schering mit Akribie unter anderem Fakten zur Aufführungspraxis zwischen 1723 und 1750 in der Thomaskirche und der Nikolaikirche benennt[19], kommt Benz zu folgendem Schluß:

> »Es gibt keinen anderen [gemeint ist Johann Sebastian Bach; I. A.] in dem der Deutsche mit allen seinen Schicksalen und Sehnsüchten, mit allen seinen Urbegabungen und grenzenlosen Strebungen, Vergangenheiten und Zukünften, sich so als Einheit summiert, vergeistigt und vollendet denken kann als ihn. Und doch war er dies alles, war er auch Deutscher nur im Unbewußten: müssend

---

15 Ebenda, S. 24.
16 Ebenda, S. 18.
17 *Satzungen der Neuen Bach-Gesellschaft*, BJ 1935, S. 129–132.
18 Richard Benz, *Bachs geistiges Reich*, München 1935.
19 Siehe dazu den Bericht von Horst Büttner, *Das Reichsbachfest in Leipzig*, ZfM 102 (1935), S. 845–852.

schöpferisch; nicht vollendend und nicht wissend: ein geistiges Reich der Deutschen gründend, als es kein wirkliches Reich mehr gab. Wir ahnen es, und nehmen es als Sendung und Pflicht, welches ungeheure Erbe zu ewiger Geist-Verwirklichung ein solches Reich uns auferlegt, weil und solange Volk und Reich besteht.«[20]

Lassen Sie mich aus dem Bericht über das Reichs-Bach-Fest von Horst Büttner in der – ehedem von Robert Schumann gegründeten – »Zeitschrift für Musik« (wie sie damals hieß) zitieren:

»In starkem Gegensatz zu der soliden Wissenschaftlichkeit Scherings stand die ästhetisierende Art, mit der Richard Benz in seinem Vortrag 'Bachs geistiges Reich' an den Meister herankam. Es wurden ja eine ganze Reihe durchaus richtiger, wenn auch keineswegs neuer Tatsachen erwähnt, aber wenn beispielsweise kühn behauptet wird, daß 'Bach den scholastischen Gebilden der norddeutschen Polyphonie erst den inneren Gehalt verliehen hätte', so hätte der Redner auch so freundlich sein müssen, uns den fehlenden inneren Gehalt etwa Buxtehudescher Orgelwerke nachzuweisen. Ohne eine gewisse Fachkenntnis geht es bei Bach leider nicht.«[21]

Wie wahr! Büttner war ein mutiger Rufer in der Wüste, dessen Einschätzung jedoch weder damals noch nach dem Ende des Dritten Reichs offiziell zur Kenntnis genommen wurde. Denn Richard Benz' Werke feierten nach 1945 bei Verlagen beispielsweise in Frankfurt/Main, Düsseldorf, Köln, aber auch in Leipzig fröhliche Urständ, als hätte es die Zeit von 1933 bis 1945 niemals gegeben. Er zählt zu »den besten Namen des deutschen Geisteslebens«, dies will ein Klappentext (der Veröffentlichung »Widerklang. Gedenkreden und Aufsätze«) aus dem Jahre 1964 glauben machen. Und um das zu bekräftigen, wird das Grußwort des Bundespräsidenten Heinrich Lübke an Richard Benz zu seinem 80. Geburtstag am 16. 6. 1964 zitiert:

»Ihre kulturhistorischen Forschungen, Deutungen und pädagogischen Vorschläge haben nicht nur der wissenschaftlichen Welt, sondern auch einer breiten Öffentlichkeit die Schätze unserer Geistesgeschichte erschlossen und in einer Gesamtschau vorgestellt. Während Ihres arbeitsreichen Lebens wurden Sie durch Wort und Schrift zu einem erfolgreichen, weit über Ihre Heimat hinaus anerkannten Sachwalter und Künder unseres deutschen Kulturerbes.«[22]

---

20 Benz, *Bachs geistiges Reich* (s. Fußnote 18), S. 19f.
21 Büttner, *Das Reichsbachfest in Leipzig* (s. Fußnote 19), S. 851.
22 Siehe Klappentext zu Richard Benz, *Widerklang. Vom Geiste großer Dichtung und Musik. Gedenkreden und Aufsätze*, Düsseldorf und Köln 1964.

Gedruckt zu Düsseldorf und Köln 1964. In dieser Veröffentlichung gibt es eine Rede, die Benz ebenfalls zu einer Bach-Feier gehalten hatte, im Freien Deutschen Hochstift Frankfurt/Main am 13. Mai 1950. Hier wiederholt Benz, was er bereits 1935 gesagt hatte: daß sich

> »der Abendländer [gemeint ist Johann Sebastian Bach; I. A.] mit den christlichen Geboten der Lebensführung nicht begnügte, sondern mit dem Göttlichen sich einen erlebbaren Berührungspunkt zu schaffen wußte ... und so müssen wir gerade in seinem Scheitern in der Zeit ... eine ... uns sinnvolle Fügung sehen.«[23]

> »Hier ist nicht göttliche Gestalt und geistverklärtes Angesicht, darin sich unsrer liebenden Verehrung faßbare Heilsworte spiegeln und gewußte Helden-Taten und Weisheitslehren für unser Leben und Tun. Und doch erfahren wir mit allen Sinnen göttliche Gewalt, vor der die Worte-, Gestalten- und die Taten-Welt unwichtig wird und hinschwindet.«[24]

Ausgesprochen 1950, gedacht und formuliert 1935, gedruckt 1964 – genau das ist die Sprache der Nationalsozialisten. Hier offenbart sich eine mystisch verbrämte Art des Denkens über Musik und Musiker, die in den grundsätzlichen ideologischen und kulturkritischen Maximen, wie sie etwa Alfred Rosenberg in seinem Buch »Der Mythos des 20. Jahrhunderts«[25] formuliert hat, ihr Pendant finden.

Doch obwohl die Gedanken von Richard Benz repräsentativ für ein kollektives Deutungsmuster sind, das ungebrochen nach 1945 von einem Teil der Gesellschaft wieder aufgegriffen wurde, steht Benz' Lesart nicht für das gesamte Reichs-Bach-Fest. Versucht man unvoreingenommen die Quellen nachzulesen, alles damals zu diesem Thema Gedruckte und Veröffentlichte, so ergeben sich erkennbare Unterschiede. Das beginnt bereits mit der unterschiedlichen Gewichtung, die die Reichsmusikkammer den drei Protagonisten Schütz, Bach und Händel angedeihen ließ. Ich erinnere an die Ausstellung »Aus zwei Jahrhunderten Deutscher Musik« in Berlin.[26] Und es endet mit einer ablesbaren Einschränkung der staatlichen Mitsprache bei den offiziellen Feierlichkeiten. Während beim Händel-Fest in der »Reichs-Händelstadt« Halle Reichsleiter Alfred Rosenberg die »deutsche

---

23 Zu diesem Thema siehe auch Richard Benz, *Das Leben von Johann Sebastian Bach*, Heidelberg 1950; derselbe, *Bachs Passion. Die nordische Tragödie*, Leipzig 1935, 3. Auflage 1950.

24 Benz, *Widerklang* (s. Fußnote 22), S. 22f.

25 Alfred Rosenberg, *Der Mythos des 20. Jahrhunderts*, München 1937, insbesondere »Zweites Buch. Das Wesen der germanischen Kunst«, S. 277–322.

26 Vgl. den Ausstellungs-Katalog *Aus zwei Jahrhunderten Deutscher Musik* (s. Fußnote 1).

Festrede« hielt[27] und in Dresden zum Reichs-Schütz-Fest Friedrich Blume in seinem Festvortrag »Heinrich Schütz – Gesetz und Glaube« mit dem Fazit »Bei keinem anderen Musiker war der Glaube an persönliche Bestimmung und Führerschaft so ausgeprägt wie bei Schütz«[28] dem Geschäftsführer der Reichsmusikkammer, Heinz Ihlert, sekundierte, wußte man in Leipzig ähnliches offenbar einzugrenzen. Im Unterschied zu Halle und Dresden wurde in Leipzig das Reichs-Bach-Fest mit einem Gottesdienst eröffnet. Durch die Anwesenheit von Adolf Hitler, Joseph Goebbels und anderen hohen Regierungsvertretern wurde das Leipziger Reichs-Bach-Fest zugleich als der eigentliche Höhepunkt der Deutschen Bach-Händel-Schütz-Feier herausgestellt. Eindeutig grenzen sich bei ihren Ansprachen zur Hauptfeier Oberbürgermeister Goerdeler und Walther Simons, der Vorsitzende der Neuen Bachgesellschaft, von der Rede des Reichsmusikkammer-Vertreters Ihlert ab. Daß dies auch so verstanden wurde, zeigt der schon einmal erwähnte Bericht in der »Zeitschrift für Musik« von Horst Büttner. Hier heißt es, Oberbürgermeister Dr. Goerdeler gab »eine kurze, aber außerordentlich treffende Charakteristik von Bachs Persönlichkeit und umriß die zeitliche Lage, aus der dieses Genie emporwuchs«. Ihlerts Ansprache wird dagegen mit der Bemerkung »Wesentlich Neues bekam man allerdings nicht zu hören« abgetan.[29]

Man kann nicht über das Reichs-Bach-Fest 1935 reden, ohne den Kirchenkampf zu erwähnen, der unverkennbar einen spannungsgeladenen Hintergrund abgegeben hat. Kurz einige Fakten: Hitlers kirchenpolitisches Ziel war die – entsprechend anderen gesellschaftlichen Institutionen (siehe die Gründung der Reichsmusikkammer) – weitgehende »Gleichschaltung« der evangelischen Kirchen. Im Mai 1933 kam es wegen der Verschmelzung von Nationalsozialismus und Christentum zu schweren Auseinandersetzungen innerhalb der evangelischen Kirche zwischen der nationalsozialistischen Kirchenpartei der Deutschen Christen und ihren Kritikern. Im Herbst 1933 konnten die Deutschen Christen alle kirchlichen Schlüsselpositionen besetzen. Der am 1. Oktober 1933 durch Hitler zum »Bevollmächtigten für die Angelegenheiten der evangelischen Kirchen« ernannte Reichsbischof Ludwig Müller erwies sich als ein treuer Erfüllungsgehilfe. Nach dem Sieg der Deutschen Christen rief der Theologe Martin

---

27 Siehe dazu den Bericht in der Zeitschrift *Die Musik. Amtliches Organ der NS-Kulturgemeinde* 27 (1934/35), S. 448.
28 Karl Laux, *Das Reichs-Schütz-Fest 1935 in Dresden. Bericht*, Die Musik 27 (1934/35), S. 670.
29 Büttner, *Das Reichsbachfest in Leipzig* (s. Fußnote 19), S. 850f.

Niemöller zur Gründung eines Pfarrernotbundes auf, der 1934 in der »Bekennenden Kirche« alle oppositionellen Kräfte zusammenführte. Am 5. März 1935, ein Vierteljahr vor dem Reichs-Bach-Fest, wurde in einer Kanzelabkündigung die »rassisch-völkische Weltanschauung« scharf abgelehnt. Daraufhin kam es zur Verhaftung von siebenhundert Pastoren, zu Amtsbehinderungen, Ausreiseverboten, Einweisungen in Konzentrationslager und ähnlichem. Im Juli 1935, also knapp vier Wochen nach dem Reichs-Bach-Fest, setzte Adolf Hitler einen Reichskirchenminister (Hanns Kerrl) ein, der im Sinne der Deutschen Christen den Kirchenkampf beenden sollte. Daraufhin wurden die Bruderräte der Bekennenden Kirche endgültig in die Illegalität verbannt.[30]

Daß es zwischen dem Kirchenkampf und der Auffassung von Funktion und Ziel der evangelischen Kirchenmusik einen engen Zusammenhang gibt, liegt auf der Hand.[31] Bereits im Mai 1933 hatten sich 38 führende Vertreter der deutschen Orgelbewegung, darunter Karl Straube, Oskar Söhngen und andere mit einer Erklärung »gegen zersetzende Kräfte des Liberalismus und Individualismus«, gegen »eine nicht bodenständige, kosmopolitische Kunst«, gegen die »unnatürliche Angleichung an fremdländische Erzeugnisse und Kunstanschauungen« gewandt und ein Bekenntnis »zur volkhaften Grundlage aller Kirchenmusik« abgelegt.[32] Man muß dieses Bekenntnis im Zusammenhang mit den kontroversen Diskussionen der 20er Jahre um Jugendmusikbewegung, Avantgardismus und Historismus sehen. Was erschreckt, sind für mich weniger die hier vertretenen kunstpolitischen Positionen, die man unter dem Begriff Konservativismus subsumieren könnte und die beispielsweise von Karl Straube 1940 auch teilweise zurückgenommen worden sind, als er sah, wohin der Nationalsozialismus trieb, als vielmehr der unreflektierte Sprachgebrauch. Da ist von »bodenständig« die Rede und »vom Geschlecht unserer Tage«, von der gefährlichen »kosmopolitischen Kunst« und vom »künstlerischen Wollen des jungen Deutschland«. Das sind Vokabeln, die zur Lingua Tertii Imperii – ich erinnere an Victor Klemperers gleichnamiges und leider immer noch

---

30 Kurt Zentner, *Illustrierte Geschichte des Dritten Reiches*, München 1965, S. 383f.

31 Vgl. die in Fußnote 4 angegebene Literatur; ferner Jörg Fischer, *Evangelische Kirchenmusik im Dritten Reich*, in: AfMw 66 (1989), S. 185–234; Albrecht Dümling, *Die Gleichschaltung der musikalischen Organisationen im NS-Staat*, in: Der Kirchenmusiker 40 (1989), S. 41–56; Britta Martini, *Der Weg der Kirchenmusik in der nationalsozialistischen Zeit im Spiegel der Zeitschrift »Musik und Kirche«*, in: Der Kirchenmusiker 40 (1989), S. 81–96.

32 Juan Allende-Blin, *Kirchenmusik unter Hitler*, in: Musik und Musikpolitik im faschistischen Deutschland (s. Fußnote 4), S. 177f.

aktuelles Buch »LTI« – gehören.[33] Und genau an diesem Punkt trafen sich verhängnisvoll die Nationalsozialisten mit den Kirchenmusikern und bürgerlich konservativen Denkern. Es kann in diesem Rahmen nicht aufgeschlüsselt werden, welche Positionen die führenden Köpfe der Neuen Bachgesellschaft im einzelnen vertraten. Die Begehrlichkeit der Nationalsozialisten, das Bach-Fest zu vereinnahmen und innerhalb der Neuen Bachgesellschaft ihren Einfluß geltend zu machen – wie weit ihnen das bereits gelungen war, ist deutlich an dem vorhin zitierten Zusatz zur Satzung abzulesen –, diese Begehrlichkeit wurde durch die Sicht auf Bach als Hort deutscher Kultur, als das Deutschtum schlechthin geweckt. Daß von einigen Verantwortlichen innerhalb der Neuen Bachgesellschaft die Gefahr erkannt wurde, machen Programmgestaltung und Programminhalt dieses Reichs-Bach-Festes 1935 in Leipzig sichtbar. Um aber zu gesicherten Aussagen für dieses Thema zu kommen, müßte geklärt werden, zu welcher der beiden Gruppen innerhalb des Kirchenkampfes die leitenden Kirchenmusiker von Leipzig, speziell Karl Straube, und die beiden im Rahmen des Bach-Festes aufgetretenen Theologen[34] gehört haben. Es müßten die Akten der Reichsmusikkammer hinsichtlich des 1935er Bach-Festes durchgesehen werden. Und – vielleicht sogar als wichtigster Punkt – es müßte der Sprachgebrauch der damals führenden Bach-Forscher und -Exegeten gründlich analysiert werden, viel gründlicher, als das hier geschehen ist. Denn Sprache ist und bleibt materialisiertes Denken. Erst wenn es uns gelingt, diese Tiefenschichten bloßzulegen, können wir Antworten auf so zentrale Fragen wie nach dem Verhältnis von Musik und Staat, Kunst und Macht geben.

---

33 Victor Klemperer, *LTI. Notizbuch eines Philologen*, 3. Auflage, Halle 1957.
34 Pfarrer Friedrich Ostarhild, der am 16. 6. zur Eröffnung des Bach-Festes in St. Nikolai predigte, und Pfarrer Schlosser, der am 17. 6. die Ansprache am Grabe Bachs in der Johanniskirche hielt.

BACH-ANSCHAUUNGEN UNTER DEM NATIONALSOZIALISMUS

Von Michael Märker (Leipzig)

Seit 1950 ist immer wieder von einem bestimmten, möglichst neuen Bach-Bild die Rede, das zu erarbeiten sei. Diejenigen, die dies weniger taten als forderten, hatten dabei wohl eine der Erscheinungsformen Bachscher Kunst im Blick, die als dominierend herauszuarbeiten sei, um das Bild vor allem für bestimmte Zwecke dienstbar zu machen. Und daß im Untertitel der Leipziger Konferenz im Bach-Jahr 1985 vier verschiedene Teilbilder[1] genannt wurden, dürfte mehr als nur ein Wortspiel gewesen sein; es war symptomatisch in jenem Sinn.

In der Zeit des Dritten Reiches allerdings sprach man nicht vom Bach-Bild, auch gab es keine erkennbare Polarisierung zwischen denen, die Bach später vornehmlich als weltlichen Kapellmeister sehen wollten, und jenen, für die er der Kantor schlechthin war. Dennoch wurde er mitnichten einheitlich gesehen, obwohl die herrschende Ideologie dies nahelegte. Wenn wir uns also den Bach-Anschauungen unter den Bedingungen des national-sozialistischen Regimes zuwenden, so interessieren uns hier namentlich die, welche die Spuren dieser Diktatur erkennen lassen. Ich werde versuchen, markante Elemente solcher Anschauungen darzustellen, und bediene mich dazu eines Reihungsprinzips, das ebenso unsystematisch ist, wie es der Gegenstand zu sein scheint. Und ich werde sowohl die akademische Musikwissenschaft als auch die Publizistik einbeziehen.

Das gewichtigste Beispiel für eine Bach-Forschung unter dem NS-Staat, die sich diesem weder unterworfen noch angebiedert hat, gibt Arnold Schering, dessen grundlegende Untersuchungen zur Leipziger Kirchen-musik Bachs heute zwar dank neuer Detailerkenntnisse im einzelnen der Revision bedürfen, jedoch nicht aus ideologischen Gründen mit spitzen Fingern angefaßt werden müssen. Auch als Herausgeber des Bach-Jahrbuchs bewahrte Schering mit der Auswahl der Beiträge die gebotene geistige

---

1 *Johann Sebastian Bach. Weltbild, Menschenbild, Notenbild, Klangbild. Bericht über die Wissenschaftliche Konferenz zum V. Internationalen Bachfest der DDR in Verbindung mit dem 60. Bachfest der Neuen Bachgesellschaft. Leipzig, 25. bis 27. März 1985*, im Auftrag der NFG Bach hrsg. von Winfried Hoffmann und Armin Schneiderheinze, Leipzig 1988.

Unabhängigkeit vom Regime – ein Markenzeichen, das das Bach-Jahrbuch bekanntlich auch während der weitaus längeren zweiten Diktatur nicht aufgegeben hat.

Demgegenüber erscheint bis in die Kriegsjahre hinein, vornehmlich jedoch im Jubiläumsjahr 1935, eine Flut von Schriften über Bach, welche in unterschiedlichem Maße eine in zumeist vorauseilendem Gehorsam vorgenommene Instrumentalisierung Bachs für die NS-Ideologie erkennen läßt. Da die Machtergreifung Hitlers als Beginn eines umfassenden nationalen Aufbruchs nach einer Phase nationaler Demütigung dargestellt und von vielen auch empfunden wurde, griff mancher Schreiber zur ideologischen Legitimierung Bachs zunächst auf eine vermeintlich analoge historische Entwicklung zurück. Gemeint ist die Katastrophe des Dreißigjährigen Krieges, die zu einem ähnlich tiefgreifenden nationalen Neuanfang geführt habe und in dessen Folge sich schließlich das Phänomen Bach als Verkörperung einer dem Niedergang widerstehenden, bewahrenden Meisterschaft erhebe. In seinem Vortrag beim Bach-Fest 1934 verweist der Schriftsteller Wilhelm Schäfer darauf, daß Bachs Stunde jetzt bei einer neuen Weltenwende wiedergekommen sei.[2] Und in einem engeren musikhistorischen Bezug analogisiert Wilibald Gurlitt den Aufbruch der vorbachschen Musik im Gefolge der Reformation mit dem Aufbruch der Musik in der NS-Zeit und fügt hinzu, die vorbachsche Musik werde »auch von jüngsten rassenkundlichen Gesichtspunkten her« in den Vordergrund gerückt.[3]

Zu den wenigen, wenngleich gescheiterten Versuchen neuer Themenstellungen für die Musikwissenschaft unter dem Nationalsozialismus gehörte bekanntlich das sogenannte Rassenproblem in der Musik. Dazu hat sich insbesondere Joseph Müller-Blattau geäußert, der auch zum Bach-Fest 1938 in Leipzig den Festvortrag zum Thema »Das musikalische Erbgut der Familie Bach« hielt. Er fand ein Jahr später unter dem Titel »Die Sippe Bach. Ein Beitrag zur Vererbung« Eingang in einen Aufsatzband über »Rasse und Musik«.[4] Dort liest man als Zwischenbilanz und als Schluß:

»Heimat und Sippe ist ... der feste Grund des Wirkens der Bachs. Aber zugleich paaren sich merkwürdig und stark die Heimatliebe und die Wanderlust, der

---

2 Friedrich Blume (AMZ 61, 1934, S. 598) hebt dies in seiner Besprechung des Vortrags von Wilhelm Schäfer hervor.

3 Eckhard John, *Vom Deutschtum in der Musik*, in: Entartete Musik. Zur Düsseldorfer Ausstellung von 1938. Eine kommentierte Rekonstruktion von Albrecht Dümling und Peter Girth, Düsseldorf 1988, hier S. 50.

4 Hrsg. von Guido Waldmann, Berlin 1939, S. 49–67.

ehrfürchtige Dienst an der unbegrifflichen Macht der Musik und der Drang zum Begreifen, zum Basteln und Bauen, tiefste Frömmigkeit und heiterste Lebensfreude. ...Wir wissen von alten Bauerngeschlechtern, daß sie ihre besonderen Geschlechterzeichen und Sippenrunen hatten. Hier ist die Rune der 'musikalisch-Bachischen Familie': [Notenbild] B-A-C-H
In ihr erleben wir auf kleinstem Raum sinnbildlich gefügt, wovon diese unsere Darstellung als ewig neuem Wunder zeugt: die in echtestem Wortsinne aus Blut und Boden erwachsende, aus den Kräften bäuerlicher Lebensfestigkeit genährte, als Erbgut von Geschlecht zu Geschlecht weiterströmende musikalische Kernkraft der Sippe Bach.«[5]

Bach wird also bereitwillig zum Paradigma für die sogenannte musikalische Rassenforschung gemacht, ohne daß deren konstruierte Problemstellung – inwieweit nämlich die Verschiedenartigkeit der postulierten Rassen tatsächlich Konsequenzen für den Umgang mit Musik haben könnte – wirklich behandelt wird. Statt dessen referiert Müller-Blattau die Genealogie der Familie Bach und konstatiert dabei einige wiederkehrende Eigenschaften, deren unterstellte Determinierung durch gesicherte Vererbung innerhalb der arischen Rasse durch nichts belegt, geschweige denn bewiesen werden kann. Im übrigen könnten aus der Genealogie genausogut andere Eigenschaften von Mitgliedern der Bach-Familie abgeleitet werden, die nicht in das offiziell vorgegebene Bild des arischen, nordischen, germanischen Menschen gepaßt hätten.

Besonders bezeichnend für die Anbiederung der Forschung an die herrschende Ideologie ist die Erklärung der Tonfolge B-A-C-H als »Rune« der musikalisch-Bachischen Familie durch Müller-Blattau, mit der unweigerlich das Hakenkreuz zu assoziieren ist. Auch wenn er vor der aberwitzigen, unter den seinerzeit gegebenen Umständen jedoch nicht unmöglich gewesenen Erklärung zurückschreckt, die Tonfolge B-A-C-H (und damit die Familie Bach) und das Hakenkreuz gingen auf dieselbe Wurzel in der germanischen Runenwelt zurück, bleibt sein Bezug vor dem Hintergrund des arbiträren Charakters der Bedeutungsbeimessung sowohl der Buchstaben der Sprache als auch der Tonbuchstaben abwegig genug und kommt über die nackte Behauptung nicht hinaus. Darüber hinaus bedient Müller-Blattau, der als Königsberger Ordinarius für Musikwissenschaft zu den arrivierten Vertretern unseres Faches zählte, die wichtigsten ideologischen Leit-Schlagwörter (von Leitgedanken kann im Grunde keine Rede sein) des Nationalsozialismus. Dies gilt im übrigen um so mehr für zahlreiche weniger bedeutende Autoren.

---

5   Ebenda, S. 62 und 67.

An die Stelle der Familie tritt die Sippe, ohne daß mit diesem Alternativbegriff eine wirklich substantielle Unterscheidung deutlich wird. So mußte man später in mehreren Bach-Büchern aus den dreißiger Jahren, die 1950 in Wiederauflagen erschienen, lediglich den einen – nun belasteten – Begriff durch den anderen ersetzen. Der Verweis auf die alten Bauerngeschlechter, die wie die Sippe Bach ebenfalls ihre »Rune« gehabt hätten, ist mehr als ein bloßes Vergleichsargument. Der Bauer als der am engsten mit Boden und Scholle verbundene Berufsstand genoß hohes Ansehen und damit Legitimationskraft für Personen wie Bach, die sich mit einer solch suspekten Tätigkeit wie dem mit einem bestimmten geistigen und religiösen Anspruch versehenen Komponieren hervorgetan hatten. Auch das »Begreifen, Basteln und Bauen«, zu dem sich die Bachs nach Müller-Blattau stets gedrängt sahen, hat einzig dem möglichen Vorwurf einer zu starken intellektuellen Prägung Bachs vorzubeugen.

Selbst Richard Benz, der in seiner schwammigen Rede zum Reichs-Bach-Fest 1935 unter dem Thema »Bachs geistiges Reich«[6] alles andere als das Bild eines bodenständigen, bauernverbundenen Bach zeichnet, wenn er beispielsweise ausführt:

> »So steht er vor uns in seiner letzten reinsten Vollendung: der gewaltigste Tragiker der Christenheit; und doch zugleich der Denker: Ur-Denker einer noch künftigen Welt – nordischer Äschylos und Platon in einer Gestalt«,[7]

selbst Richard Benz also betont in einer anderen Publikation des gleichen Jahres das Bodenständige, Verwurzelte. Unter dem Titel »Bachs Passion. Die nordische Tragödie« charakterisiert er die nordische Passionsdarstellung (im Gegensatz zur französischen oder italienischen) als

> »das erhabene Bild einer tragischen Kultur. Das waren nicht Menschen, die am Leben litten, nicht Schwache und Feige, die in einen Wahn, eine Illusion sich flüchteten – das war eine starke Rasse, die fest im Leben stand, in Krieg und Liebe, in Handel und Handwerk höchst real und irdisch gesinnt; und eben deshalb fähig und gewillt, den Anblick des Leidens zu ertragen, zu verehren, sich selbst inbrünstig danach zu verzehren, um in der Vernichtung, in der Marter und

---

6 Vgl. dazu den Beitrag von Ingeborg Allihn im vorliegenden Band.
7 Richard Benz, *Bachs geistiges Reich. Rede zum Bachfest der Neuen Bachgesellschaft*, Leipzig 1935, S. 18. Diese Rede löste eine kritische Zeitschriftenrezension von Horst Büttner (*Das Reichsbachfest in Leipzig*, ZfM 102, 1935, S. 845–852, hier S. 851) aus, die in der bissigen Bemerkung gipfelt: »Daß vollends Bachsche Musik 'berauschende Düfte' ausströmen soll, war selbst alten Bachkennern neu; diese glaubten immer, so etwas gäbe es bloß bei Puccini.«

Askese die Schranken des Leibes zu sprengen und mit der Unzerstörbarkeit und Ewigkeit der Welt, des Ur-Willens selber, eins zu werden.«[8]

Nicht das Selbstopfer aus Liebe, sondern das innerlich »gestählte«, gleichsam soldatische Durchhalten in einer Situation existentieller Bedrohung wird zum Kern der Passion Christi – eine kaum vergleichbare Verfälschung, die – geht man noch einen Schritt weiter – den Mißbrauch der Passion als Mittel der geistigen Kriegsvorbereitung eröffnet.

Unter den zahlreichen Äußerungen verschiedener Autoren, insbesondere zu Sippe und Seßhaftigkeit, Blut und Boden, Volkstum und Heimat im Zusammenhang mit Bach, die uns hier nicht weiter beschäftigen sollen, sei allerdings noch der Aspekt der Fremdenabgrenzung herausgegriffen. Während Conrad Freyse, der Direktor des Eisenacher Bachhauses, 1941 meint, den Makel des außerdeutschen Ursprungs der Familie Bach auflösen zu müssen, indem er ausführt, die »Bache seien um ihres protestantischen Glaubens aus Ungarn vertrieben worden, und so sei er [Bach] der Urenkel frühesten Auslandsdeutschtums«,[9] versteigt sich Werner Korte 1935 zu einer Idealisierung provinzieller Einkapselung. Er schreibt:

>»Berühmt waren die Familienkonvente der Bache, bekannt ihre offene Verachtung allen musikalischen Kosmopolitentums und ihr Stolz, von den Italienern nichts gelernt zu haben. ... Sie lebten ihr arbeitsreiches, einfaches und gläubiges Leben ...; erst die Generation der Söhne Bachs drängte in die Weite, fand in Berlin, Hamburg, Bückeburg, ja in Mailand und London neue Wurzeln. Doch schicksalhaft war mit dieser Entwurzelung die künstlerische und leibliche Zeugungskraft gebrochen.«[10]

Welche musikalischen Wertungen gingen nun mit solchen Anschauungen einher? – Obwohl auch in der Zeit der NS-Herrschaft – zumal unter dem Eindruck der Orgelbewegung in den zwanziger Jahren – die Orgel zunächst als ein Instrument der Kirche galt (bemerkenswerterweise wurde der nichtkirchliche Ursprung der Orgel offenbar nicht als Argument für ihren Einsatz im Interesse des NS-Staates genutzt), wußten die NS-Repräsentanten – nicht zuletzt Hitler selbst – dieses exponierte Instrument ihren Zwecken dienstbar zu machen. Sie unterschieden sich damit klar von den Repräsentanten der zweiten deutschen Diktatur, die der Orgel trotz der

---

8 Richard Benz, *Bachs Passion. Die nordische Tragödie*, Leipzig [1935], S. 20.
9 *Eisenacher Tagespost* vom 21. 3. 1941, Bericht über die Rede Conrad Freyses anläßlich der Kranzniederlegung vor dem Bach-Denkmal.
10 Werner Korte, *Johann Sebastian Bach, Berlin 1935*, hrsg. von Walter Stang (Musikalische Schriftenreihe der NS-Kulturgemeinde. 11.), S. 3.

Genehmigung von Konzertsaalneubauten letztlich immer mit Mißtrauen oder Hilflosigkeit begegneten.

Was machte die Orgel für die nationalsozialistische Ideologie interessant? Zum einen ist es ihre gleichsam objektive Art der Tonerzeugung. »Soldatischer Ausdruck«, »männlicher Ernst« beziehungsweise »männliche Freude« und wie die Schlagworte für ästhetische Forderungen an die Musik insbesondere in den Kriegsjahren alle hießen, stellten sich beim Orgelspiel zwar nicht zwangsläufig, aber doch eher als bei anderen Instrumenten ein. Zum anderen schien die Orgel als klangliches Attribut kultischer Massenszenen unersetzbar. So konnte der badische Landeskirchenmusikwart Herbert Haag 1938 in Freiburg die Orgel als das »totale Instrument« des totalen Staates Adolf Hitlers postulieren. Zur Verkündung der Rassegesetze auf dem Reichsparteitag 1935 in Nürnberg erklang von der Führertribüne eine große Orgel. Das »heilige« und auf große Zeiträume gerichtete Anliegen dieses unsäglichen Gesetzeswerkes wurde damit emotional wirksam untersetzt. Fritz Heitmann verbindet 1943 mit dem Bekenntnis zur Orgel am Beispiel Bachs noch einen Seitenhieb gegen den amerikanischen Kriegsgegner, der hier freilich für alles Nichtdeutsche figuriert:

> »Wir haben es nicht nötig, auf der Orgel Anleihen aus anderen Instrumentalgebieten zu machen, um musikalisch wirksam zu werden (wie ich es z.B. vor einigen Jahren in Nordamerika mit Klavier- und Orchesterwerken in Orgelkonzerten erlebte); ... . Daß es möglich ist, zum Vortrag eines für den Hörer so überaus anspruchsvollen Werkes wie des dritten Teiles der 'Klavierübung' von Joh. Seb. Bach jeweils Tausende von Hörern um die Orgel zu versammeln, beweist die tiefgreifende Wirksamkeit des Instruments, das heute mit seinen erhabenen Klängen die Seele unseres Volkes sowie den schaffenden Genius unserer erlesensten musikalischen Geister in stärkstem Maße wieder berührt und daher mit Recht das Instrument unserer Zeit genannt werden darf.«[11]

Für die Absage an die kritische Vernunft und die Förderung einer dumpfen, unreflektierten Emotionalität - in der sich die sogenannte Volksseele wiederfinden konnte - gedachte man die Orgel zu mißbrauchen.

Besonders beargwöhnten und verachteten die nationalsozialistischen Musikwächter die Komponisten des 19. Jahrhunderts (mit wenigen Ausnahmen, zu denen an erster Stelle bekanntlich Richard Wagner zählt), wo der musikalische Individualismus und Liberalismus - was immer das im

---

11 Fritz Heitmann, *Die Orgel - das Instrument unserer Zeit*, in: Jahrbuch der deutschen Musik 1943. Im Auftrag der Abteilung Musik des Reichsministeriums für Volksaufklärung und Propaganda hrsg. von Hellmuth von Hase, Leipzig und Berlin 1943, S. 157–162, hier S. 162.

einzelnen sei – die größte Verbreitung finden konnte. Damit war ein Popanz aufgebaut, gegen den sich ältere Komponisten wie Bach positiv absetzen ließen. So polemisiert Friedrich Gebhardt in einem offenen Brief gegen den Fachleiter für Kirchenmusik bei der Reichsleitung der Deutschen Christen Hans-Georg Görner, dessen Schrift »Kirchenmusik im 3. Reich« 1933 auch die bekannte Erklärung deutscher Kantoren und Organisten auslöste:

> »Es gibt mir den Anschein, als wollten Sie in Ihrer Schrift einer Rückkehr zu den Romantikern des 19. Jahrhunderts das Wort reden. Ich habe nichts gegen die Romantiker, versuche auch, den Romantikern in der Kirchenmusik gerecht zu werden ...; aber ich muß sagen, wir haben besseres als deren Kunst, und wir dürfen getrost nach dem Besten greifen. Sind Ihnen Buxtehude, Lübeck, Prätorius, Schütz, Bach usw. nicht deutscher, germanischer, nordischer als die Wiener und Süddeutschen bzw. Österreicher Schubert, Reger, Rheinberger, Mozart, Liszt, Haydn, Bruckner? ...«[12]

Gebhardt ahnte seinerzeit noch nicht, daß gerade Bruckner zu Hitlers bevorzugten Komponisten zählte, und daß später auf persönlichen Wunsch des Führers ein Reichs-Bruckner-Orchester und – sogar mitten im Kriege – ein Reichs-Bruckner-Chor ins Leben gerufen wurden. Eine solch zweifelhafte Ehre blieb Bach erspart.

Hier läßt sich die Absurdität des Argumentierens im Dienste der totalitären Ideologie beobachten: Zwei scheinbar unterschiedliche Positionen, die beide die ideologische Selbstzensur bereits verinnerlicht haben und auf diese Weise lediglich unter Betonung verschiedener Aspekte oder unterschiedlicher Auslegung des ideologisch vorgegebenen Denkrahmens das gleiche Ziel verfolgen, treten in eine scheinbar die Freiheit des Geistes verkörpernde Auseinandersetzung ein. Gleichgültig, zu welchem Ergebnis der Disput führt – der herrschenden Ideologie wächst in jedem Fall ein Stück intellektueller Schein-Legitimation zu.

Mehr als einen Schönheitsfehler stellten verschiedene Textpassagen in Bachs Kantaten dar, in denen – insbesondere bei Chorälen – Bezüge zu den Juden des Alten Testaments zutage treten. In dem Antijudaismus, der solche Texte zu ändern suchte, stimmten die Deutschen Christen und die Bekennende Kirche überein. Nachdem bereits Alfred Rosenberg 1930 gefordert hatte, »daß die kirchlichen Liederbücher von den Jehova-Liedern

---

12 Friedrich Gebhardt, *Offener Brief gegen die Absichten des Herrn Görner*, in: Kirchenmusik im dritten Reich. Monatsschrift für Gottesdienst und kirchliche Kunst 1933, S. 152–155.

gesäubert werden«,[13] veröffentlichte Wilhelm Caspari 1933 dazu einen Zeitschriftenartikel.[14] Unter Verweis auf das neue »Common Prayer« der Engländer, wo in jedem Fall »eine alttestamentliche Bezugnahme einer heimatlichen gewichen«[15] sei, wird an den »Bund für eine Deutschkirche« erinnert, der noch vor diesen englischen Ereignissen »die Beseitigung der Bezugnahmen auf das Alte Testament aus den evangelischen Kirchengesangbüchern«[16] beantragt habe. Mit keinem Wort geht der Autor auf die neuen politischen Rahmenbedingungen von 1933 ein und verleiht seinem Artikel den Anstrich einer terminologie- und sprachgeschichtlichen Studie, aus der wie selbstverständlich Konsequenzen zur Textänderung im Interesse eines adäquaten Bibelverständnisses gezogen werden. Damit war dieser Bereich salonfähig geworden und stand Nachahmern wie Präzisierern weit offen. Derlei Änderungen[17] fanden verschiedentlich auch in die einschlägigen von Bach vertonten Texte Eingang, zumal die sogenannte Entjudung zunehmend von offizieller kirchlicher Seite thematisiert wurde. Beispielhaft fordert dazu der Theologieprofessor Walter Grundmann, der Leiter des am 6. Mai 1939 auf der Wartburg in Eisenach gegründeten »Instituts zur Erforschung und Beseitigung jüdischen Einflusses auf das kirchliche Leben«:

> »Daß aus Liturgie und Liedgut die Zionismen verschwinden müssen, und daß das asketisch weltflüchtige Lebensgefühl vor allem der pietistischen Zeit für uns nur schwer tragbar ist, ist deutlich. Daß wir auf der anderen Seite den herben Ernst und die nüchterne Sachlichkeit nicht entbehren können, wie sie in den Liedern enthalten sind, die Not und Sterben, Bluten und Leiden des Dreißigjährigen Krieges an sich tragen und zur Zeit durch kein einziges modernes Lied ersetzt sind, ist jedem Einsichtigen klar.«[18]

Noch im Kriege leistete sich Goebbels eine »Reichsstelle für Musikbearbeitungen«, deren Geschäftsführer Hans Joachim Moser war. Er berichtet 1943 über diese Tätigkeit u.a.:

> »Ferner [neben Opern-, Singspiel- und Operettentextbearbeitungen] ergab sich die Notwendigkeit, die Reichsstelle auch in den Fragen der Oratorienbearbeitun-

---

13 Alfred Rosenberg, *Der Mythos des 20. Jahrhunderts*, München 1930, S. 617.
14 Wilhelm Caspari, *Über alttestamentliche Bezugnahmen im evangelischen Gesangbuch und ihre Beseitigung*, in: Monatschrift für Gottesdienst und kirchliche Kunst 1933, S. 169–179.
15 Ebenda, S. 169.
16 Ebenda.
17 BWV 137/5 bzw. BWV 140/4.
18 Walter Grundmann, *Die Entjudung des religiösen Lebens als Aufgabe deutscher Theologie und Kirche*, Weimar 1939 (Schriften zur Nationalkirche), S. 19.

gen zumal Händels, der Kantatentexte Bachs, der Kunstliedertexte nichtarischer Verfasser zu Rate zu ziehen.«[19]

Elf Jahre später fehlt allerdings in Mosers Selbstbericht[20] der Name Bach in diesem Zusammenhang, während von Händel immerhin das Oratorium »Israel in Ägypten« unter dem neuen Titel »Der Opfersieg von Wahlstatt« angeführt ist.[21] Es bleibt fraglich, ob die Texte Bachscher Vokalwerke tatsächlich in offiziellem Auftrag des NS-Staates geändert wurden. Eine bereits vorliegende Reihe von Änderungsvorschlägen, die auf eine sogenannte »Säuberung von Judaismen«[22] zielte und sich zum Teil sogar auf Bachs praktiziertes Parodieverfahren berief, welches »vielleicht auch nahe[lege], daß er seine Nachfahren nicht an die eiserne Kette zeitgebundener Texte geschmiedet wissen wollte«,[23] scheint den gewünschten Effekt weithin erreicht zu haben.

Die Beispiele einer Instrumentalisierung Bachs für die NS-Ideologie sind vor allem Ausdruck dafür, daß die Herrschenden mit ihm und seinem Werk nichts anzufangen wußten. Bachs unabhängiges kompositorisches Denken, wie es nun wirklich auch für den Letzten aus seiner Musik zumindest erahnbar war, und seine tiefe Religiosität waren Eigenschaften, die ihn eigentlich zur Persona non grata hätten machen müssen. Ihn allerdings zu verbieten, und zwar als sogenannten Revisionisten, blieb in Europa erst der albanischen Diktatur unter Enver Hoxha in den achtziger Jahren vorbehalten. Für das Dritte deutsche Reich war es allemal bequemer und vor allem ideologisch profitabler, Bach – den Angehörigen der arischen, nordischen Rasse – als Repräsentanten einer im »Urdeutschen« beziehungsweise »Grunddeutschen« wurzelnden Kunst zu benutzen. Vergleiche seiner Person mit mehr als unverdächtigen Zeitgenossen oder vorbildhaft gesehenen historischen Figuren waren schnell bei der Hand und suchten nicht zuletzt darüber hinwegzutäuschen, daß die Bach-Anschauungen während der NS-Diktatur ein bräunlich-buntes Gemisch von Sichtweisen darstellten, die unterschiedliche Grade der Anpassung oder Anbiederung an das Regime und seine Ideologie verkörperten. Lassen Sie mich mit zwei Beispielen solcher

---

19 Hans Joachim Moser, *Von der Tätigkeit der Reichsstelle für Musikbearbeitungen*, in: Jahrbuch der deutschen Musik 1943, S. 82.
20 Hans Joachim Moser, *Selbstbericht des Forschers und Schriftstellers*; in: Festgabe für Hans Joachim Moser zum 65. Geburtstag, Kassel 1954, S. 111–157.
21 Ebenda, S. 145.
22 Hermann Stephani, *Zu Bachs Weihnachtsoratorium*, in: Musik im Kriege 1943/44, S. 178.
23 Ebenda, S. 179; weitere Änderungsvorschläge z. B. von Woldemar Voigt.

Hilflosigkeiten schließen, bei denen letztlich nichts mehr bleibt als die platte Berufung auf die Person des Führers.

Der Theologe Fritz Haufe, der zum 24. Deutschen Bachfest 1937 in Magdeburg den Festvortrag unter dem abstrusen Titel »Bachs christliche Deutschheit« gehalten hat, meinte in einem 1934 im Auftrag des Studentenpfarramts in der Universitätskirche Leipzig gehaltenen Vortrag mit dem Titel »J. S. Bach als deutscher Evangelist«:

> »Bach verkörpert den großen, recht eigentlich deutschen Typus des 'Genies im Dienste', er ist darin seinem Zeitgenossen Friedrich dem Großen vergleichbar, auch Luther und Bismarck, auch Hitler. Er ist weder antikischer Heroe, noch romanisches selbstherrliches Individuum, sondern – *Deutscher*, d.h. *gehorsam* und *treu*, einer Sendung, einem Auftrag verhaftet.«[24]

Und der Berichterstatter der »Leipziger Neuesten Nachrichten« urteilte über Bachs erstes Brandenburgisches Konzert, das im Beisein des Führers beim Reichs-Bach-Fest 1935 im Leipziger Gewandhaus erklang:

> »Es ist eine Musik, die seinem [= Hitlers] Geiste entspricht, die streng, zuchtvoll bis ins Letzte und durch und durch deutsch ist.«[25]

Daß gerade dieses Werk eine Polonaise enthält, muß dem Schreiber durchaus nicht entgangen sein; vor dem Hintergrund der Größe von Hitlers Geist jedoch mußte dies zu einem vernachlässigungspflichtigen musikalischen Detail verblassen.

---

24 Fritz Haufe, *J. S. Bach als deutscher Evangelist* (Vortrag am 18. 7. 1934 im Auftrag des Studentenpfarramts in der Universitätskirche Leipzig), in: Arionzeitung 1935, S. 82.
25 *Leipziger Neueste Nachrichten* vom 22. 6. 1935.

ERFAHRUNGEN MIT DER VERWENDUNG DES AUFKLÄRUNGSBEGRIFFS IN DER BACH-FORSCHUNG

Von Martin Petzoldt (Leipzig)

1. Wie ich meinen Beitrag verstehe?

Die nachfolgenden Gedanken gründen nicht auf subtilem Studium von Quellen oder auf sorgfältiger Aufarbeitung einer bestimmten Begriffsverwendung unter klar beschreibbaren Bedingungen. Sie zeichnen Begegnungen mit Sachverhalten und mit Personen und deren Anschauungen nach, die sich für den Verfasser seit 1978 aufgrund der Tatsache ergeben haben, daß er sich in die Lage versetzt sah, sich der Beschäftigung mit dem Werk Johann Sebastian Bachs zuzuwenden. Er schildert damit einen bestimmten Ausschnitt aus seinem Leben, den er in schriftlicher Form zu fixieren wahrscheinlich nicht oder, besser gesagt, noch nicht unternommen hätte, hätte es nicht die »Wende« mit all den nachfolgenden Aufgaben und Notwendigkeiten gegeben. Er fühlt sich dann recht verstanden, wenn seine Mitteilungen als Auskünfte im Zusammenhang einer Vergangenheitsbefragung gehört werden, also als Stück jenes Bereiches, der von Historikern heute mehr und mehr in ihrem Quellenwert anerkannt und auch akzeptiert, jedenfalls nicht mehr von vornherein beargwöhnt wird, also als ein Stück Lebensgeschichte.

Dieser Ausschnitt läßt sich direkt und indirekt um den Begriff »Aufklärung« und seine Beanspruchung in der Bach-Forschung gruppieren. Er ist also nicht exakt chronologisch im Sinne des Schemas »von – bis« eingrenzbar, sondern setzt zerfasert mit bestimmten Bedingungen des Zugangs zur Bachforschung ein und ist im Blick auf seinen Schluß ebenso zerfasert offen.

Eine weitere Voraussetzung des gesamten Zusammenhanges sieht der Verfasser in der Art und Weise, wie im Kontext der sogenannten »Erberezeption«, wie die selektive Beanspruchung der Geschichte, besonders der deutschen Geschichte, in DDR-Zeiten bezeichnet wurde, sich die Einstellung zur Theologie über Annäherungen mit Hilfe der Kirchengeschichte veränderte: Hatte man 1967 das Reformationsjubiläum,[1] 450 Jahre Thesenanschlag Luthers, auf staatlicher Seite fast völlig ignoriert, kam es im Zusammenhang mit dem Bauernkriegs-Jubiläum 1975[2] zu ersten Öffnungen, was sich bis zum Luther-Jubiläum 1983[3] fortsetzte. Freilich wissen wir auch noch, daß das Jahr 1983 quasi in letzter Minute zu einem Karl-Marx-Jahr umfunktioniert wurde (165. Geburtstag, 100. Todestag).[4] Das damit erkennbare Verfahren hat Vorbildcharakter für andere Anlässe.

2. Wie ich zur Bach-Forschung kam?

Von 1964 bis 1969 studierte ich an der Theologischen Fakultät der Karl-Marx-Universität zu Leipzig Theologie. In diesen Zeitraum fällt das an bedrückenden Ereignissen reiche Jahr 1968: der »Prager Frühling« mit seiner gewaltsamen Beendigung im August, die Abstimmung über die sogenannte neue Verfassung der DDR im April, die Sprengung der Universitätskirche St. Pauli zu Leipzig am 30. Mai.[5] Mein Weg nach dem Studium setz-

---

1 Vgl. dazu das Vorwort des Herausgebers in: *Reformation 1517–1967. Wittenberger Vorträge*, hrsg. von Ernst Kähler, Berlin 1968, S. 7–8.

2 Vgl. dazu *Der Bauer im Klassenkampf. Studien zur Geschichte des deutschen Bauernkrieges und der bäuerlichen Klassenkämpfe im Spätfeudalismus*, hrsg. von Gerhard Heitz, Adolf Laube, Max Steinmetz und Günter Vogler, Berlin 1975; sowie Max Steinmetz, *Thomas Müntzer in der Forschung der Gegenwart*, in: Zeitschrift für Geschichtswissenschaft 23 (1975), S. 666–685.

3 *Thesen über Martin Luther. Zum 500. Geburtstag*, in: Zeitschrift für Geschichtswissenschaft 29 (1981), S. 879–893, vor allem S. 882–885; Horst Haun, *Die Diskussion über Reformation und Bauernkrieg in der DDR-Geschichtswissenschaft 1952–1954*, in: Zeitschrift für Geschichtswissenschaft 30 (1982), S. 5–22. – Thomas A. Brady Jr. (*Luther and Society. Two Kingdoms or Three Estates? Tradition and Experience in Luther's Social Teaching*, Luther-Jahrbuch 52, 1985, S. 197–212, hier S. 199, Fußnote 12) bemerkt dazu: »This thesis [of the reactionary Luther], which springs from the socialist tradition of Reformation studies, seem to be losing its profile during the current jubilee«.

4 In der Publikation *Martin Luther und unsere Zeit. Konstituierung des Martin-Luther-Komitees der DDR am 13. Juni 1980 in Berlin. Berlin 1980*, in der die Reden von Erich Honecker für die Partei- und Staatsführung, Werner Leich für den Bund Evangelischer Kirchen in der DDR, Horst Bartel als federführenden Historiker, Gerald Götting als Vorsitzenden der CDU und Hans Pischner als Vorsitzenden des Kulturbundes abgedruckt sind, wird noch mit keiner Silbe der Bezug zu den biographischen Gedenktagen Karl Marx' hergestellt. Das geschah erst zu Beginn des Jahres 1983.

5 Über dieses eigentümliche Zusammentreffen von Ereignissen habe ich zu berichten versucht: *Zwischen Emotion und Reflexion. Gedanken zur Universitätskirche*, in: Universitätskirche Leipzig. Ein Streitfall?, hrsg. vom Paulinerverein,

te sich fort mit dem Vorbereitungsdienst zum Pfarramt in der Evangelisch-Lutherischen Landeskirche Sachsens, freilich deutlich mit wissenschaftlichen Ambitionen. Denen konnte ich stärker gerecht werden, nachdem ich seit dem 1. März 1973 eine Assistentenstelle im Wissenschaftsbereich Systematische Theologie in der nunmehrigen »Sektion Theologie« der Karl-Marx-Universität bekleidete (der Zugang dazu war alles andere als selbstverständlich und wäre eine eigene Geschichte). Während des Studiums hatte ich mich in den Bereichen der Theologie besonders umgetan, die bis heute meine Arbeit bestimmen: Systematische Theologie mit Dogmatik, Ethik, Theologiegeschichte und Kirchengeschichte, da vor allem mit der Reformationsgeschichte und der Kirchengeschichte des 17. und 18. Jahrhunderts. Durch meine Mitarbeit in der Redaktion der in Leipzig seit 1876 erscheinenden »Theologischen Literaturzeitung« schon seit den ersten Wochen meines Studiums bis heute, erhielt ich nicht nur den wünschenswerten raschen Zugang zu der laufend neuen Theologieproduktion in Form von Büchern und Zeitschriften, sondern auch die nötigen Impulse für spezielle Interessen. Fast zufällig traf mich 1976 der Auftrag, den Band »Sämtliche von Johann Sebastian Bach vertonte Texte«[6] in der Theologischen Literaturzeitung zu rezensieren. Nach Veröffentlichung der Rezension[7] kam ein erstes Gespräch mit Professor Dr. Werner Neumann zustande. Seitens des »Forschungskollektivs Johann Sebastian Bach« der Universität war Herr Dozent Dr. Szeskus mit der Bitte an mich herangetreten, ein theologiegeschichtliches Referat innerhalb eines Kolloquiums zu übernehmen, bei dem es um »Bach und die Aufklärung« gehen sollte. Ich mußte wohl leicht ungläubig reagiert haben, weil mir das Thema etwas abwegig erschien. Doch stellte er mir frei, das Thema selbst formulieren zu wollen. Ich gab schließlich als Thema an *Zwischen Orthodoxie, Pietismus und Aufklärung – Überlegungen zum theologiegeschichtlichen Kontext Johann Sebastian Bachs.*[8] Das schien mir nach meinem damaligen Verständnis möglich zu sein. Wegen der mir schwer einsehbaren Einbindung Bachs in »die Aufklärung« bestand meine Absicht von Anfang an darin, die exklusive Fixierung Bachs auf die Aufklärung stillschweigend dadurch zu unterlaufen, daß

dem Mitteldeutschen Rundfunk, der Bild-Zeitung Leipzig und dem Verlag Kunst und Touristik Leipzig, Leipzig 1992, S. 34–49.

6   *Sämtliche von Johann Sebastian Bach vertonte Texte*, hrsg. von Werner Neumann, Leipzig 1974.

7   Die Rezension erschien in *Theologische Literaturzeitung* 104 (1979), Sp. 377–380.

8   *Johann Sebastian Bach und die Aufklärung*, hrsg. von Reinhard Szeskus, (Bach-Studien. 7.) Leipzig 1982, S. 66–108.

die geistigen Möglichkeiten, denen das Leben Bachs offensichtlich ausgesetzt sein konnte, in ihrer Vielfalt zur Darstellung gebracht wurden. Die Comenianisch-Reyhersche Pädagogik diente mir ebenso dazu wie die Tendenzen, die Johann August Ernesti als Thomasschulrektor und späterer Theologieprofessor verfocht.[9]

Im Vorfeld des Kolloquiums 1979 kam es erneut zu einem Gespräch mit Professor Neumann, in dem er bitter darüber klagte, daß er nicht zu einem Vortrag gebeten worden sei. Er habe aber seine Beteiligung an dem Round-Table nur unter der Bedingung zugesagt, daß er innerhalb des Gesprächs dreimal zehn Minuten für einige Auslassungen erhalte. In diesen Beiträgen beschäftigte er sich vornehmlich mit der Kritik am Barockbegriff.[10]

Das Bach-Jahr 1985 erfuhr im Herbst 1984 unter anderem mit einer Besprechung eine Vorbereitung, zu der auch ich eingeladen worden war. Sie fand im Gebäude des Kulturbundes auf der Käthe-Kollwitz-Straße statt. Dort wurde für die thematische Differenzierung der Wissenschaftlichen Konferenz im Vorfeld des Bach-Festes März 1985 eine folgenreiche Maßgabe formuliert: Man werde den Aufklärungsbegriff im Zusammenhang mit Bach weder dementieren noch in Zukunft aktiv bevorzugen und einsetzen. Das führte dann dazu, daß einerseits das Eröffnungsreferat der Konferenz 1985 von Werner Felix sich partienweise als Aneinanderreihung von Textzeilen aus Kirchenkantaten Bachs[11] darbot, und andererseits das Referat von Heinz Alfred Brockhaus[12] die Thesen zur Aufklärung, wie sie 1975 und in den Folgejahren referiert worden waren, erneut unverändert vertrat.

---

9 Vgl. dazu besonders Paul S. Minear, *J. S. Bach and J. A. Ernesti: A Case Study in Exegetical Conflict*, in: Our Common History as Christians. Essays in Honor of A. C. Outler, hrsg. von John Deschner, Leroy T. Howe und Klaus Penzel, New York 1975, S. 131–155.
10 Abgedruckt in: *Johann Sebastian Bach und die Aufklärung* (s. Fußnote 8), S. 109–139.
11 Werner Felix, *Johann Sebastian Bach. Weltbild, Menschenbild, Notenbild, Klangbild*, in: Bericht über die Wissenschaftliche Konferenz zum V. Internationalen Bachfest der DDR in Verbindung mit dem 60. Bachfest der Neuen Bachgesellschaft. Leipzig, 25. bis 27. März 1985, im Auftrag der NFG Bach hrsg. von Winfried Hoffmann und Armin Schneiderheinze, Leipzig 1988, S. 21–34, vor allem S. 29–32.
12 Heinz Alfred Brockhaus, *Überlegungen zur geistigen Position Johann Sebastian Bachs in der geschichtlichen Entwicklung seiner Zeit*, in: Bericht 1985 (s. die vorige Fußnote), S. 59–64.

3. Wie der Begriff »Aufklärung« eingesetzt wurde?

Die Beanspruchung des Aufklärungsbegriffes als Deutungskategorie des Bachschen Werkes hat bis heute nicht überzeugen können. Es handelt sich bei dem damit unternommenen Versuch meines Erachtens ausschließlich um die Bemühung, mit Hilfe dieser Chiffre das marxistische Ideologumenon des »Fortschrittlichen« dieser Epoche, das auch am Werk Bachs erkannt werden will, auf ein geisteswissenschaftliches Phänomen anzuwenden. Für diese Anwendung fehlte in der marxistischen Geschichtsinterpretation eigentlich das hinreichende Instrumentarium.[13] Es hat den Anschein, als ob allein solche Begriffe, denen der Wert emanzipatorischer und säkularistischer Kraft eignete, als Epochenbegriffe für Geschichtserkenntnis und Geschichtsbild in Anwendung kommen konnten, selbst für den Preis, daß gelegentlich erhebliche Zeitphasen dadurch keine oder nur mindere Berücksichtigung fanden. Zwischen Renaissance, Humanismus und »frühbürgerlicher Revolution« einerseits und Aufklärung und Französischer Revolution andererseits klaffte beispielhaft eine solche Zeitphase, die entweder keine Einordnung erfuhr oder mit dem negativ verstandenen Metaphysik-Begriff disqualifiziert wurde. Daß die Einordnung Bachs dadurch erheblichen Problemen sich gegenübersah, ist allzu deutlich. Der in diesem Zusammenhang sich gern anbietende Begriff »Barock« mochte wohl Eigenheiten des Bachschen Werkes wiedergeben,[14] doch eignete er sich im Ende ebensowenig wie ökonomische Epochenbegriffe (z. B. Manufakturgesellschaft). Demgegenüber muß festgehalten werden:

1. Die deutsche Aufklärung in der ersten Hälfte des 18. Jahrhunderts ist in hohem Maße literarische und theologisch-philosophische Aufklärung, auf keinen Fall aber antireligiöse Aufklärung. Für das eine stehen Namen wie

---

13 Auch Brockhaus' späterer Versuch einer Umschreibung für die Bachzeit und das Bachsche Werk kann nicht überzeugen. Er sagt in seinem bereits zitierten Vortrag (s. Fußnote 12, hier S. 60), Aufklärung sei »kein musikalischer Stil, sondern ein komplexes Ensemble geistig-sozialer, speziell auch funktioneller Impulse, die Stilentwicklungen auslösten«.

14 Dazu hat sich beispielsweise Walter Blankenburg geäußert. Siehe die Artikel *Die Symmetrieform in Bachs Werken und ihre Bedeutung* (1949/50), in: Walter Blankenburg, Kirche und Musik. Gesammelte Aufsätze zur Geschichte der gottesdienstlichen Musik, hrsg. von Erich Hübner und Renate Steiger, Göttingen 1979, S. 183–197, und *Exkurs zur Symmetrieform*, in: Walter Blankenburg, Einführung in Bachs h-Moll-Messe, München und Kassel 1974, S. 59–62. Vgl. dazu auch den bereits genannten Beitrag zum Round-Table von Werner Neumann (s. Fußnote 10).

Barthold Heinrich Brockes (1680-1747)[15] und Johann Christoph Gottsched (1700-1766),[16] für das andere das breite Feld der Physikotheologie.[17] Dazu gehört auch der gesamte Bereich der Entdeckung des Empirischen, der in die naturkundlich-naturwissenschaftlichen Anfänge hinüberreicht (man denke an Carl v. Linnés »Systema naturae« von 1735, das auf dem Titelblatt ausdrücklich Psalm 104 zitiert).

2. Der oft zu rasch eingebrachte Begriff der »Aufklärung« Immanuel Kants datiert nicht nur ein halbes Jahrhundert später, sondern hat bezüglich der Inanspruchnahme seine Spitze in der konsequent verschwiegenen Pointe jener Schrift von 1784: Kant redet nicht nur von jener selbstverschuldeten Unmündigkeit, die unausgesprochen automatisch dem Christentum angelastet wird; Kant fragt gegen Ende seiner Schrift sehr kritisch, ob wir denn jetzt »in einem aufgeklärten Zeitalter« oder »in einem Zeitalter der Aufklärung« leben?[18] Dies, um das erstgenannte zu verneinen und das zweite zu bejahen, und um schließlich zu betonen, sagt er:

> »Ich habe den Hauptpunkt der Aufklärung, die des Ausganges der Menschen aus ihrer selbstverschuldeten Unmündigkeit, vorzüglich in Religionssachen gesetzt; weil in Ansehung der Künste und Wissenschaften unsere Beherrscher kein Interesse haben, den Vormund über ihre Untertanen zu spielen, überdem auch jene Unmündigkeit, so wie die schädlichste, also auch die entehrendste unter allen ist.«[19]

Dieses Zitat zeigt nicht nur Kants ohnehin bekannte Hochschätzung, wenn auch eigene Sicht, der Religion, sondern auch die irrtümliche Verwendung des Aufklärungsbegriffes, wenn er als ideologischer Streit- oder Kampfbegriff eingesetzt wird. Dazu eignet er sich auch nicht, sondern kehrt seine Spitze alsbald gegen jedwede Ideologie (eben sowohl gegen das Christentum

---

15 Hans-Georg Kemper, *Gottebenbildlichkeit und Naturnachahmung im Säkularisierungsprozeß. Problemgeschichtliche Studien zur deutschen Lyrik in Barock und Aufklärung*, 2 Bde., Tübingen 1981, vor allem Bd. 1, S. 310–361.

16 Vgl. dazu erneut Werner Blankenburg, *Aufklärungsauslegung der Bibel in Leipzig zur Zeit Bachs. Zu Johann Christoph Gottscheds Homiletik*, in: Bach als Ausleger der Bibel. Theologische und musikwissenschaftliche Studien zum Werk Johann Sebastian Bachs, hrsg. von Martin Petzoldt, Berlin 1985, S. 97–108.

17 Wolfgang Philipp, *Das Werden der Aufklärung in theologie-geschichtlicher Sicht*, Göttingen 1957; Sara Stebbins, *Maxima in minimis. Zum Empirie- und Autoritätsverständnis in der physiko-theologischen Literatur der Frühaufklärung*, Frankfurt/M. etc. 1980.

18 Immanuel Kant, *Beantwortung der Frage: Was ist Aufklärung? 1784*, in: ders., Kleine philosophische Schriften, hrsg. von Dieter Bergner, Leipzig [1962], S. 201–213, hier S. 211.

19 Ebenda, S. 212.

als Ideologie als auch gegen den Marxismus als Ideologie), die sich seiner in Selbstverabsolutierung bedient!

3. Ähnlich wie andere Persönlichkeiten der sogenannten bürgerlichen Bach-Forschung ist auch Walter Blankenburg »benutzt« worden: Blankenburg hatte 1950 einen Aufsatz veröffentlicht mit dem Titel *J. S. Bach und die Aufklärung*.[20] Darin war er vor allem auf Leibniz' Schrift *Von der Weisheit* eingegangen und hatte von daher das Thema »Bach und die Aufklärung« unter dem Aspekt des naturphilosophischen Ordnungsdenkens behandelt. Dieses freilich bezieht sich noch völlig ungebrochen auf den metaphysischen Rationalismus, wie man ihn im 17. Jahrhundert durchweg findet und von dem auch die musiktheoretischen Werke durchdrungen sind, die gelegentlich im Zusammenhang mit Bach genannt werden (Niedt, Werckmeister). Blankenburg hat diese ihm zuteil gewordene »Benutzung« mehrfach richtigzustellen versucht.[21]

4. Welche Rolle ich gespielt habe?

Die Frage kommt auf die eingangs eingeschlagene autobiographische Tendenz zurück und rundet somit das Bild ab. Nach den Erfahrungen, die viele Musikwissenschaftler und einige Theologen 1950 und in der Folgezeit machen mußten, schien es nur eine Alternative zu geben: Entweder man stellte sich zur Verfügung und setzte sich damit der Gefahr aus, »benutzt« zu werden, oder man verweigerte sich und versuchte, selbständig und eigenständig seinen Weg zu gehen. Der zweite Weg kam einem totalen Rückzug gleich, hätte er doch ein Inseldasein und ausnahmslose Arbeit für die Schublade bedeutet. Der erste Weg kam einem Balanceakt gleich, der niemals ganz gelang.

Wieder sei von mir selbst berichtet: Mit meinem Vortrag von 1979 schien ich arriviert zu sein. Sicher war ich mir dessen nicht, doch schloß ich das aus weiteren Anfragen für Referate. Ich habe mich danach zu folgendem Verhalten verstanden: Die Anfragen sind, soweit ich erkennen kann, in er-

---

20 Walter Blankenburg, *Johann Sebastian Bach und die Aufklärung*, in: Bach-Gedenkschrift 1950, hrsg. von Karl Matthaei, Zürich 1950, S. 25–34; Wiederabdruck in dem von Blankenburg herausgegebenen Sammelband Johann Sebastian Bach (Wege der Forschung. 170.), Darmstadt 1970, S. 100–110; sowie in: Walter Blankenburg, Kirche und Musik (s. Fußnote 14), S. 163–173.

21 Vor allem in seinem großen Literaturbericht: Walter Blankenburg, *Die Bachforschung seit etwa 1965. Ergebnisse – Probleme – Aufgabe*n, in: Acta Musicologica 50 (1978), S. 93–154; 54 (1982), S. 162–207; 55 (1983), S. 1–58; in letzterem Teil besonders Abschnitt III.2, S. 36–58.

ster Linie aus einem tatsächlich vorhandenen Interesse entsprungen, das auch zugleich einen immensen Nachholbedarf auf einem Gebiet anzeigte, das innerhalb der DDR und der hier betriebenen Wissenschaften zu einem exotischen geworden war. Es gab deutliches Interesse an meiner Mitarbeit. Bei jeder Anfrage beschäftigte mich lange der Gedanke, wie und mit welchen Themen ich mich in Diskussionen und Gespräche hineinbegeben sollte, deren Aufgabenstellung und Ziel meiner Überzeugung und meiner theologischen Existenz eigentlich zuwiderliefen. Mehr und mehr dachte ich darüber nach, welche Rolle mir eigentlich in diesem Zusammenhang zugedacht war und welche Rolle ich tatsächlich spielte. Zum stetig anhaltenden Prozeß der Selbstklärung sind mir folgende Überlegungen wichtig geworden:

1. Für mich selbst wurde das Thema »Bach« immer stärker zu einem mich tief beschäftigenden, ja zu einem existentiellen Anliegen. Fasziniert von der eigentümlichen Kraft und Ausstrahlung dieser Persönlichkeit und ihres Werkes ist das deutliche Eigeninteresse nach wie vor eigentlich bei zwei Gegenständen angesiedelt: einmal bei der im weitesten Sinne geistesgeschichtlichen Aufgabe der Bemühung um eine Bestimmung der Dimensionen, in denen sich dieses Leben vollzog, die ich eben nicht nur als »Umfeld« oder auch als »historischen Ort« Bachs verstehen kann; zum andern bei der Bemühung um die geistlichen Texte, die als Träger eines großen Teiles der wunderbaren Musik Bachs alles andere als nebensächlich sind. Sie erweisen sich ihrerseits, wenn man sich der analytischen Mühe unterzieht, weder als fromme zeitgenössische Reimerei, noch als barocke und darum heute nicht erträgliche Lyrik, sondern als erstaunlich biblisch und theologisch subtil gearbeitet.[22] Bei solcher Beschäftigung hat man sich in der Regel mit dem Argument herumzuschlagen, was das denn eigentlich mit Bach zu tun hätte?[23] Nun, immerhin soviel, daß es eben diese Texte

---

22 Dazu bediene ich mich gern eines hinsichtlich der Theologie unverdächtigen Zeugen wie Walther Siegmund-Schultze, der formuliert hat (*Johann Sebastian Bach*, Leipzig 1976, hier S. 159): »Kirchenkantaten haben in der Regel einen höheren dichterischen Wert, da sie meist der bildhaften Sprache der Bibel verpflichtet sind«.

23 So fragte mich Hans Heinrich Eggebrecht ausdrücklich provokativ anläßlich eines Beitrages zu Textproblemen bei Bach. Vgl. dazu seine eigene Überzeugung: »Bachs Kantatentexte sind alles andere als hochqualifizierte Dichtung … Dasselbe gilt für die theologische Aussage. Sehr hart und extrem kann man sagen: sie war ihm gleichgültig als Theologie, aber er war begierig nach ihr als Fons inventionis.« Hans Heinrich Eggebrecht, *Sinnbildlichkeit in Text und Musik bei J. S. Bach*, in: Sinnbildlichkeit in Text und Musik bei Johann Sebastian Bach. Re-

und keine anderen sind, die Bach vertont, angesichts einer Überfülle von Textangeboten zu seiner Zeit. Die Textauswahl erweist sich als wesentlicher Akt, nicht der Akt der Texterzeugung als solcher. Daß die Beschäftigung mit den geistigen Dimensionen Bachs und mit seinen geistlichen Texten über das wissenschaftliche Interesse hinaus für mich Bedeutung hat, mag als innerer Beweggrund gelten; ich sehe die Wahrnehmung dieser Aufgabe inzwischen deutlich als existentiellen Grund meiner Arbeit auch in anderen Bereichen meines Berufes an.

2. Nicht vergessen werden darf die spürbare Ermunterung und Ermutigung von Persönlichkeiten aus Musikwissenschaft, Bach-Forschung und dem kulturellen Bereich, deren Weg dem meinen in manchem vergleichbar war, die aber in vergleichsweise schwierigerer Situation sich befanden als ich, denen ich aber recht bald freundschaftlich verbunden war; also ein deutlicher Solidarisierungseffekt.

3. Wichtig wurde mir auch die Erfahrung, daß die regelmäßig ergehenden Anfragen um Mitarbeit mir zwar Akzeptanz zeigten und daß sicher auch meine Mitarbeit erwünscht war, doch auch die Überzeugung, daß eine Absage meinerseits zu dem Verzicht auf die Mitarbeit der Theologie überhaupt führen würde; ich empfand je länger je mehr eine Pflicht, ja eine Art Nötigung, mich den Anfragen aus prinzipiellen Erwägungen stellen zu müssen.

4. Sodann spürte ich immer mehr die Verpflichtung, theologische Erkenntnisse, soweit sie die Bach-Forschung betreffen, auch vortragen und zur Diskussion stellen zu müssen, auch wenn mir nicht selten deutlich wurde, daß meine Beiträge wie aus einer fremden Welt erscheinen mußten und kein adäquates Echo erhielten; damit erwuchs für mich eine immer deutlicher sich zeigende hermeneutische Pflicht.

5. »Aufklärung« schien mir stärker in einem ganz anderen und dabei doch ursprünglichen Sinn notwendig und fällig, nämlich als Weg aus den Vorurteilen heraus; das betraf vor allem die Vorurteile über Theologie und Kirche, Vorurteile über »Mittelalter«, »Metaphysik«, »Bibel«, »Frömmigkeit«, »Gottesdienst«; das betraf aber auch die Bemühung, bestimmte ideologisierte beziehungsweise sakralisierte und kanonisierte Begriffe zu entmythologisieren, d.h. sie in ihrem geschichtlichen Kontext, mit dem notwendigen Detailwissen versehen, innerhalb einer säkularisierten

---

ferate. Internationale Arbeitsgemeinschaft für theologische Bachforschung e.V., Bulletin 1, Heidelberg 1988, S. 15–27, S. 22.

Umwelt sehen zu lernen und zu verstehen. Dazu gehörte nicht zuletzt der Aufklärungsbegriff selbst; Aufklärung war also zu einer ganz elementaren Aufgabe geworden!

HEILE WELT DER FORSCHUNG: DAS BACH-JAHRBUCH

Von Hans-Joachim Schulze (Leipzig)

Mit dem 79. Jahrgang für 1993, erschienen im Februar des laufenden Jahres 1994, hat das Bach-Jahrbuch das neunte Dezennium seines Bestehens vollendet; eine Säkularfeier – einmalig für ein einem einzelnen Musiker gewidmetes Periodikum – liegt nicht unbedingt außerhalb der Möglichkeiten. Damit reicht das Jahrbuch – sofern man die Doppeljahrgänge 1949/50, 1951/52 und 1963/64 sowie den Überbrückungsband für 1940 bis 1948 als vollwertigen Ersatz rechnet – in lückenloser Folge von der Wilhelminischen Ära über Ersten Weltkrieg, Weimarer Republik, »Drittes Reich« und die Jahrzehnte der deutschen Teilung bis in die Gegenwart.

Im Blick auf das Konferenzthema ist zu fragen, in welchem Ausmaß die politischen Verhältnisse seit 1933 beziehungsweise 1945 sich auf Erscheinungsweise und Inhalt ausgewirkt haben.

Von 1933 bis 1939 sind lediglich sieben Bände erschienen; offenbar machte der Zweite Weltkrieg schon 1940 aller Herrlichkeit ein Ende. Der Tod des von Anfang an (1904) für das Bach-Jahrbuch als Herausgeber tätigen Arnold Schering im März 1941 dürfte Überlegungen in Richtung auf eine »Kriegsausgabe« zusätzlich erschwert haben. Den braunen Machthabern wird das Jahrbuch ohnehin als überflüssig, wenn nicht suspekt erschienen sein, zumal Spuren ihrer Ideologie sich in den fraglichen sieben Jahrgängen nur mit Mühe ausmachen lassen: In einem genealogischen Beitrag schreibt Hugo Lämmerhirt einmal von der festen Verwurzelung der »Sippengenossen« in »hessischem Blut und Boden« (1936, S. 83); ein Bericht des Vorstandes über das 35. Vereinsjahr der Neuen Bachgesellschaft findet das mit dem »Reichs-Bach-Fest« verbundene 22. Deutsche Bach-Fest in Leipzig »denkwürdig« in Hinsicht auf »die Teilnahme des Führers und Deutschen Reichskanzlers Adolf Hitler an der ersten Veranstaltung dieses Festes« (1935, S. 123). Ob diese weitgehende Abstinenz gegenüber der allgegenwärtigen Propaganda der ordnenden Hand Scherings zu danken ist oder aber der Rücksichtnahme auf ausländische Mitglieder der Neuen Bachgesellschaft (und damit Bezieher ihres Jahrbuchs), bleibt zu erkunden.

Die drei ersten Nachkriegsbände für den Zeitraum 1940 bis 1952 dokumentieren ihrerseits eine bemerkenswerte und keinesfalls selbstverständliche Kontinuität. Als Herausgeber zeichnet jetzt der über 70jährige Max Schneider – der Generation Scherings zugehörig –, als Verlag erscheint, als wäre nichts gewesen, wie seit 1904 Breitkopf & Härtel in Leipzig. Im Blick auf das Alter Max Schneiders handelte es sich lediglich um eine Interimslösung, in Hinsicht auf den Verlag um eine Galgenfrist. Die Errichtung von vier Besatzungszonen im Jahre 1945 sowie die 1949 durch Staatsgründungen vollzogene deutsche Teilung schlugen auch auf das Verlagswesen durch: Die partielle Abwanderung der traditionsreichen Leipziger Musikverlage Breitkopf und Peters nach Wiesbaden und Frankfurt/M. sowie die Enteignung der in Leipzig verbliebenen Anteile machten einheitliche Rechtsauffassungen und damit eine praktikable Kooperation auf lange Zeit unmöglich. Für das Bach-Jahrbuch ergab sich eine Situation wie bei den Musiker-Gesamtausgaben – es mußte nach einer »neutralen« Lösung Ausschau gehalten werden.

Die folgenden Mitteilungen schöpfen aus der seit 1953 annähernd vollständig vorliegenden Korrespondenz der Leipziger Redaktion des Bach-Jahrbuchs, verzichten allerdings auf Ergänzungen aus Unterlagen der Göttinger Redaktion, des Vorstands, des Verlages.

Ein spätestens im November 1952 vorliegendes Rundschreiben aus Hannover, offenbar vom Vorsitzenden der Neuen Bachgesellschaft Christhard Mahrenholz veranlaßt, hatte wissen lassen, daß künftig Werner Neumann (Bach-Archiv Leipzig) und Alfred Dürr (Johann-Sebastian-Bach-Institut Göttingen) als Herausgeber des Bach-Jahrbuchs fungieren würden, also eine Parallele zur Verfahrensweise bei der Neuen Bach-Ausgabe hergestellt würde. Schwieriger war es, einen geeigneten Verlag zu finden. Am 15. 6. 1953 rügte Neumann gegenüber Dürr, Mahrenholz ginge »erst jetzt auf die Suche nach einem Verlag«. Am 13. 10. 1953, also weitere Monate später, wandte sich Günther Ramin, Thomaskantor und Vorstandsmitglied der Neuen Bachgesellschaft, in dieser Angelegenheit an die Evangelische Verlagsanstalt (EVA) in Berlin-Weißensee. Nach einem Hinweis auf die jahrzehntelange Betreuung durch Breitkopf & Härtel heißt es:

>»Der Vorstand wurde sich aber darüber einig, daß in Zukunft dieses Bach-Jahrbuch in einem Verlage erscheinen soll, der die Auslieferung an unsere ost- und westdeutschen Mitglieder reibungslos ermöglicht.«

Ursachen für mögliche Erschwernisse erwähnt Ramins Brief nicht. Der Verlag signalisierte am 24. Oktober seine grundsätzliche Bereitschaft, woraufhin am 15. 3. 1954 das Manuskript für den Jahrgang 1953 bei ihm eingereicht wurde. Am 3. April wurde der Redaktion mitgeteilt, daß das Manuskript erst im Lektorat durchgesehen werden müsse, um es dann »dem Amt für Literatur zwecks Erteilung der Druckgenehmigung« zu übergeben. Anfang Juli ließ der Verlag wissen, daß die Genehmigung noch immer nicht vorliege. Am 23. Juli erfuhr Neumann durch die Evangelische Verlagsanstalt von einer – nicht näher spezifizierten – »neuen Wendung« infolge der »Stellungnahme des Amtes für Literatur und Verlagswesen«; dort war offenbar der Vorschlag enthalten, einen anderen Verlag zu wählen. Die Evangelische Verlagsanstalt hielt dessenungeachtet an ihrer Bereitschaft zur Übernahme fest, wies gleichzeitig aber auf zunehmende Terminprobleme hinsichtlich der technischen Herstellung hin. Anfang September – noch immer hatte sich nichts bewegt – wandte Neumann sich an Hans-Georg Uszkoreit, Abteilungsleiter im Ministerium für Kultur der DDR, und machte energisch auf den Kreditverlust durch die monatelange Verspätung und deren nicht abzusehendes Ende aufmerksam. Dem Vorsitzenden der Neuen Bachgesellschaft drohte er mit dem Rücktritt von den Redaktionsgeschäften. Wenige Tage später (13. 9. 1954) konnte er dem Verlag endlich eine »Klärung« im Blick auf das Bach-Jahrbuch in Aussicht stellen, und in der Tat teilte dieser unter dem 20. 9. 1954 lapidar mit: »Das Amt für Literatur und Verlagswesen hat uns vor wenigen Tagen ohne jede weitere Äußerung die Druckgenehmigung für das Bach-Jahrbuch gegeben.«

Über die Hintergründe dieser Terminverschleppung sagen die vorhandenen Schriftstücke nichts aus; möglicherweise war der von der Neuen Bachgesellschaft gewählte Verlag den beaufsichtigenden Behörden nicht genehm und sollte durch die Hinhaltetaktik nach Kräften diskreditiert werden. Vielleicht gab es aber auch Bedenken im Blick auf die paritätisch besetzte Redaktion. Einer Andeutung (Neumann an die Evangelische Verlagsanstalt, 2. 10. 1954) ist zu entnehmen, daß schließlich eine Formel gefunden wurde, die die Publikation ermöglichte: Das Bach-Jahrbuch sei auch nach Ansicht des Amtes für Literatur »unter gesamtdeutscher Perspektive« zu sehen. Der mit der Jahreszahl 1953 versehene Band ist dann im Februar 1955 endlich erschienen.

Auch bei dem Folgejahrgang 1954 wurde die Geduld von Autoren, Herausgebern, Verlag und Neuer Bachgesellschaft aufs äußerste strapaziert. Im September 1954 lagen die Beiträge im Manuskript vor, doch die graphische Industrie hatte keine Herstellungskapazität frei. Da nützte es auch nichts, daß Günther Ramin im Ministerium mit Erfolg Verhandlungen über Papier von besserer Qualität als 1953 geführt hatte. Auf eine weitere unerwartete

Schwierigkeit wies Alfred Dürr am 6. 9. 1954 in einem Schreiben an Christhard Mahrenholz hin: Nach Aussage von Theodor Biebrich könne sich die Bachgesellschaft ein jährlich erscheinendes Bach-Jahrbuch finanziell nicht mehr leisten. Im selben Schreiben unterbreitete Dürr Einsparungsvorschläge für andere Leistungen der Gesellschaft, da auf das Jahrbuch nicht verzichtet werden könne, wies zum wiederholten Mal auf die endlosen Verzögerungen und nicht eingehaltenen Zusagen hinsichtlich des Erscheinens hin und drohte mit seinem Rücktritt von der Redaktion. In einem Briefentwurf Dürrs vom 1. 3. 1955 heißt es dann mit Bezug auf eine Festlegung des Vorstands vom 15. 1. 1955, das Bach-Jahrbuch solle ab 1955 nicht mehr bei der Evangelischen Verlagsanstalt herauskommen. Zwei Tage danach teilte diese Neumann jedoch mit, daß die Druckgenehmigung für den Jahrgang 1954 vorliege und mit der Herstellung umgehend begonnen werden könne. Ziel sei das Erscheinen des Bandes vor dem Bach-Fest 1955. Danach beruhigten sich die Gemüter ein wenig.

Die erste Krise des Bach-Jahrbuchs war damit überstanden. Von Nachwehen der Ost-West-Konfrontation, wie sie die Leipziger Bach-Tagung vom Juli 1950 mit sich gebracht hatte, blieb das Jahrbuch verschont. Dunkle Wolken zogen erst wieder Anfang 1964 herauf.

Ende des Vorjahres hatte Werner Braun, ehedem an der Universität Halle (Saale) tätig, mittlerweile nach Kiel übergesiedelt, Alfred Dürr ein Manuskript mit dem Titel »Materialien zu Wilhelm Friedemann Bachs Kantatenaufführungen in Halle« zugeschickt. Nach kritischer Durchsicht leitete Dürr diese Arbeit nach Leipzig weiter, und Neumann schickte sie zusammen mit den übrigen Beiträgen für den geplanten Jahrgang 1963/64 an die Evangelische Verlagsanstalt. Vieldeutig und unheilschwanger heißt es in einem Schreiben des Verlagslektorats vom 17. 2. 1964:

> »Auf Grund eingehender Gespräche im Lektorat möchten wir Sie bitten, für das jetzt einzureichende Manuskript des Bach-Jahrbuches eine Stellungnahme zu erarbeiten, aus der hervorgeht, welche Überlegungen zu der vorliegenden Form des Manuskriptes führten. Diese Stellungnahme dürfte für das Genehmigungsverfahren sehr wichtig sein.«

Zwei »dringende Bitten« schlossen sich an, von denen nur die erste diese Bezeichnung verdiente:

> »Der Verfasser des Beitrages 'Materialien...' ist seit 1960 republikflüchtig. Dieser Beitrag müßte zurückgezogen werden.«

Neumann wandte sich umgehend an Nathan Notowicz - seinerzeit Stellvertretender Vorsitzender der Neuen Bachgesellschaft -, wies auf die Beanstandung hin sowie auf die Tatsache, daß Alfred Dürr den Beitrag angenommen hätte und der Vorsitzende Mahrenholz ihm – Dürr – gegenüber die Unbedenklichkeit der Sache signalisiert habe, da das Bach-Jahrbuch ja einen gesamtdeutschen Charakter aufweise. Ähnlich argumentiert Neumanns Stellungnahme für den Verlag. Dürr protestierte am 22. 2. 1964 telegrafisch gegen die Auslassung des Beitrages von Werner Braun. Sechs Tage später teilte er Neumann mit, daß die Redaktion lediglich die wissenschaftliche Eignung zu prüfen habe und die politische Überwachung der Beitragslieferanten nicht ihre Sache sei, sie also auch nicht Beiträge ausscheiden könne, die wissenschaftlich einwandfrei, aber politisch unerwünscht seien. Einen Fortfall eines Beitrages könne nur der Verwaltungsrat der Neuen Bachgesellschaft beschließen. Mittlerweile war Nathan Notowicz nach Berlin zurückgekehrt und meldete sich unter dem 4. 3. 1964 zur Sache:

»Zunächst zum Bach-Jahrbuch: Nach Kenntnis der Dinge kann ich eine Drucklegung des Beitrages von Dr. Braun nicht empfehlen. Dr. Braun hat nicht nur gegen die geltenden Gesetze verstoßen, als er republikflüchtig wurde, sondern sich darüber hinaus auch menschlich gegenüber seinem Institut und den Kollegen, die ihn jahrelang gestützt haben, sehr schlecht benommen. Es ist dies zugleich auch eine Frage des Taktes. In unserer bisherigen Zusammenarbeit gingen wir davon aus, auf die im anderen Land geltenden Gesichtspunkte Rücksicht zu nehmen – und sind dabei gut gefahren. Übrigens hat Dr. Braun – wenn ich nicht irre – diesen Beitrag bereits dem Händel-Jahrbuch ohne Erfolg angeboten. (Dies zu ihrer persönlichen Information). Er wird ihn sicherlich anderweitig unterbringen können.«

Auf diese gewundene, wenngleich eindeutige Auskunft erwiderte Neumann am 7. 3. etwas gereizt, er habe nicht erfahren wollen, ob Notowicz die Drucklegung »empfehlen« oder »nicht empfehlen« könne, vielmehr sei es darum gegangen, eine definitive Entscheidung nach Maßgabe der staatlichen Gesetze und der Statuten der Neuen Bachgesellschaft herbeizuführen. Da Dürr als Redaktionspartner sich auf Rückendeckung von Mahrenholz berufen könne, bedürfe es eines Vorstandsbeschlusses, um künftig Verärgerungen zu vermeiden. Daraufhin wurde Notowicz am 13. 3. etwas deutlicher:

»Ihr Brief ist ein wenig merkwürdig ausgefallen, aber Schwamm darüber. Hätten Sie mein Schreiben genauer gelesen, so hätten Sie ihm alle notwendigen Hinweise entnehmen können, auch wenn ich sie in freundliche Worte kleidete. Eine Aufzählung einschlägiger Paragraphen fehlte allerdings ebensosehr, wie die von Ihnen erwartete kategorische Form. Beides aus gutem Grund. Die Verordnungen unserer Republik sind Ihnen ebenso bekannt oder zugänglich wie mir. Desgleichen die Tatsache, daß die Herausgabe von einer Druckgenehmigung abhängig ist. Über die Druckgenehmigung entscheiden bekanntlich nicht wir, sondern die zuständigen staatlichen Organe. Nach meinen Informationen können wir aus den bereits erwähnten Gründen damit nicht rechnen. Umsomehr liegt mir daran, eine Verständigung mit Koll. Mahrenholz herbeizuführen.«

Für diese Auskunft bedankte Neumann sich am 21. März, desgleichen für die Aussicht auf eine Aussprache zwischen Notowicz und Mahrenholz. Am selben Tag ließ Neumann Dürr wissen, daß Notowicz »nachdrücklich(!)« den Standpunkt der Nichtveröffentlichung vertrete und diesbezüglich unzweifelhaft mit Mahrenholz ins Reine kommen werde. Schließlich – so Neumann – habe doch »kein Mensch ein Interesse daran, wegen einer relativ unwichtigen Angelegenheit den Fortbestand der guten Zusammenarbeit in der NBG zu gefährden.« Notowicz wurde erst nach überstandener Krankheit wieder aktiv; am 9. 6. 1964 heißt es an Mahrenholz in der bereits bekannten Tonart:

> »Nach meinen Informationen würde ich nicht empfehlen, einen entsprechenden Antrag zu stellen. Ich hielte es für das Vernünftigste, wenn der Verlag veranlaßt wird, von sich aus den Beitrag nicht mehr in Betracht zu ziehen.«

Nach einigem Hin und Her und weiterer Verwirrung, da die beauftragte Druckerei inzwischen die Übernahme der Herstellung abgelehnt hatte, wurde der Beitrag Werner Brauns am 15. 7. 1964 an die Leipziger Redaktion zurückgeschickt. Er ist dann in Heft 2/1965 der »Musikforschung« herausgekommen.

Mit dem Trauma der Aufforderung zur Selbstzensur mußte sich die Redaktion des Bach-Jahrbuchs fortan zurechtfinden. Bedingungen hinsichtlich eines Proporzes zwischen östlichen und westlichen Beiträgen waren daran nicht geknüpft; dies einzuführen, blieb einem nächsten Schritt vorbehalten. Gelegenheit dazu bot ein Wechsel in der Redaktion. Alfred Dürr hatte wissen lassen, daß er sich aus der Redaktion des Bach-Jahrbuchs zurückzuziehen wünsche, um sich stärker auf die Weiterführung der Neuen Bach-Ausgabe konzentrieren zu können. Sein designierter Nachfolger Christoph Wolff wurde bereits für den Jahrgang 1974 tätig, obwohl dieser noch Dürr als Herausgeber nennt. Neumann war zur selben Zeit wegen Krankheit nicht aktionsfähig, so daß auch hier an eine Neubesetzung gedacht werden mußte. Dem kompromißlosen Einsatz von Christhard Mahrenholz ist es zu danken, daß der Verfasser des vorliegenden Beitrages die Nachfolge Neumanns in der Redaktion antreten konnte und die Versuche des »Wissenschaftlichen Sekretariats des Bachkomitees der DDR«, einen genehmen Kandidaten durchzubringen, nicht zum Erfolg führten. Der erste von der neuen Redaktion offiziell zu bearbeitende Band war Jahrgang 1975. Als dieser dem Verlag eingereicht werden sollte, schaltete sich plötzlich das Geschäftsführende Vorstandsmitglied der Neuen Bachgesellschaft Werner Felix (Mitglied der Staatspartei, nachmals Generaldirektor der »Nationalen Forschungs- und Gedenkstätten Johann Sebastian Bach der DDR«) ein und fragte nach dem Anteil von Beiträgen aus der DDR. Als ihm nur einer genannt werden konnte, kündigte er Schwierigkeiten für das Erscheinen an. Ein zweiter Beitrag, der schnell beschafft wurde, verbesserte die Optik allerdings nur unwesentlich. Immerhin konnte die Herstellung wie vorgesehen in Gang gesetzt werden. Was die Redaktion nicht erfuhr: hinter den Kulissen wurde versucht, den Jahrgang zurückziehen zu lassen und einen Doppeljahrgang 1975/76 vorzubereiten. Dazu ist es glücklicherweise nicht gekommen. Ebensowenig wurden die mit schöner Regelmäßigkeit formulierten »Vorschläge« realisiert, das Bach-Jahrbuch der Evangelischen Verlagsanstalt zu entziehen und es beim volkseigenen Deutschen Verlag für Musik Leipzig unterzubringen. Auf dieses Ansinnen konnte jahrelang lediglich mit dem Hinweis auf die von der Evangelischen Verlagsanstalt gewährleistete Herstellungsqualität mittels Bleisatz und »Spendenpapier« reagiert werden sowie mit der Feststellung, daß der über Jahrzehnte übliche Terminverzug zunehmend aufgeholt worden sei, nach einem Verlagswechsel aber wohl wieder in Permanenz herrschen würde.

Ein pünktliches Erscheinen des Bach-Jahrbuchs im laufenden Jahr gehörte in den 1970er Jahren noch zu den Wunschträumen der Redaktion. Der überaus umfangreiche, als Festgabe zum 60. Geburtstag von Alfred Dürr konzipierte Jahrgang 1978 mit 7 Beiträgen aus den USA, 6 aus Westdeutschland und nur 3 aus der DDR kam im April 1979 heraus. Eine an den schon erwähnten Werner Felix gerichtete Stellungnahme befand:

> »Wahrscheinlich hat man Ihnen unser neues Bach-Jahrbuch ... inzwischen zugesandt. Auch ich habe mich schon darein vertieft. Aber weiterer Kommentare werde ich mich enthalten. Denn diese aufgeblähte und eindeutig westorientierte Huldigungsausgabe unseres einheimischen DDR-Publikationsorgans spricht für sich selbst und seine Redaktoren. Fehlt nur noch, daß wir es in Zukunft gleich in den USA drucken lassen.« (Werner Neumann, 28. 4. 1979).

Diese bedenklichen Äußerungen blieben zum Glück folgenlos. Die im Juni desselben Jahres vollzogene Gründung der »Nationalen Forschungs- und Gedenkstätten Johann Sebastian Bach der DDR« hatte wohl andere Prioritäten gesetzt. Die argwöhnische Beobachtung des Bach-Jahrbuchs setzte sich jedoch fort. Eine umfangreiche Rezension von Winfried Hoffmann, veröffentlicht in Jahrgang 1980 der Zeitschrift »Musik und Gesellschaft«, enthält Ratschläge, deren Realisierung zu gegebener Zeit befürchtet werden mußte. Auch war die Idee eines »einheimischen DDR-Publikationsorgans« keineswegs tot: Ein maßgeblicher Mitarbeiter des DDR-Kulturministeriums äußerte dem Verfasser des vorliegenden Beitrags gegenüber einmal wörtlich:

> »Es ist uns [sc. der Staatspartei] noch nicht gelungen, das Bach-Jahrbuch zu einer reinen DDR-Publikation werden zu lassen.«

Einen neuen Eingriff gab es im Oktober 1983. Die Redaktion hatte Hans-Günter Ottenberg (Dresden) mit einer Besprechung von Band 7 der in Leipzig erscheinenden Reihe »Bach-Studien« (hier die Aufsatzsammlung »Bach und die Aufklärung«) beauftragt. Das von ihm eingesandte Manuskript war – weil aus Unkenntnis nicht genau genug adressiert – den neuen Herren der erwähnten »Nationalen Forschungs- und Gedenkstätten« in die Hände gefallen, und da sie ihre eigenen Beiträge in Ottenbergs Rezension nicht angemessen gewürdigt sahen, nutzten sie die Gelegenheit einer Besprechung in Leipzig, auf den Rezensenten massiv Druck auszuüben. Ottenberg, zu dieser Zeit nicht über eine sichere feste Anstellung verfügend, sah sich dem nicht gewachsen (Brief an Hans-Joachim Schulze vom 27. 10. 1983) und schickte eilends umfangreiche Nachträge für seine Besprechung. Der Redaktion blieb nichts anderes übrig, als auf den Abdruck der gesamten Rezension zu verzichten.

Ruhe trat dessenungeachtet nicht ein. Eine von Ingeborg Allihn verfaßte Besprechung von Band IV der Reihe »Bach-Dokumente« (Werner Neumann, *Bilddokumente zur Lebensgeschichte J. S. Bachs*, Kassel etc. und Leipzig 1979), erschienen im Bach-Jahrbuch 1982, vorliegend im Januar 1984, findet ein Echo im Protokoll über die Sitzung von Vorstand, Verwaltungsrat und Direktorium der Neuen Bachgesellschaft am 25. 5. 1984 in Berlin. Hier heißt es:

> »Prof. Dr. Felix äußert sein Unbehagen über die Art der Rezension, die über Dok. IV ... erschienen ist. Die Rezensentin geht s. E. im Zweifel an der wissenschaftlichen Leistung des Autors zu weit.«

Außerdem wird die Praxis der Redaktion gerügt, Ergänzungen in Fußnotenform in bestimmten Beiträgen anzubringen. Die – von Felix selbst stammende – Protokollnotiz stellt einen Euphemismus dar. In Wirklichkeit handelte es sich um eine Reformande, um eine Abkanzelung vor den versammelten Mitgliedern der Leitungsgremien, wie sie in der Geschichte des Bach-Jahrbuchs ohne Beispiel ist. Ein an Wolfgang Rehm gerichteter Brief von Christoph Wolff, der an dieser Zusammenkunft nicht teilnehmen konnte, kam aus unerfindlichen Gründen nicht rechtzeitig genug an, um die Auffassungen der Redaktion zu verdeutlichen und einen Stimmungsumschwung zu bewirken. Ob die Äußerungen der Vorstandsmitglieder Felix und Pischner deren eigenes Urteil wiedergaben oder etwa Neumann formell eine Rüge für die Redaktion beantragt hatte, läßt sich im Augenblick nicht feststellen.

Über Aufsätze, die dem Bach-Jahrbuch in der Ära der »Nationalen Forschungs- und Gedenkstätten Johann Sebastian Bach der DDR« (seit Juni 1979) entgangen sind, weil Briefe abgefangen und geöffnet und deren Inhalt für die 1982 als Konkurrenzunternehmen gestarteten »Beiträge zur Bach-Forschung« okkupiert wurden, soll hier nicht gesprochen werden. Erwähnt sei lediglich eine Arbeit von Christine Kröhner über die historischen Streichinstrumente im Besitz der Thomaskirche zu Leipzig, erschienen im »Bericht über die Wissenschaftliche Bach-Konferenz Leipzig 1985«. Hier handelt es sich in Wirklichkeit um eine »Auftragsarbeit« für das Bach-Jahrbuch, die diesem dann doch nicht zugute gekommen ist, weil die Hierarchie des Hauses es zu unterbinden wußte.

Das letzte Beispiel in der Chronologie betrifft den Aufsatz von Detlev Kranemann über Bachs Krankheit und Todesursache, erschienen im Bach-Jahrbuch 1990, herausgekommen Ende Dezember 1989. Diese Arbeit hatte geraume Zeit vorgelegen, doch war der Entschluß zur Einbeziehung in ein einzureichendes Manuskript angesichts der geschilderten Vorgänge um den Beitrag von Werner Braun nicht so leicht zu fassen. Ein einmal unangenehm aufgefallener Aufsatz war für die Zukunft praktisch chancenlos. Wie sich gezeigt hat, war der 1988 unternommene Versuch von Erfolg gekrönt. Kurze Zeit später hatten die Eingriffe in das Bach-Jahrbuch ein Ende; ihre Basis war verschwunden, und dies nicht nur in Teilen des Vorstands der Neuen Bachgesellschaft.

Nach Abschluß der Konferenz stellte Herr Lars Klingberg (Berlin) mir dankenswerterweise die folgenden Regesten zur Verfügung. Sie entstammen der Stiftung Archiv der Akademie der Künste, Berlin, Bestand Hans-Pischner-Archiv (Signaturen: *1356* beziehungsweise *1368*).

1. Werner Felix, *Zur weiteren Tätigkeit der Neuen Bachgesellschaft als Internationale Vereinigung* (23. 10. 1972; auf Briefpapier des Johann-Sebastian-Bach-Komitees der DDR; mit Begleitschreiben vom 24. 10. 1972 an Hans Pischner gesandt):

>»10. Es wird vorgeschlagen, im Vorstand eine Einigung darüber herbeizuführen, daß das Bachjahrbuch in Bälde an den Deutschen Verlag für Musik übergehen und der bestehende Vertrag mit der Evangelischen Verlagsanstalt Berlin gekündigt wird. Dieser Schritt würde der Verlagsprofilierung in der DDR entsprechen, die Zusammenarbeit zwischen der Geschäftsstelle und dem Verlag erleichtern und dem Anschein einer kirchlichen Bindung des Bachjahrbuches entgegenwirken. Der Deutsche Verlag für Musik ist zur Übernahme des Bachjahrbuches prinzipiell bereit. ...«

2. Werner Felix, Brief an Christhard Mahrenholz mit Durchschlag an Hans Pischner (29. 1. 1975):

>»... Ich nehme die Wahl als Geschäftsführendes Vorstandsmitglied an; mich bedrückt noch eine große Sorge wegen des Bachjahrbuchs; Krankheit von Neumann; dieser Tage übergab mir Frl. Fröde eine schriftliche Mitteilung, daß sie aus Dankbarkeit und Anhänglichkeit zu Kollegen Neumann nicht mehr an den redaktionellen Arbeiten teilnehmen will; sie fügte eine Übersicht über den Inhalt des geplanten Bachjahrbuchs 1975 hinzu: bis auf einen Artikel von H.-J. Schulze sind alle sechs anderen Artikel von West-Autoren; mein Vorschlag ist, das Bachjahrbuch in dieser Form nicht herauszugeben und für 1975/76 einen Doppelband vorzubereiten. ...«

3. Christhard Mahrenholz, Brief an Werner Felix mit Durchschlag an Hans Pischner (14. 2. 1975):

>»... lassen Sie mich noch einmal auf mein Schreiben vom 6. 2. zurückkommen – Auszug ging an Dürr, der mir inzwischen geantwortet hat; er weist darauf hin, daß er selbst zum größten Teil die Beiträge für das Bachjahrbuch 1975 angenommen hat und daß Wolff jetzt im Laufe des Jahres 1974 hinzugetreten sei; die Redaktion habe sich stets nur nach wissenschaftlichen Gesichtspunkten leiten lassen, daher war das Ost-West-Verhältnis immer unterschiedlich:

	West	Ost
1953	3	4
1954	5	5
1956	5	9
1958	4	1
1959	3	7
1962	6	0
1969	4	1
1971	5	1
1973	4	4

... eine mündliche oder schriftliche Absprache über Proporz sei zwischen Neumann und Dürr niemals getroffen worden; Dürrs Argumentation leuchtet mir ein, ich bin deshalb für das Erscheinen ...«

4. Christhard Mahrenholz, Brief an Werner Felix mit Durchschlag an Hans Pischner (22. 2. 1975):

»Inzwischen habe ich eine Äußerung von Prof. Wolff zu dem Problem des Bachjahrbuchs 1975 erhalten und möchte Ihnen gleich Mitteilung machen: Ihre Vermutung, es werde der Proporzgedanke aufgegeben, trifft nicht zu. Wolff ist erst vom 1. Juni 1974 in die Nachfolge von Dürr eingetreten, als das Manuskript des Bachjahrbuchs schon weitgehend fertig vorlag; bislang hatten die Herausgeber des Bachjahrbuchs keine Aufträge an Wissenschaftler zur Lieferung von Beiträgen zu vergeben, sondern die Autoren hatten und haben von sich aus bis zum 31. 10. jeden Jahres ihre Beiträge einzureichen; dann erfolgte die Prüfung durch die beiden Herausgeber – nicht nach dem Herkunftsland sondern nach wissenschaftlichen Gesichtspunkten (wie bei Acta musicologica); aus dem Osten wurden weniger Beiträge eingereicht, weil die Zahl der Bachforscher im Westen größer ist; im vorliegenden Falle waren bis zum 31. 10. 1975 sechs Manuskripte eingereicht (1 DDR, 1 England, 4 BRD); alle Aufsätze sind angenommen worden; in letzter Minute kam noch der Beitrag von Prof. Jacobi; es lagen am 31. 10. 1974 keine weiteren Beiträge aus östlichen Ländern vor; ich sehe daher keinerlei Bedenken gegen die Veröffentlichung.«

* * *

Werner Braun (Saarbrücken) weist mich freundlicherweise darauf hin, daß seine »Republikflucht« nicht 1960 erfolgte, sondern am 5. 8. 1961. Eine Veröffentlichung seines Aufsatzes im Händel-Jahrbuch war nach seiner Erinnerung zu keiner Zeit vorgesehen. Für die Publikation im Bach-Jahrbuch war zeitweilig die Verwendung eines Pseudonyms erwogen, jedoch auf Anraten von Christhard Mahrenholz wieder verworfen worden.

3

DISKUSSIONSBEITRÄGE

EINE ANMERKUNG ZUM THEMA
»BACH UND DIE AUFKLÄRUNG«

Von Hans Grüß (Leipzig)

Die Diskussion des Themas zeigt seit 1950 eine recht widersprüchliche Entwicklung. 1950 hatte Walter Blankenburg in seinem Aufsatz *Johann Sebastian Bach und die Aufklärung* mit Nachdruck auf den Beziehungsraum »natürliche Theologie« hingewiesen und formuliert:

> »Unübersehbar ist in diesem entwicklungsgeschichtlichen Zusammenhang nun aber eine gewisse Akzentverlagerung des quadrivialen Denkens im 17. Jahrhundert zugunsten einer natürlichen Theologie auf rationaler Grundlage, die sich neben biblisch-theologischem Denken behauptet. Es wird jetzt die Vernünftigkeit der Schöpfung im Ganzen wie aller ihrer einzelnen Teile, deren einer die Musik ist, erkannt. Mit dem Einbruch solcher natürlichen Theologie in die barocke Musikanschauung, und zwar auch in die der lutherischen Kantoren, der sich vielfach belegen läßt, vollzieht sich aber nichts anderes als ein Einbruch der Aufklärung in die lutherische Musikanschauung. Dabei muß es als völlig sichere Tatsache gelten, daß in diesem Denken auch Bach durch seinen musikalischen Werdegang gelebt hat.«[1]

Sätze aus dem gleichen Aufsatz Blankenburgs boten Werner Felix Ansatzpunkte für sein Hauptreferat auf der Wissenschaftlichen Konferenz zum III. Internationalen Bach-Fest der DDR 1975, wo er feststellt:

> »Uns scheint, daß der innere und äußere Zusammenhang zwischen der Musik Johann Sebastian Bachs und der bürgerlichen deutschen Aufklärung in der ersten Hälfte des 18. Jahrhunderts heute genauer erkennbar geworden ist und daß er zugleich auch weiter gefaßt werden muß, als dies bisher geschah und vielleicht auch geschehen konnte.«[2]

Ende des Jahres 1979 war »Johann Sebastian Bach und die Aufklärung« Thema eines Kolloquiums des Forschungskollektivs Johann Sebastian Bach

---

1 Walter Blankenburg, *Johann Sebastian Bach und die Aufklärung*, in: Bach-Gedenkschrift 1950, hrsg. von Karl Matthaei, Zürich 1950, S. 25–34; Wiederabdruck in dem von Blankenburg herausgegebenen Sammelband Johann Sebastian Bach (Wege der Forschung. 170.), Darmstadt 1970, S. 100–110; hier S. 105.

2 Werner Felix, *Johann Sebastian Bach – Historizität und Aktualität. Zur Entwicklung des Bach-Bildes der DDR*, in: Bericht über die Wissenschaftliche Konferenz zum III. Internationalen Bach-Fest der DDR Leipzig 1975, Leipzig 1977, S. 21–40, hier S. 25.

an der Karl-Marx-Universität Leipzig. Das Kolloquium widmete sich, so Reinhard Szeskus in seiner Einleitung des Konferenzberichtes, der Aufgabe, wie sie auf der Konferenz 1975 gestellt worden war, »das Aufklärungsdenken Bachs in erster Linie aus seinem Werk abzuleiten«.[3] In dem Kolloquium wurden allerdings dann ganz andere Töne angeschlagen. Vehementer Widerspruch kam von Werner Neumann innerhalb des Round-Tables, das Walther Siegmund-Schultze leitete. Neumann zitierte Sätze aus Kantaten-Texten Bachs, wie aus BWV 178 »Schweig, schweig nur, taumelnde Vernunft« oder BWV 2 »Der eine wählet dies, der andre das | die törichte Vernunft ist ihr Kompaß« und fragte, »ob viel gewonnen ist mit antizipatorisch-suggestiven Etikettierungen, die häufig einem historiographischen Wunschdenken in Richtung einer Patentlösung entsprungen scheinen.«[4] Das überaus reichhaltige Referat[5] von Martin Petzoldt »Zwischen Orthodoxie, Pietismus und Aufklärung – Überlegungen zum theologiegeschichtlichen Kontext Johann Sebastian Bachs« auf dem gleichen Kolloquium zeigte eindringlich die theologischen Positionen in Bachs Umkreis auf, die durchaus philosophische Verbindungen zu Positionen der Aufklärung enthalten – beispielsweise die natürliche Theologie des Rationalismus – bei denen aber kaum anzunehmen ist, daß sich Bach mit eigenen kritischen Entscheidungen in diesem Feld bewegt haben könnte, die anders gelautet hätten, als die von Neumann zitierten Kantatentexte.

Auffällig ist, daß 1985 auf der Wissenschaftlichen Konferenz zum V. Internationalen Bach-Fest der DDR mit dem General-Thema »Johann Sebastian Bach – Weltbild, Menschenbild, Notenbild, Klangbild« das Thema Aufklärung nahezu strikt vermieden wird.[6] Werner Felix betont in seinem Grundsatzreferat im Gegenteil die religiös zentrierte Position Bachs:

> »Im Weltbild Bachs und seiner Zeitgenossen ist die Gottesvorstellung eine zentrale, beherrschende Größe. Gott ist lenkende Kraft, der Schöpfer. 'Gott ist mein König', sagt die Mühlhäuser Ratswechselkantate BWV 71. ...

---

3   *Johann Sebastian Bach und die Aufklärung*, hrsg. von Reinhard Szeskus, Leipzig 1982 (Bach-Studien. 7.), S. 9.
4   Ebenda, S. 130.
5   Martin Petzoldt, *Zwischen Orthodoxie, Pietismus und Aufklärung – Überlegungen zum theologiegeschichtlichen Kontext Johann Sebastian Bachs*, in: Bach und die Aufklärung (s. Fußnote 3), S. 66–108.
6   *Bericht über die Wissenschaftliche Konferenz zum V. Internationalen Bachfest der DDR in Verbindung mit dem 60. Bachfest der Neuen Bachgesellschaft*, im Auftrag der NFG Bach hrsg. von Winfried Hoffmann und Armin Schneiderheinze, Leipzig 25. bis 27. März 1985, Leipzig 1988.

Auch in der späteren Zeit, in den Leipziger Jahren, bleibt Bachs Denkweise, die alle sozialen und beruflichen Fragen mit dem Gottesglauben verschmilzt, ungebrochen erhalten.«[7]

Heinz Alfred Brockhaus macht bei gleicher Gelegenheit in seinem Referat den Begriff Aufklärung an den bekannten Sachverhalten von Dienststellungen, Besoldungen, Künstlertum und – wie wohl zu ergänzen wäre: enzyklopädischem – Werkverständnis fest, wobei freilich die zentrale Frage nach den Interna des komponierten Werkes wieder aus dem Blickfeld rückt.[8] Im Grunde weicht Brockhaus hier hinter Blankenburgs Fragestellung zurück.

Vorerst scheint also »Aufklärung« kein Thema der Bach-Forschung zu sein. Ob die Frage damit gänzlich erledigt ist, bleibt zweifelhaft. Eine der absurden wissenschaftsgeschichtlichen Konstellationen der vergangenen Jahrzehnte war, daß die marxistische Musikwissenschaft für das Thema Bach und die Aufklärung einen Bundesgenossen in Theodor W. Adorno hätte finden können. Schon 1951 hatte dieser in seinem Aufsatz »Bach gegen seine Liebhaber verteidigt«[9] die gesamte Thematik durchdacht und in ihren kontradiktorischen Dimensionen diskutiert. Freilich wurde Adorno von zwei Seiten mit Mißtrauen betrachtet. Für die marxistische Musikwissenschaft war er persona non grata seit dem Aufsatz »Die gegängelte Musik«, der sich polemisch mit Shdanows kulturpolitischen Wirkungen befaßt hatte. Während andererseits sowohl »Bach gegen seine Liebhaber verteidigt« wie die 1954 erschienene »Kritik des Musikanten« weite Kreise auch der Bach-Freunde verschreckt haben dürfte.[10] Dennoch werden an Adornos Bach-Aufsatz auf die Dauer die Liebhaber gleich welchen Lagers kaum vorbeikommen.

---

7 Werner Felix, *Johann Sebastian Bach. Weltbild, Menschenbild, Notenbild, Klangbild*, in: Bericht 1985 (s. Fußnote 6), S. 21–34, hier S. 25 und 27.

8 Heinz Alfred Brockhaus, *Überlegungen zur geistigen Position Johann Sebastian Bachs in der geschichtlichen Entwicklung seiner Zeit*, in: Bericht 1985 (s. Fußnote 6), S. 59–64.

9 Theodor W. Adorno, *Bach gegen seine Liebhaber verteidigt*, in: Merkur. Deutsche Zeitschrift für europäisches Denken 5 (1951), S. 535–546.

10 Theodor W. Adorno, *Die gegängelte Musik* (1953), und ders., *Kritik des Musikanten* (1954). Beide Aufsätze wurden wiederabgedruckt in der Sammlung Theodor W. Adorno, *Dissonanzen. Musik in der verwalteten Welt*, 2., erweiterte Auflage, Göttingen 1957, S. 46–61 beziehungsweise S. 62–101.

BACH-BILDER IM ZEICHEN SCHULDHAFTER VERSTRICKUNG UND DES KALTEN KRIEGES

Von Gerd Rienäcker (Berlin)

1. Geisteswissenschaften sind, ungewollt-gewollt, politisch und haben somit Teil an der Politik, also auch an Errungenschaften und Defekten der DDR: An letzteren unmittelbar, wenn sie Gewalt, Ausgrenzung, Argwohn befürworteten, mittelbar, wenn sie durch allzu einlinige, bornierte, zudem apodiktische Sachinterpretationen eben solcher Beargwöhnung, Ausgrenzung Vorschub leisteten. Den Repräsentanten solcher Wissenschaften steht überdies schuldhaft zu Buche, daß sie den beargwöhnten, bespitzelten, ausgegrenzten Kollegen nicht nur ihrer Fachzunft nicht alle Solidarität zukommen ließen, die jene hätten beanspruchen dürfen, daß sie, schlimmer noch, Argwohn, Spitzelei, Repression mehr oder minder tolerierten oder direkt beförderten, um solchermaßen ihre eigene Karriere zu sichern.

Solcher Teilhabe gegenüber ist jegliche Rechtfertigung unangebracht, auch dann, wenn die DDR mehrere Gesichter hat, also auf die vieltausend politischen Gefangenen, auf das Wirken der Staatssicherheit, auf ökonomische und vor allem ökologische Defekte, auf kommunikative Frustration, auf Provinzialismen diesseits und jenseits der Wissenschaften beziehungsweise Künste sich nicht reduzieren läßt.

2. Indessen muß, im Interesse der Wahrheit, festgehalten werden, daß für die sogenannte innerwissenschaftliche Seite dieser Komplikationen nicht der versucht sozialwissenschaftliche Zugang, auch nicht apriorisch der Marxismus, sondern, ganz im Gegenteil, beider Perversion, die vielerorts bornierte, Sozialwissenschaften und Marx geradezu entstellende Handhabe sogenannt unumstößlicher Regeln die Verantwortung trägt. Daß die Musikologie davon mehr betroffen ist als ein Gutteil der Literaturwissenschaft, der systematischen Ästhetik und Kulturtheorie, hängt mit ihrem großenteils ungenügenden philosophischen Reflexionsniveau zusammen, mit der Unfähigkeit gerade der meisten sich als Marxisten behauptenden Musikologen, mit philosophischen, ökonomischen, selbst politischen Kategorien, wie sie Marx explizierte, angemessen, daß heißt, erst einmal sauber umzugehen. Pointiert: In der Mehrzahl jener Arbeiten, die sich als marxistisch-leninistisch gaben, ist von Marx' Denken beziehungsweise Analyse schwerlich die Rede, geschweige denn von

Forschungsresultaten und -methoden, ja, überhaupt von Fragestellungen moderner Sozialwissenschaften (Ausnahmen, etwa späte Arbeiten von Georg Knepler oder Günther Mayer, bestätigen die Regel). Die allerorten stattgefundene Zurückweisung selbst der Frankfurter Schule, vor allem Adornos, macht derlei Unfähigkeit beredt. Defizite, ja Fehlleistungen im Philologischen kommen erschwerend hinzu.

3. Bach-Bilder jener Musikologen, die auf Marx sich expressis verbis beriefen, sind von all dem mehr oder minder berührt. Unmittelbar schuldhaft verstrickt sind sie, insofern sie der Ab- und Ausgrenzung sogenannter nichtmarxistischer, vor allem theologieorientierter Konzepte Vorschub leisteten, mittelbar, indem sie allzu einlinige Positionsbestimmungen des Bachschen Werkes und Wirkens hervorbrachten oder zuließen. Eben damit leisteten sie gleichzeitig jenen sozialwissenschaftlichen, auch und gerade marxistischen Vorstellungen, auf die sie sich beriefen, wahre Bärendienste.

Wie nämlich dürften einer sozialwissenschaftlich, gar dialektisch-materialistischen Interpretation die tatsächlichen sozialen, ökonomischen, kulturellen, politischen, auch und gerade geistigen, also auch theologischen Gegebenheiten zu Bachs Zeit abhanden kommen?

Wie denn war es erlaubt, vom Miteinander sehr verschiedener Theologien, vom erneuten und heftigen Aufkommen mystischer Strömungen und von all den Bedürfnissen, worauf sie antworten, von Bachs tiefer Frömmigkeit auf der Basis eben nicht des Pietismus, sondern der lutherischen Orthodoxie, von der Zentralität der Institution und des Kommunikationsfeldes Kirche, vom Stellenwert also gerade der Musik für den Gottesdienst mehr oder minder abzusehen?

Ins Musikpolitische gewendet: Wie war es denn erlaubt, Bachs Schaffen durch einige Leipziger Universitätsmusiken, durch die Kaffeekantate, durch die (zudem mißinterpretierte) Bauernkantate, durch wenige Stücke aus dem Wohltemperierten Klavier, durch einige Brandenburgische Konzerte allein präsent zu machen, um vielleicht noch die Matthäus-Passion als Zeugnis humanistischer Gesinnung anzufügen? Wie durften marxistische Wissenschaftler derlei zulassen?

Wie denn war es gestattet, jene Kontroverse zwischen weltlich und geistlich, die den ästhetischen Debatten seit Ernst Theodor Amadeus Hoffmann sich verdankt, auf das frühe 18. Jahrhundert zu übertragen, daraus wertästhetische Konstellationen zu machen?

Und wie läßt sich die einschichtige Vereidigung Bachschen Denkens auf die Aufklärung, ja, die Gegenüberstellung Aufklärung – Mittelalter überhaupt vertreten, wenn beide Begriffe, da auf verschiedenen Ebenen angesiedelt, einander gänzlich inkommensurabel sind, wenn überdies die Aufklärung selbst, um Adorno-Horkheimers hellsichtige Bestimmungen aufzunehmen, sich als doppelgesichtig erweist, als Weg aus dem Mythos und in den Mythos, als Weg aus der Barbarei und in die Barbarei zurück?

Wie läßt es sich denn vertreten, daß Analytik, die auf Marx sich berief, gerade seiner Forderungen nach massenhaftem, kritisch gesichtetem Material sich entschlug, also die von Marx heraufbeschworene Totalität der zu analysierenden Verhältnisse außer acht ließ, also, auf Bachs Idiom angewandt, wichtige Sprach-Schichten überhaupt nicht zur Kenntnis nahm (die rigide Abfertigung der Zahlenordnungen und Zahlensymbolik mag dafür einstehen!)?

Kurzum: Ein Gutteil marxistischer – ich bin versucht zu sagen murxistischer! – Bach-Exegesen, eingeschlossen die unsäglichen Debatten über Bach und den Fortschritt seit Beginn der fünfziger Jahre, wären das Papier und die Reden nicht wert, wiesen sie nicht auf übergreifende Komplikationen: Diese aber sind nicht mehr nur der DDR oder UdSSR oder dem sogenannten Realsozialismus, sondern dem jahrzehntelang stattgefundenen kalten Krieg geschuldet, dem zufolge eine jede Seite die andere schlicht verzerrt wahrnahm, auf sie einschlug und damit sich selbst traf. Über diese Seite der Verhängnisse ist bislang kaum gesprochen worden, und es ist zu befürchten, daß sie dem Gedächtnis gänzlich abhanden kommt. Und noch weniger ist von neuerlichen Gefahren einseitiger Exegesen, einschichtiger Vereinnahmung, des Apodiktischen die Rede.

Ungeachtet der Tatsache, daß eine jede Gesellschaft Anspruch darauf hat, sich ihr Erbe, ihre Traditionen nach eigenem Maße zu formieren, ungeachtet des apriorisch Politischen auch der Geisteswissenschaften – oder gerade deshalb – ist vor neuerlichen Bornierungen zu warnen: Etwa davor, daß Bach der Kirche in einer Gestalt zurückgegeben wird, mit der er nicht mehr viel zu tun hat, in der Gestalt des nur Dienstbaren, des Spielmann Gottes, des Kreators gottesdienstlicher Erbauungsmusik. Etwa davor, daß theologische Botschaften nur in Zahlenordnungen ausfindig gemacht werden, damit der Protestantismus, wie Alfred Dürr einst ironisch anmerkte, zur Geheimsache sich verwandelt. Etwa davor, daß Bach ins Reich sogenannter absoluter Musik geführt wird, in dem seine wahrhaft bestürzenden Botschaften des schönen Scheins sich überführen.

Dies zu bedenken, mitsamt der Kritik des Eigenen, sei einem Außenseiter der Bach-Forschung, einem nach wie vor versuchten Marxisten gestattet.

KIRCHENMUSIK UND BACH-PFLEGE IN DER DDR

Von Hartwig Eschenburg (Rostock)

Die Kirchenmusik in der DDR ist ein Teilgebiet des Themas Kirchen in der DDR. Seine Aspekte sind einerseits die Akzeptanz der Kirchen und der Kirchenmusiker durch die in der DDR lebenden Menschen, andererseits das Mißtrauen und die ideologiebedingten restriktiven Maßnahmen der staatlichen Organe und der SED. Sie galten einer Ausprägung des kirchlichen und kulturellen Lebens, das sich sowohl im ideellen Ansatz als auch in der persönlichen Beteiligung der Bürger dem Zugriff des Staates weitgehend entzog.

Die Akzeptanz der Kirchenmusik war in den ersten Jahren nach dem Krieg sehr groß. In dieser Notzeit suchten die Menschen in den musikalischen Veranstaltungen Trost und Erbauung, in den Chören neben der musikalischen Betätigung die Geborgenheit menschlicher Gemeinschaft. In der Zeit bis zum Mauerbau schrumpfte mancher Kirchenchor durch die Abwanderung seiner Mitglieder in die Bundesrepublik, eine Entwicklung, die erst nach 1961 zum Stillstand kam. In den nachfolgenden Jahrzehnten wuchs der Zulauf zu den Konzerten und Kantoreien trotz der Maßnahmen des Staates – wenn auch mit örtlichen Unterschieden – unter dem Eindruck wachsender innerer Not zum Teil ganz erheblich. Erinnert sei an die Orgelkonzerte, die in den siebziger und achtziger Jahren einen nach Hunderten zählenden Besuch hatten. Diese Situation hatte vor allem bei der Jugend ihre Ursache in der Suche nach inneren Werten, die im Gegensatz zur verordneten Staatsideologie standen. Für Oratorienaufführungen, wenn sie denn ungehindert stattfinden konnten, war eine vollbesetzte Kirche die Regel. Die Kantoreien selbst erwiesen sich je länger je mehr als Gemeinschaften mit bruderschaftsähnlichen Qualitäten, in denen sich die Mitglieder untereinander mit Rat und Tat Beistand leisteten.

Diese Entwicklung war dem Staat ein Dorn im Auge. Sein Grundsatz der Trennung von Staat und Kirche – übrigens ja keine Erfindung der DDR! – hatte einerseits für die Kirchenmusiker und ihre Arbeit in gewisser Weise auch eine Schutzfunktion, denn Staat oder Partei konnten nicht ohne weiteres in die Arbeit der Kirchenmusik eingreifen. Andererseits diente dem Staat die Trennung als willkommenes Instrument, die Kirchenmusik als »innerkirchliche und religiöse Angelegenheit« vom öffentlich-kulturellen Leben weitgehend auszugrenzen. Es gibt den mündlich überlieferten Ausspruch des damaligen Staatssekretärs für Kirchenfragen Klaus Gysi über die Kirchenmusiker: »Wir achten sie, aber wir beachten sie nicht.«

An vielen Beispielen läßt sich belegen, wie die Kirchenmusik diszipliniert werden sollte und Menschen am Mittun gehindert wurden. So war es über die staatlich wahrgenommene Kulturhoheit ein leichtes, Kirchenchöre von Reisen selbst in das sozialistische Ausland oder von Aufnahmen für Schallplatte, Rundfunk und Fernsehen fernzuhalten. Lediglich einigen Organisten war es vergönnt, über die sogenannte Künstleragentur der DDR bei Reisen in das NSW (nichtsozialistisches Währungsgebiet) Devisen für die DDR einzuspielen. Im gleichen Zuge war dem Staat daran gelegen, seinerseits durch den Umbau ehemaliger Kirchen zu Konzerthallen mit Orgeln und durch die Anstellung von Organisten für diese Orgeln die Besucher von Kirchenkonzerten fernzuhalten. Auch zu den Bach- und anderen staatlich veranstalteten Musikfesten waren Kirchenmusiker und -chöre nur in den seltensten Fällen zugelassen.

Auf der gleichen Linie liegen die seit Ende der fünfziger Jahre von den »Organen der DDR« in Berlin beziehungsweise auf Bezirksebene angeordneten Versuche, mit der Aufführung etwa des Weihnachts-Oratoriums oder anderer geistlicher Werke Bachs durch staatliche und städtische Ensembles die vom Staat für sich beanspruchte Bach-Pflege in Konkurrenz zur Kirchenmusik durchzusetzen. Aus zwei Gründen gelangen diese Versuche nur unvollkommen: Die Kirchenmusiker und -chöre standen seit langem in einer Tradition der Aufführung von Oratorien und Kantaten, die etwa Theaterchören und -kapellmeistern nicht geläufig war. So konnte es trotz ernsthafter Bemühungen nicht sehr häufig gelingen, staatliche Aufführungen zum Erfolg zu führen. Der Staat stand aber noch vor einem anderen Dilemma: Das so umfangreiche geistliche Kantatenschaffen war kaum mit der Staatsideologie, seiner Kulturarbeit und dem von ihm angestrebten Bach-Bild zu vereinbaren. Erinnert sei an Bach-Feste, die in der DDR stattfanden und in ihrem Programm nur je eine geistliche Kantate im Gottesdienst aufwiesen (1962 in Leipzig und 1968 in Dresden). Daß dazu noch die Festgottesdienste nicht in das offizielle Programm aufgenommen wurden, sondern nur unter »Weitere Hinweise« erschienen, vervollständigt das Bild. In diesem Zusammenhang sei daran erinnert, daß erst 1987 nach längerer Pause ein nicht staatlich angestellter Kirchenmusiker aus der DDR in das Direktorium der Neuen Bachgesellschaft berufen wurde.

Neben diesen zentral gesteuerten Maßnahmen gab es auf der Ebene der Räte der Bezirke, der Kreise und der Städte eine breite Palette von Behinderungen der Kirchenmusik. Da bekamen zeitweise die Musiker von Orchestern keine Genehmigung für die Mitwirkung in Kirchenkonzerten; Musikstudenten wurde, zum Teil unter Androhung der Exmatrikulation, das Auftreten in Kirchen verboten; Schüler mußten unter Umständen damit rechnen, nicht zur Erweiterten Oberschule (Abitur) zugelassen zu werden, wenn sie einer Kantorei angehörten; es durfte nicht überall mit Plakaten für die Kirchenmusiken geworben werden; wenn das erlaubt wurde, dann durfte der Name von Orchestern nicht auf Plakaten oder Programmen erscheinen, weil nicht mit dem Namen eines staatlichen Kulturträgers Werbung für die Kirche gemacht werden durfte; in Glauchau beispielsweise wurde die Tradition des öffentlichen Kurrendesingens untersagt; die Tagespresse durfte nur zeitweise oder gar nicht auf Kirchenmusik hinweisen oder über sie berichten; in Veröffentlichungen über das kulturelle Leben einer Stadt oder Region wurden die Namen von Kantoreien und Kirchenmusikern nicht genannt und vieles andere mehr. Zum Teil kam es dabei zu grotesken Situationen, wenn beispielsweise das Wort »König« aus einem Programm gestrichen werden oder – aus aktuellem politischen Anlaß – das Händel-Oratorium »Israel in Ägypten« in »Hilfe in letzter Not« umbenannt werden mußte, oder wenn der genehmigende Angestellte Telemann mit Thälmann verwechselte und das Plakat passieren ließ.

Auf der örtlichen Ebene hing viel von den sogenannten Staatlichen Leitern der Betriebe und ihrer persönlichen Haltung ab. Sie waren es oft, die mit Mut und Einsicht etwa ein Klinik-Singen zuließen oder sich schützend vor ihre in einer Kantorei tätigen Angestellten und Mitarbeiter stellten. Aber Fanatismus ebenso wie Karrierismus oder Angst seitens derer, die im Kleinen wie im Großen die Macht hatten, haben zum Teil böse Folgen für Kantoreimitglieder gehabt. Der persönliche Schaden und die Verletzungen, die einzelnen durch berufliche und persönliche Zurücksetzung bis hin zur Knickung des Lebenslaufes entstanden, ist schwer zu ermessen, liegt aber auf manchem noch heute als Trauma. In diesem Zusammenhang sei auch die Tätigkeit der Staatssicherheit genannt, die Kantoreien und Kirchenmusiker unter Ausnutzung aller ihrer Möglichkeiten, vom Einsatz Inoffizieller Mitarbeiter (IM) bis zur Postkontrolle, überwachte. Für die erpresserischen Methoden bei der Anwerbung von IM unter den Chormitgliedern gibt es sehr schlimme Beispiele, aber ebenso gibt es großartige Beispiele für Standhaftigkeit und Mut seitens der Betroffenen.

Es sollte eine vornehme Aufgabe des Bach-Archivs Leipzig sein, seine Forschungen über die Thematik »Bach unter den Diktaturen – 1933–1945 und 1945–1989« fortzusetzen. Es ist ein hoffnungsvolles Zeichen unserer neuen deutschen Gemeinsamkeit und des Zusammenwachsens nach 1989, daß hier gestern und heute der gewichtige Ansatz einer Aufarbeitung dessen deutlich wurde, was im Osten nicht aufgearbeitet werden durfte und im Westen nicht aufgearbeitet wurde. Für die Zeit zwischen 1945 und 1989 sind noch viele Zeitzeugen und -zeugnisse da, und – die Wunden brennen noch.

WIRKUNGSLOSE BEHINDERUNGSVERSUCHE: ZUR SITUATION DER BACH-PFLEGE IN DEN KIRCHEN DER DDR

Von Wolfgang Hanke (Berlin)

Was wäre die Bach-Pflege ohne die Kirchenmusik?! Sie hat in den letzten hundert Jahren einen ganz entscheidenden Beitrag geleistet zur Ausbreitung von Bachs Werk und zur Vertiefung seiner Kenntnis in nahezu allen Bevölkerungsschichten, nicht allein in dem stets nur begrenzten Kreis der Kenner und Liebhaber. Auch unter den problemreichen Bedingungen der DDR haben viele Kirchenmusiker mit ihren Kantoreien und Instrumentalensembles nicht selten Außergewöhnliches geleistet in der kontinuierlichen Beschäftigung mit den Chor- und Orgelwerken Bachs und vieler weiterer Komponisten. Nicht nur in den großen Städten erklangen alljährlich die Passionen und Oratorien, Messen, Kantaten, Motetten und nahezu das gesamte Orgelwerk in kompetenter Interpretation. Auch an vielen kleineren Orten und in ländlichen Gemeinden weit entfernt von den kulturellen Zentren hatten – und haben auch weiterhin – Bach-Aufführungen ihren festen Platz im Lauf des Kirchenjahres. Der Besuch ließ selten zu wünschen übrig. Viele Kirchen waren bei den Bach-Konzerten bis zum letzten Platz und darüber hinaus besetzt.

Die tonangebenden Funktionäre der SED und die von ihnen beherrschten staatlichen Stellen verfolgten dieses Phänomen mit wachsendem Mißtrauen und versuchten schließlich alles in ihren Kräften Stehende, die kirchenmusikalische Arbeit zu behindern, soweit sie in die Öffentlichkeit hineinwirkte – mit dem Erfolg, daß die Solidarität der Betroffenen wuchs und sich die Kirchen bei musikalischen Aufführungen immer mehr füllten. Es ist höchst aufschlußreich, die Entwicklung in den Einzelheiten zu verfolgen. Sie verlief keineswegs überall nach dem gleichen Schema und muß daher auch aus der kritischen Distanz sehr differenziert gesehen werden. Nur an wenigen Orten ging die »Staatsmacht« so plump vor wie in Fürstenwalde, einer Industriestadt auf halbem Wege zwischen Berlin und Frankfurt/Oder, wo einer ihrer Repräsentanten dem Kantor der Domgemeinde, Wolfgang Kahl, eine Aufführung von Bachs Johannes-Passion geradezu untersagen wollte mit dem Hinweis darauf, daß Bach-Pflege Sache der staatlichen Kulturinstitutionen sei.

In der schwierigen Zeit des Wiederaufbaus nach Kriegsende konnte Kirchenmusik verschiedenenorts – so in der sächsischen Bergbau- und Silbermann-Stadt Freiberg – sogar noch mit ausdrücklicher Ermutigung und Unterstützung durch die sowjetische Besatzungsmacht rechnen, weil sie geeignet erschien, den Verzagten und Verzweifelten wieder Hoffnung und neue Kraft zu geben. Einige sowjetische Kulturoffiziere gingen in dieser Hinsicht unerwartet sensibel und verständnisvoll vor und ließen sich nicht primär von antireligiösen, atheistischen Vorurteilen leiten wie späterhin nicht wenige SED-Funktionäre. In der Anfangszeit war offenbar aber auch die Parteiführung noch nicht an einer direkten Konfrontation mit den Kirchen interessiert. Größere kirchenmusikalische Initiativen wurden noch bis etwa zur Mitte der 50er Jahre mehr oder minder wohlwollend toleriert und gelegentlich sogar ausdrücklich unterstützt, beispielsweise durch die Bereitstellung von Sonderzügen der Deutschen Reichsbahn. Zu nennen wären in diesem Zusammenhang vor allem die ersten großen Landeskirchenmusiktage der Evangelisch-Lutherischen Kirche Sachsens 1952 in Leipzig und der Deutsche Evangelische Kirchentag 1954 am gleichen Ort. Bei den Bach-Feiern des Gedenkjahres 1950 arbeiteten, nicht nur in Leipzig, Staat und Kirche noch beinahe reibungslos zusammen und vereinten ihre Aktivitäten, so in Bachs Geburtsstadt Eisenach oder in Potsdam, in gemeinsamen Programmübersichten, die gedruckt vorgelegt wurden. 25 Jahre später war kaum noch daran zu denken, daß musikalische Veranstaltungen im Raum der Kirche in einer staatlicherseits herausgegebenen Publikation, Kulturspiegel oder ähnlichem angekündigt werden konnte. Die SED-Presse verweigerte schließlich selbst den Abdruck von bezahlten Anzeigen für Kirchenkonzerte, ganz zu schweigen von der Veröffentlichung von Hinweisen in den täglichen oder wöchentlichen Vorschauspalten kultureller Veranstaltungen.

Die maßgeblichen Machthaber der SED, insbesondere diejenigen, die während der Zeit des NS-Regimes in der UdSSR gelebt hatten, Walter Ulbricht an der Spitze, ließen sich von der festen Überzeugung leiten, daß Christentum und Kirchen über kurz oder lang zum Absterben verurteilt seien und bemühten sich nach Kräften, bei dem erwarteten Auflösungsprozeß nachzuhelfen. So kam es schon in den frühen 50er Jahren, vor dem Ende der Stalin-Ära, zu ersten Konfrontationen zwischen Staat und Kirche. Sie wirkten sich noch nicht generell auf die Kirchenmusik aus. Die kirchliche Jugendarbeit wurde jedoch bereits massiv attackiert. Vielen jungen Menschen wurde damals der Besuch der Oberschule oder der Studienplatz an einer staatlichen Universität oder Hochschule verweigert, weil sie nicht bereit waren, auf die Mitarbeit in der Jungen Gemeinde zu verzichten. Ein Teil der Zurückgewiesenen wich aus in kirchliche Ausbildungsstätten, die staatlicherseits nicht anerkannt wurden. Die fünf Kirchenmusikschulen, die damals in der DDR bestanden – in Halle, Dresden, Greifswald, Görlitz und Eisenach –, gewannen damit eine ganze Reihe hochbefähigter und -motivierter Studenten, die nach dem Abschluß ihrer Ausbildung wesentlich zur Hebung des Niveaus der kirchenmusikalischen Arbeit beitrugen und sich zumeist der Kirchenmusik weit intensiver und umfassender widmen konnten als die früheren Lehrer-Kantoren.

Ende der 50er Jahre verschärften sich die Konflikte. Den Anlaß gab – oder vielleicht sollte man besser sagen: als Vorwand diente – der Abschluß des Militärseelsorgevertrages in der Altbundesrepublik 1957. Die Tatsache, daß der damalige Bischof der Evangelischen Kirche Berlin-Brandenburg, D. Otto Dibelius, in seiner Eigenschaft als Ratsvorsitzender der Evangelischen Kirche in Deutschland (EKD), des Zusammenschlusses aller deutschen evangelischen Kirchen, diesen Vertrag durch seine Unterschrift in Kraft setzte, werteten die DDR-Machthaber als bewußten Affront und beantworteten sie mit Repressalien. Sie verfuhren dabei allerdings nach dem Grundsatz »Divide et impera!« und behandelten die acht evangelischen Landeskirchen in der DDR nach sehr unterschiedlichen Maßstäben, je nach dem Grad der Bereitschaft ihrer Leitungen zu Loyalität und Kooperation. Favorisiert wurde die Evangelisch-Lutherische Landeskirche in Thüringen, deren damaliger Bischof, D. Moritz Mitzenheim, daran interessiert war, es nicht zur Konfrontation kommen zu lassen, sondern ein gedeihliches und geordnetes Verhältnis zwischen Staat und Kirche herzustellen, nachdem er sich vor 1945 durch entschiedenen Widerstand gegen das NS-Regime und die in Thüringen besonders stark verbreiteten sogenannten »Deutschen Christen« ausgezeichnet hatte. In anderen Landeskirchen, besonders in Berlin-Brandenburg, im Görlitzer Kirchengebiet (dem verbliebenen Rest der einstigen Kirchenprovinz Schlesien) und zeitweilig auch in Sachsen, Mecklenburg und der Greifswalder Kirche, waren die Beziehungen zwischen Staat und Kirche bis in die 70er Jahre deutlich gespannter. Darunter begann mehr und mehr auch die Kirchenmusik zu leiden. Zunehmende Restriktionen versuchten, ihren Aktionsradius in der Öffentlichkeit zu beschneiden. Auch hier machten die staatlichen Organe jedoch merkliche Unterschiede, je nach dem »Wohlverhalten« der einzelnen Kirchenmusiker. Notwendige Genehmigungen, sei es für grenzüberschreitende Reisen oder auch nur für den Druck und Aushang von Plakaten, wurden davon abhängig gemacht, ob der Betreffende zur Wahl ging oder nicht, ob er sich bereit fand, Einladungen zu Diskussionsforen und anderen Veranstaltungen der Nationalen Front zu folgen und dergleichen mehr. Die Katholische Kirche wurde von den Restriktionen in der Regel weniger betroffen, nicht allein, weil sie nur in Ausnahmefällen Konzerte veranstaltete, die mit einer breiteren Öffentlichkeit rechneten, sondern vielleicht auch, weil Partei- und Staatsführung es für geraten hielten, sie als sozusagen »internationalen Machtfaktor« zu respektieren.

Seit Ende der 60er Jahre lehnten es die zuständigen Organe im gesamten Gebiet der DDR, natürlich auf zentrale Weisung, unter Berufung auf die in der DDR-Verfassung verankerte strikte Trennung von Staat und Kirche prinzipiell ab, weiterhin staatliche Orchester für kirchlich verantwortete Konzerte zur Verfügung zu stellen. Damit sollten die Oratorienaufführungen im Raum der Kirche, die stark frequentiert waren und stets auch eine große Zahl kirchlich nicht mehr gebundener Zuhörer anzogen, unmöglich gemacht werden. Doch die groß aufgezogene Verhinderungsaktion verpuffte letztlich wirkungslos. Keine einzige Aufführung mußte abgesagt werden, weil kein Orchester mehr verfügbar war. Nichtprofessionelle, staatlicher Weisungsbefugnis nicht unterworfene Klangkörper wie das Dresdner Collegium musicum sprangen in die Bresche. Viele Kirchengemeinden sammelten Musiker aus den Reihen der eigenen Mitglieder. Einige Kirchenmusiker erhoben entschiedenen Protest. Hans Pflugbeil, Gründer und Leiter der Greifswalder Bachwochen und Landeskirchenmusikdirektor für den zur DDR gehörenden Teil der ehemaligen Kirchenprovinz Pommern, wandte sich an den damaligen Vorsitzenden der CDU in der DDR, der er angehörte, und erreichte durch seine Vermittlung, daß die durch das Orchesterverbot und die Verweigerung öffentlicher Räumlichkeiten, unter anderem der Universitätsaula, gefährdeten Festwochen ohne künstlerische Einbußen fortgeführt werden konnten. Ab sofort hatte er mit dem von Ulf Däunert geleiteten Kammerensemble aus Orchestermitgliedern der Berliner Komischen Oper einen weitaus qualitätvolleren Klangkörper zur Verfügung als in früheren Jahren. Das gleiche Kammerorchester wurde – mit ausdrücklicher Zustimmung Walter Felsensteins und seiner Nachfolger auf dem Intendantenstuhl der Komischen Oper –, da es sich hervorragend bewährte, bald auch von anderen Kirchengemeinden bis nach Görlitz zur Mitwirkung in oratorischen Aufführungen verpflichtet. Es stand auch zur Verfügung für ein von keinem Geringeren als Helmuth Rilling geleitetes kirchliches Dirigentenseminar zur Interpretation von Bachs Johannes-Passion im Herbst 1979. Bei den Greifswalder Bachwochen wirkt es bis heute mit.

Auch anderswo fand sich nach anfänglicher Aufregung ein modus vivendi. In den meisten Fällen wurde der status quo ante wiederhergestellt durch die stillschweigend eingeräumte Möglichkeit, die Orchestermitglieder privat und einzeln zu verpflichten. Nur die offizielle Bezeichnung des jeweiligen Klangkörpers durfte nicht mehr auf Plakat und Programmzettel erscheinen. Es hieß dann in der Regel nur »ein Orchester« oder »ein Kammerorchester«. Natürlich gab es auch Zweihundertprozentige in den Orchesterleitungen und Theaterintendanzen, die sich strikt an den Buchstaben der Weisungen hielten und sie vielleicht sogar noch an Rigidität überboten. Der Rostocker Generalintendant Hanns Anselm Perten verweigerte sein Orchester generell oder ließ dessen Dienstpläne kurzfristig so umdisponieren, daß es am betreffenden Tag unabkömmlich war. Doch auch in diesem Falle fand sich ein Ausweg, indem die Schweriner Staatskapelle einsprang. Ein ähnliches Entgegenkommen über die Bezirksgrenze hinweg fand der Saalfelder Kirchenmusikdirektor Walter Schönheit bei der Weimarer Staatskapelle, als ihm der Rat des Kreises das Sinfonieorchester am Ort verweigerte, mit dem er bis dahin stets gut und reibungslos zusammengearbeitet hatte.

Ein besonderer Dorn im Auge war den im Ostteil Berlins Entscheidungsbefugten die Berliner Domkantorei, die Herbert Hildebrandt 1962 ins Leben gerufen hatte, nachdem der organisatorisch mit der heutigen Hochschule der Künste in Berlin-Charlottenburg verbundene Berliner Staats- und Domchor seit dem Bau der Mauer keine Möglichkeit mehr hatte, an seiner Ursprungsstätte zu singen. Hildebrandt hatte aus seiner kritischen Haltung gegenüber dem DDR-Regime nie ein Hehl gemacht, erst recht nicht, als die unmittelbar an der Sektorengrenze gelegene Versöhnungskirche, an der er bis 1961 tätig war, gesperrt und schließlich mitsamt dem Pfarrhaus in die Luft gesprengt wurde. Es fehlte daher schon bald nicht an Nadelstichen. Wenige Jahre später kam es zu massiven und existenzbedrohenden Behinderungen. Erstmals 1967 wurde der Domkantorei für eine Festwoche zu Ehren des 200. Todestages von Georg Philipp Telemann, an der auch namhafte auswärtige Chöre und Solisten teilnahmen, die Druckgenehmigung für Plakate, Programmheft und sogar Eintrittskarten verweigert – mit dem Hinweis darauf, daß eine Telemann-Ehrung nicht Sache der Kirche sein könne, sondern unter die staatliche Kulturhoheit falle. Bezeichnenderweise hatte man im öffentlichen (Ost-)Berliner Musikleben zu diesem Zeitpunkt noch gar nicht daran gedacht, Telemann zu ehren. Gleiches wiederholte sich bei den folgenden Oratorienaufführungen der Berliner Domkantorei. Herbert Hildebrandt und seine Mitstreiter in der Leitung des Chores ließen sich davon jedoch nicht beirren. Sie boten ihre Aufführungen fortan bei freiem Eintritt, auf der Basis freiwilliger Spenden, an und konnten dank eines wirkungsvoll funktionierenden Besucherdienstes, den sie aufbauten, einen weitaus größeren Zustrom verzeichnen als zu den Zeiten, da es noch möglich war, für die Konzerte an Litfaßsäulen zu werben. Die meisten Werke mußten der großen Nachfrage wegen zweimal, Bachs Weihnachts-Oratorium alljährlich dreimal aufgeführt werden – und das in der damals größten evangelischen Kirche im Ostteil Berlins, der auch in der Wendezeit rühmlich bekannt gewordenen Gethsemanekirche, die jeweils rund 1500 Besuchern Platz bot.

Eine so starre und engstirnige Haltung wie im Fall der Domkantorei und ihres Leiters war nicht unbedingt kennzeichnend für die Berliner Situation. Ich konnte nach meiner Übersiedlung von Leipzig nach Berlin im Herbst 1962 durchaus gegenteilige Erfahrungen sammeln, daß man nämlich in Berlin, wenigstens auf der zentralen Leitungsebene des kulturellen Lebens, deutlich großzügiger und weniger doktrinär dachte als in der Mehrzahl der Bezirke. Wohlgemerkt: auf der zentralen Ebene. In den Berliner Stadtbezirken hielten sich Kleingeist und Engherzigkeit ebenfalls hartnäckig und nahezu unausrottbar, nicht anders als jenseits der hauptstädtischen Grenzen. Innerhalb der 14 DDR-Bezirke stieß ich in der Folgezeit bei meinen ausgedehnten Ermittlungen zur Entwicklung und Problematik der kirchenmusikalischen Arbeit aber doch auf signifikante Unterschiede im Blick auf das kirchen- und zum Teil auch kulturpolitische Klima. In Dresden sah manches anders aus als in Leipzig oder Karl-Marx-Stadt. Im Bezirk Erfurt war man großzügiger als in Gera oder gar in Suhl, wo selbst die loyale Thüringer Kirche ihre Probleme hatte. Auch der Bezirk Schwerin scheint sich in mancher Hinsicht von Rostock positiv unterschieden zu haben. Das geht schon aus der Tatsache hervor, daß es mit der Mitwirkung der Schweriner Klangkörper bei Kirchenkonzerten weit weniger Schwierigkeiten gab als im nördlichen Nachbarbezirk. Die kirchenpolitische Situation in Berlin und – mit einigen Abstufungen – den brandenburgischen Bezirken entkrampfte sich erst, als sich die Berlin-Brandenburgische Kirche bereitgefunden hatte, für ihre Ostregion mit Albrecht Schönherr einen eigenen Bischof zu wählen, unabhängig von dem West-Berliner Anteil des Kirchengebietes. Das geschah definitiv 1973. Zuvor hatte Schönherr bereits sechs Jahre lang das Bischofsamt »verwaltet«, seit 1970 mit dem Titel »Bischof«, da dem 1966 von der Synode der Gesamtkirche Berlin-Brandenburgs gewählten Bischof Kurt Scharf, der in

West-Berlin residierte, von den DDR-Behörden permanent der Zutritt zum Ostteil seines Bistums verwehrt wurde. Leider bleibt nicht zu leugnen, daß sich auch die Verantwortlichen der in der DDR veranstalteten Bach-Feste der Neuen Bachgesellschaft von einem bestimmten Zeitpunkt an in das Schlepptau der parteiamtlich verordneten staatlichen Restriktionspolitik gegenüber der Kirchenmusik nehmen ließen und Chöre der Kirche schließlich vollständig von der Mitwirkung fernhielten. Das erscheint um so befremdlicher, als die Neue Bachgesellschaft unter maßgeblicher Mitwirkung der deutschen Kirchenchorverbände (beziehungsweise -vereine) gegründet wurde mit der ausdrücklichen Zielsetzung, den Kantaten, Passionen und Oratorien Bachs wieder einen unangefochtenen Platz im kirchenmusikalischen Leben, ihrem einstigen Ausgangspunkt, zu verschaffen. Schon bei der mit dem 27. Bach-Fest der NBG verbundenen Deutschen Bachfeier 1950 wirkten im offiziellen Programm außer dem Thomaner- und Kreuzchor (die von ihrer organisatorischen Zuordnung zu den jeweiligen städtischen Verwaltungen her nicht als Chöre der Kirche im engeren Sinne anzusehen sind) nur eine einzige ausschließlich kirchlich gebundene Chorvereinigung mit, der Eisenacher Bach-Chor unter dem damaligen thüringischen Landeskirchenmusikdirektor Erhard Mauersberger, und auch er nicht in Leipzig, sondern bei der Abschlußfeier in Bachs Geburtsstadt. Es gab allerdings noch nach alter Tradition ein Bach-Choralsingen auf dem Leipziger Marktplatz mit Chören des Kirchenchorwerkes der Evangelisch-Lutherischen Landeskirche Sachsens unter dessen Landesobmann, Kirchenmusikdirektor Armin Haufe – bescheiden genug, nachdem einige der daran beteiligten Chöre längst den Beweis geliefert hatten, daß sie imstande sind, auch anspruchsvolle Werke Bachs aufzuführen. Beim 30. Bach-Fest der NBG in Leipzig, wiederum in Leipzig, erhielten zwei künstlerisch profilierte Kantoreien der Bach-Stadt, die der Markus- und Nathanaelkirche unter Gottfried Burkhardt und Friedrich Neubert, die Möglichkeit, in Morgenfeiern der Nikolai- und Thomaskirche Bach-Kantaten aufzuführen. 1955 gab es beim 32. Bach-Fest in Leipzig außer dem Festgottesdienst und den Konzerten mit dem Thomanerchor unter Günther Ramin nur noch eine Mette mit der Kantorei St. Nikolai unter Johannes Piersig und der Schola cantorum. Bei den Bach-Festen in Eisenach 1957 und in Mühlhausen 1959 waren die tragenden kirchenmusikalischen Kräfte der beiden Bach-Städte noch voll in die Programmgestaltung integriert. In der Thomas-Müntzer-Stadt hatte Kirchenmusikdirektor Heinz Sawade, Kantor und Organist an der Bach-Kirche Divi Blasii, sogar die künstlerische Gesamtleitung. Auch in Weimar 1964 waren noch der Stadtkirchenchor unter seinem Kantor, Egon Malsch, und Prof. Johannes Ernst Köhler in seiner Eigenschaft als Organist der Herderkirche beteiligt. Einen offiziellen Festgottesdienst gab es jedoch schon in Mühlhausen nicht mehr. Bei den Leipziger Bach-Festen wird er seit 1962, dem 750. Jahr des Bestehens von Thomasschule und Thomanerchor, nur noch im Anhang des Veranstaltungsprogramms unter »Weitere Hinweise« verzeichnet. Vom gleichen Zeitpunkt an, erst recht bei den »Internationalen« Bach-Festen in Leipzig seit 1966, werden auch alle sonstigen kirchlichen Aktivitäten konsequent ausgegrenzt. Lediglich an Orgel und Cembalo erhalten einzelne herausragende Kirchenmusiker noch eine Existenzberechtigung. Erst beim Schweriner Bach-Fest 1977 gelingt wieder ein Durchbruch mit einem Konzert des Motettenchores der Rostocker St. Johannis-Kantorei unter Hartwig Eschenburg. Dem gleichen Chor wird in Würdigung seiner überragenden Qualitäten zum Bach-Händel-Schütz-Gedenkjahr 1985 die bis dahin einzige Schallplattenaufnahme mit einer kirchlichen Chorvereinigung im Repertoire des DDR-Monopolunternehmens für Tonträger, VEB Deutsche Schallplatten, zugestanden mit den Bach-Motetten und einer Reihe Choralsätze – gegen erbitterten Widerstand von seiten tonangebender Instanzen im Bezirk Rostock.

Die Situation bei den Bach-Festen hatte ihre Parallelen. Bei den seit 1952 alljährlich in Halle stattfindenden Händel-Festspielen verschwanden bereits sechs Jahre später die Kirchenkonzerte mit dem Chor der Evangelischen Kirchenmusikschule unter Eberhard Wenzel aus dem Programm und kehrten erst nach der Wende wieder zurück. In Magdeburg gab man sich toleranter. Bei den Telemann-Festtagen in der Geburtsstadt des Meisters behielt der Magdeburger Domchor unter Gerhard Bremsteller noch bis zum Gedenkjahr 1967 einen gewichtigen Platz im Programm. Daß er fortan mehrere Male nicht mehr in diesem Rahmen zu erleben war, senkte das Gesamtniveau der Tage spürbar. Statt dessen trat Bremstellers Nachfolger im Domkantorat, Günther Hoff, mit umfangreichen eigenen Aktivitäten auf den Plan, die weithin Anziehungskraft gewannen. Nachhaltige Resonanz fanden nicht zuletzt die von ihm mehrmals in eigener Regie vorbereiteten und geleiteten Bachtage des Magdeburger Domchores. Man konnte ihn daher auch bei den Bachtagen des Jahres 1988, die die DDR-Sektion der Neuen Bachgesellschaft im Zusammenwirken mit dem Rat der gastgebenden Stadt veranstaltete, nicht gut ausgrenzen. Hoff brachte bei dieser Gelegenheit mit seinem Chor die Johannes-Passion in der Fassung von 1725 zum Erklingen. In den Jahren zuvor hatten bereits Hartwig Eschenburgs Motettenchor und die ebenfalls in der Kirche beheimateten Thüringer

Sängerknaben unter Walter Schönheit aus Saalfeld bei den Bachtagen der DDR-Sektion in Rostock und Gera Zeichen gesetzt, während es die Stadt Potsdam 1983 bei einem entsprechenden Anlaß nicht für nötig hielt, auf die hervorragenden Chöre und Orgelinterpreten zurückzugreifen, die sie in ihren Kirchen besitzt. Vorübergehend beruhigten sich die bis dahin unterschwellig fast ohne Unterbrechung fortdauernden Spannungen im Verhältnis zwischen Staat und Kirche, nachdem ein Grundsatzgespräch zwischen Erich Honecker und dem Vorstand der Konferenz der evangelischen Kirchenleitungen der DDR unter Leitung seines derzeitigen Vorsitzenden, Bischof Albrecht Schönherr, am 6. März 1978 die Fronten geklärt hatte. Damit verbesserten sich eine Zeitlang auch für die Kirchenmusik die Arbeits- und Existenzbedingungen. Die ohnehin wirkungslos verpufften Behinderungsversuche hörten weitgehend auf. Genehmigungen für Konzertreisen von Organisten im Dienst der Kirche nach der Bundesrepublik und anderen westlichen Ländern wurden großzügiger gewährt, seit man sich bewußt geworden war, daß sie der DDR Devisen bringen können und andererseits im Falle einer eventuellen »Republikflucht« der Verlust für die Volkswirtschaft nicht erheblich sein würde. Überhaupt entdeckte man wie die Kirche insgesamt auch die Kirchenmusik als nützlichen Devisenbringer. Selbst der DDR-Rundfunk beteiligte sich an diesem einträglichen Geschäft, indem er eine Reihe von Tonbandaufnahmen, die ursprünglich für die geistlichen Morgenfeiern bei Radio DDR bestimmt waren, an eine westdeutsche Schallplattenfirma verkaufte. Jede finanzielle Zuwendung, die von den westlichen Partnerverbänden der Kirchenmusiker, der Chöre und Posaunengruppen in die DDR floß, zählte, jede Westmark, die die Patengemeinden jenseits der deutsch-deutschen Grenze für Orgelbauvorhaben und andere Aufgaben zuschossen, war von Wert. Bei derartigen Vorhaben zeigte sich im übrigen auch der Staat DDR sehr generös gegenüber den Kirchen. Ihnen wurden die notwendigen Rohmaterialien für den Orgelbau, insbesondere die Metalle, sehr viel niedriger berechnet als für Auftraggeber der öffentlichen Hand, beispielsweise die städtischen und staatlichen Konzerthallen, nicht selten weit unter den tatsächlichen Gestehungskosten. Nach wie vor alles andere als großzügig verhielten sich die staatlichen Organe jedoch gegenüber den Bemühungen ganzer Chöre der Kirchen, ihr Können auch außerhalb der DDR-Grenzen zu präsentieren. Sie ließen zwar in größerer Zahl als während der vorhergegangenen Krisenzeiten Chöre aus westlicher Richtung die Grenze passieren. Aus der DDR erhielten hingegen erst in der letzten Zeit einige wenige Kirchenchöre von herausragendem Rang wie die

Berliner Domkantorei, der Magdeburger Domchor und der Weimarer Bachchor Genehmigungen zu Reisen in die Niederlande und die BRD.

Von einiger Bedeutung für die kirchenmusikalische Arbeit war es, daß die Leistung anerkannt wurde, die sie mit der Heranführung junger Menschen an die Musik, nicht nur Bachs, und ihrer Motivierung für einen künstlerischen Beruf vollbrachte. Die Nachwuchssituation an den damals noch vier Musikhochschulen der DDR hätte sehr viel schlechter ausgesehen ohne die hochmotivierten und -befähigten Gesangs- und Instrumentalstudenten, die aus Pfarr- und Kantorenhäusern kamen oder in Kurrenden, Jugendchören und Instrumentalkreisen der Kirche aufgewachsen waren. Im Ministerium für Kultur erkannte man das zumindest in den 80er Jahren sehr wohl, ohne es freilich in aller Öffentlichkeit anzuerkennen. Im übrigen gab es auch in seinem Verfügungsbereich Hardliner. Der Rektor der Berliner Hochschule für Musik »Hanns Eisler« bedrohte noch in den 80er Jahren zwei Studenten, Söhne eines sehr namhaften Kirchenmusikers, mit Relegierung, falls sie es wagen sollten, bei Bach-Kantatenaufführungen ihres Vaters in der Kirche ihrer Heimatgemeinde mitzuspielen. Derselbe Rektor von einst suchte nach der Wende mit seinem nunmehrigen Orchester bemerkenswerterweise um des Überlebens willen enge Kontakte zur Kirche. Noch unüberwindlicher hielten sich die antikirchlichen Ressentiments im Bereich des Ministeriums für Volksbildung, das strikt jede Möglichkeit kirchlicher oder religiöser Beeinflussung der Jugendlichen zu verhindern suchte. Bis zuletzt galt hier Margot Honeckers strenge Weisung, daß kein Student einer Pädagogischen Hochschule kirchenmusikalische Veranstaltungen zu besuchen, geschweige denn in ihnen mitzuwirken habe. Selbst Lehrern, auch in dem kirchlich so loyalen Thüringen, wurde dringend nahegelegt, sich von Kirchenchören fernzuhalten. Für alle Ministerien gleichermaßen ein Schreckgespenst waren zu DDR-Zeiten die »populären« Formen des Musizierens junger Leute in der Kirche, Blues-, Beat- und Rockmessen, weil man hier ein mögliches Widerstandspotential fürchtete. Das Ministerium für Staatssicherheit ließ bei derartigen Veranstaltungen in Berlin ganze Hundertschaften aufmarschieren und die gesamte Kirche mit einem Kordon umrunden.

Bachs Musik bot natürlich weniger Anlaß zu Verdacht und Mißtrauen. Dennoch fehlte es auch da, wo sie in Kirchen und Gemeinderäumen geprobt und aufgeführt wurde, nicht an wachsamen Horchposten, die alles registrierten und höherenorts meldeten, was irgendwie auffiel und von der Norm abwich. Sie bekamen alle Hände voll zu tun, als nach dem noch relativ einträchtig und reibungsfrei verlaufenen Musikergedenkjahr 1985 mit staatlichen und kirchlichen Feierlichkeiten für Bach *und* Schütz in friedlichem Nebeneinander erneut düstere Wetterwolken in den Beziehungen zwischen Staat und Kirche aufzogen und unübersehbar die DDR-Dämmerung anzukündigen begannen.

REGISTER

WERKE VON JOHANN SEBASTIAN BACH

Geistliche Kantaten